LA DOULEUR DU DOLLAR

A travers l'histoire d'une femme, la Môme Cuca, abandonnée par l'homme de sa vie qui, pour tout souvenir, lui a laissé une fille et... un dollar, Zoé Valdés brosse un extraordinaire portrait de son île natale.

Des années prérévolutionnaires à nos jours, de la nonchalance à l'exubérance, de l'incertitude mais aussi à la résistance d'un peuple, ce roman met magnifiquement en scène La Havane dans toutes ses contradictions, sa violence et sa sensualité.

Composée dans l'exil, l'œuvre de Zoé Valdés est sans doute le plus bel hommage que la romancière puisse rendre à son île, son pays perdu, tragique et tant aimé.

ZOÉ VALDÉS

Née à La Havane en 1959, Zoé Valdés a travaillé plusieurs années à la délégation cubaine de l'Unesco. Depuis 1995, elle vit en exil à Paris. Poétesse, romancière, scénariste, elle est l'auteur d'une œuvre dont la renommée internationale ne cesse de s'accroître. *La Douleur du dollar*, paru d'abord en Espagne en 1996 (et chez Actes Sud en 1997), lui a valu un immense succès et fut finaliste au prix Planeta.

DU MÊME AUTEUR

Sang bleu, Actes Sud, 1994.
Le Néant quotidien, Actes Sud, 1995.
La Sous-Développée, Actes Sud, 1996.
La Rage des anges, Textuel, 1996.
"Conte havanais à dormir debout", in *L'Ombre de La Havane* (sous la dir. de Liliane Hasson), Autrement, 1997.

LA DOULEUR DU DOLLAR

Collection dirigée par Sabine Wespieser et Hubert Nyssen

Titre original :
Te di la vida entera
Editeur original :
Planeta, S.A. Barcelone

ISBN 2-7427-2067-7

ZOÉ VALDÉS

LA DOULEUR DU DOLLAR

roman traduit de l'espagnol (Cuba)
par Liliane Hasson

BABEL

REMERCIEMENTS

Je remercie Attys Luna, Ricardo, mes amis, les éditions Actes Sud, tout spécialement Alzira Martins, l'Ecole des hautes études en sciences sociales et le Centre national du Livre, pour leur confiance et leur aide.

Z. V.

à maman

Si à la fin je devais écrire
ce qu'a été mon univers,
si à la fin je devais signaler
les jours les plus profonds,
c'est sur toi que j'écrirais
le plus, en compensation,
car tu es amour, joie, illusion,
sentiment et chimère.

Chanson de JUAN ARRONDO,
interprétée par CLARA et MARIO.

PRIÈRE POUR PURIFIER LA TÊTE

Igba, baba, igba yeye, igba echu Alagbana
(la permission, père, la permission, mère, la permission echu Alagbana) ;
igba ile akuokoyeri, igba ita meta bidigaga
(la permission maison echu akuokoyeri, la permission encoignure 3, et à l'arbre ficus) ;
kinkamache oyubona, kinkamache apetevi
(salut marraine du second siège, salut à celle que garde Orula) ;
kinkamache ori mi kinkamache gbogbo orisha ;
(salut à ma tête, salut à tous les orishas) ;
agbalagba kinkamache kinkamache komalebe
(aux vieillards, salut. Salut tête privilégiée) ;
agbaniche, oba ni omo
(orisha profondeurs de l'océan, roi son fils) ;
ona kuni obani ye emi
(sur le chemin qu'il soit en alerte, le cerf est à Obbatalá) ;
kachocho eni kachocho
(messages Obbatalá avec le droit).

PREMIÈRE PARTIE

Havanité des havanités, tout est havanité…
J'ai deux amours, la ville et la nuit.
Se souvenir c'est ouvrir cette boîte
de Pandore d'où émanent toutes les
douleurs, toutes les odeurs et cette
musique nocturne…

GUILLERMO CABRERA INFANTE

1

Be Careful, it's My Heart

Prends garde
car c'est mon cœur,
pas ma montre que tu tiens
dans ta main.

Chanson d'IRVING BERLIN,
interprétée par BOLA DE NIEVE.

Ce n'est pas moi qui ai écrit ce roman. Moi, c'est le cadavre. Mais cela n'a pas la moindre importance. Maintenant il faut absolument raconter, avec la bouche grouillante de vers, peut-être, comme le mort qui raconte d'un bout à l'autre mon film préféré, *Sunset Boulevard*, de Billy Wilder. Plus tard, dans un autre chapitre, je présenterai mes lettres de créance de morte officielle. Maintenant, dressez vos oreilles ou plutôt, plongez dans ces pages auxquelles j'ai survécu sous forme d'esprit, non sans amour, non sans douleur :

En 1934, à Santa Clara, ville de l'ancienne province de Las Villas, aujourd'hui Villa Clara, Cuca Martínez naquit. Son père était un aubergiste chinois qui avait fait le voyage de Canton à Mexico. Là, il changea de nom et vint faire fortune à Cuba. Sa mère était originaire de Dublin, mais elle n'y passa que les deux premières années de sa vie. Ses grands-parents maternels arrivèrent à Cuba flanqués de leurs trois petites filles, en espérant, eux aussi, s'enrichir dans la boucherie chevaline ; le grand-père de Cuca était boucher, on le surnommait le Roi de la Viande boucanée. Les fillettes grandirent et devinrent trois demoiselles rouquines aux yeux bleus. La plus jeune, qui avait commencé à déclamer de la poésie française dans le théâtre minable de la ville s'amouracha, plus exotique qu'asiatique, du cuisinier chinois sans caste. De l'union du Chinetoque et de l'Irlandaise cinq enfants virent le jour, l'un mourut tout bébé, un autre attrapa la poliomyélite à l'âge de quinze ans, le troisième est asthmatique et catholique chronique, la quatrième est malade des nerfs ; quant à la cinquième, Cuca Martínez, c'est la plus saine de toutes, elle n'a pas toujours été vieille, édentée et laide. Il faut préciser que Cuca Martínez a bel et bien eu quinze ans, ce qui signifie, en bon havanais, qu'elle a été jolie, très bien roulée, que les voitures s'arrêtaient pour elle dans toutes les rues et les avenues de La Havane.

Quand elle eut dix ans la Môme – le surnom de Cuca Martínez était aussi simple que ça – dut aller vivre chez María Andrea, sa marraine, car sa génitrice aux cheveux roux en bataille et aux yeux bleu marine s'obstina à poursuivre sa carrière d'actrice ou de déclamatrice lamentable, et se sépara du père chinois de la Môme Cuca. Elle se prit un amant de dix-huit ans, sitôt dit, sitôt fait. L'Asiatique, qui ne s'en sortait pas avec ses quatre enfants à charge, en garda deux et prêta les deux autres à leur marraine noire, laquelle était affligée en permanence de rages de dents épouvantables. Avec elle, la Môme Cuca apprit à faire la lessive, la vaisselle, la cuisine, le repassage, et toutes sortes de travaux propres à son sexe (comme je déteste employer cette expression !). A ses moments perdus, plutôt rares, elle avait la permission de jouer avec une bouteille de bière déguisée en poupée. Car à vrai dire elle n'a jamais souffert de la faim, mais, question jouets, elle n'en a pas eu beaucoup, il faut avouer, probablement aucun. La Môme Cuca n'avait pas le temps de s'ennuyer, elle n'arrêtait pas de travailler comme une brute, ou de jouer avec sa bouteille-poupée dans ses courts instants de loisir, ou de réchauffer de l'alcool dans sa bouche pour le déverser ensuite, en jets tièdes, dans la bouche pourrie de María Andrea afin de soulager la douleur que lui causaient ses caries. Dans cette maison vivaient aussi le frère asthmatique et catholique chronique de la Môme Cuca ainsi que le fils de leur marraine, âgé de vingt-trois ans.

Par une de ces nuits torrides et terriblement ennuyeuses de la campagne, celle-ci s'absenta pour se rendre à une séance de spiritisme. La Môme Cuca resta seule comme une âme en peine. Comme elle avait déjà fait la vaisselle, elle se mit à coudre une robe neuve pour sa bouteille-poupée, histoire de s'amuser. Elle enfilait son aiguille, quand le fils de sa marraine María Andrea, un mulâtre café au lait, surgit. La pine raide comme une trique, il fonça sur la Môme, lui flanqua un coup de poing et la jeta, sans connaissance, sur la natte où l'on tirait les coquillages pour la divination. Vif comme l'éclair, il lui déchira sa culotte, écarta ses maigres cuisses boutonneuses et s'apprêtait à violer sa zézette déplumée avec son gourdin joufflu quand la marraine María Andrea fit irruption, encore possédée, en pleine transe spirite ; elle brandit une planche munie d'un clou au bout et d'un seul coup elle fendit le dos de son fils violeur, qui déguerpit à toutes jambes, en saignant comme une fontaine. En chemin, il tringla une génisse, répandit sa semence, puis essaya de se pendre. Mais comme il avait volé la corde dans une épicerie et que le patron l'avait repéré, il n'avait pas fait cent pas que la police l'arrêta devant l'arbre qui aurait pu être sa potence.

La Môme Cuca se réveilla avec un caillot de sang sur la langue. María Andrea s'assura avec l'aide d'une matrone que sa filleule était toujours vierge et se contenta de verser quelques larmes de crocodile quand elle apprit que son fils était en prison. Elle n'avait jamais aimé cet enfant, lui non plus ne l'aimait pas. Mère et fils étaient comme chien et chat. María Andrea poussa même un soupir de soulagement en se disant que la prison le corrigerait et ajouta aussitôt pour elle-même, en guise de consolation, que *l'arbre qui naît tordu ne redresse jamais son tronc*, puis elle se mit à astiquer au white-spirit le sol de ciment, comme si de rien n'était.

Six années s'écoulèrent et le mulâtre café au lait ne sortait de taule que pour y retourner, pour cause de délits de droit commun de toutes sortes, braquages, tentatives de viol, voitures volées. Cependant, il se débrouillait pour obtenir des permissions et, plus tard, on le libéra définitivement, il venait souvent leur rendre visite mais ne voulut plus jamais habiter avec eux. Il ne restait qu'une quinzaine de minutes, planté là le temps d'avaler un café, sans desserrer les dents, à ruminer. Son haleine et sa sueur empestaient le criminel.

Au frère de la Môme Cuca, asthmatique et catholique chronique, on avait dévolu la chambre-tanière du fils de María Andrea ; une cloison en planches le séparait du lit pliant de sa petite sœur. Un jour de forte pluie, à l'aube, la Môme, devenue adolescente, néanmoins le surnom lui resta jusqu'à ce qu'elle devienne une femme accomplie, entendit des râles de cheval assoiffé, des froissements de draps, des déchirures de vêtements. Alors, plus peureuse que curieuse, avec ce froid à l'estomac et l'envie immédiate de vomir et de chier que donne la terreur, elle regarda à travers un interstice. Elle étouffa un cri qui lui tordit la bouche. Son frère, violemment immobilisé par les cheveux, nu, le corps tout égratigné, mouillé et baveux, était attaché et pleurait tout bas en répétant "Aïe, mon Dieu, aïe, mon Dieu". Ses fesses graisseuses luisaient au clair de lune qui s'infiltrait par les innombrables fentes, le braquemart du mulâtre café au lait, d'une dimension spectaculaire, entrait et sortait comme un sabre arabe se fourrant dans un cœur. La Môme Cuca put voir la chair du cul de son frère chauffée au rouge, la bite de l'autre pleine de sang et de merde. Elle voulut hurler, appeler au secours pour son frère asthmatique et catholique chronique. Mais soudain, le mulâtre café au lait eut l'orgasme du siècle et fit taire ses gémissements dans la morsure qu'il cloua dans le dos de l'autre. Cet autre, qui à présent riait et pleurait, chuchotait "Aïe, mon p'tit dieu, aïe, mon gros p'tit mulâtre, aïe, ma petite pine". Aussitôt, il eut à son tour un orgasme extraterrestre, ses poumons se dilatèrent et il respira comme un scaphandrier, comme l'homme amphibie. La Môme Cuca comprit, avec autant de douleur que de terreur, la jouissance de son frère asthmatique et catholique chronique, enfin tout ça ;

et dès lors elle apprit à souffrir en silence et ne joua plus jamais. Cette séance spectaculaire de cul puant traumatisa la Môme Cuca pour la vie, c'est pourquoi elle éprouva toujours fascination et dégoût pour le sexe.

A l'âge de seize ans, elle se rendit chez sa belle-mère pour avoir l'autorisation de s'en aller – autorisation accordée pour raisons économiques – et demander un peu d'argent à son père, avec la promesse de le rembourser plus tard. De nouveau, elle fit ses adieux à sa marraine avec des baisers larmoyants et baveux, certaine qu'elle ne la reverrait jamais. Puis elle recommanda à son frère, sèchement mais avec une intonation maternelle, de soigner son asthme. Lui, il connaissait déjà le remède, son spray favori, l'aérosol intestinal.

Elle partit pour La Havane en omnibus, un train qui s'arrête à chaque station bénie tout au long de cette île maudite. Cuca Martínez ne se souvient pas de ses premières impressions sur ce qui fut la plus belle capitale de l'Amérique latine. La Môme Cuca arriva morte de faim, de sommeil et de chaleur, direct dans un immeuble de rapport – comme on appelait à l'époque les futurs taudis – de La Vieille Havane, avec une recommandation pour Concha, une Asturienne amie de María Andrea, qui demeurait dans la rue Conde. La première question que lui posa Concha, une obèse graisseuse, ce fut sur son âge. Elle ne crut pas un traître mot de la réponse :

— Je viens d'avoir vingt ans, seulement voilà, je suis un peu maigrichonne.

Entre la première tentative de viol sur sa personne et celle commise sur son frère, six ans s'étaient écoulés.

— Rien qu'un peu ?

L'Asturienne, malgré son zézaiement espagnol, causait comme les Havanais, en avalant ses mots. Elle prit entre ses seins un mouchoir d'homme, noué aux quatre coins, où elle gardait son argent, elle étala la sueur qui suintait sur son cou et sur sa figure, attacha de nouveau son mouchoir à la bretelle de son soutien-gorge. Puis, sans traîner, elle colla un manche à balai dans les mains de la Môme Cuca en ajoutant :

— Allez, grouille, y a tout à faire ici. T'as droit à un lit de camp dans la chambre que la Mechunguita et la Puchunguita se partagent. P't-être que, plus tard, je pourrai te placer dans la cafétéria de Pepe, pour l'instant, t'es nourrie logée chez moi. En échange tu fais le ménage de l'immeuble avec zèle et dévouement : chambre par chambre, les toilettes, les éviers, les escaliers jusqu'à la terrasse, je veux que tout ça soit impeccable, sinon, gare, je te foutrai de ces coups de pied, tiens, vise mes savates ! (Elle lui montra des claquettes en bois à lanières de caoutchouc noir.) A part ça, tu dois faire la cuisine, les commissions, la lessive, le repassage, bref absolument tout ce qui me passera par la tête et par mes saintes parties. Et t'as vachement intérêt à être dans le coup, les fricotages, je suis contre, j'veux pas de bringues avec la Mechunga et sa petite amie, la Puchunga. Ici il faut bosser dur, très dur, crois-moi !

Que ce soit clair et net, il est donc inutile d'expliquer ceci : Cuca Martínez était une jeune paysanne parmi tant d'autres, qui débarquait à La Havane sans le sou, en pleine adolescence, inexpérimentée, en ayant devant elle, manifestement, un avenir de bonne à tout faire et aucune chance de devenir célèbre, car la

Môme chantait si faux qu'elle ne s'y risquait même pas sous la douche, et elle était godiche comme pas deux, même si plus tard elle apprit à se déhancher pour danser le cha-cha-cha et tous les rythmes à la mode, mais elle n'a jamais été réputée pour sa rumba. Tout ce qu'elle savait, c'était servir, être soumise et aimer. Car la Môme Cuca aimait tout le monde, mais elle, personne ne l'aimait, oh comme elle manquait de tendresse ! Surtout de la tendresse d'une mère.

En moins de temps qu'il n'en faut pour le dire, elle dépoussiéra, astiqua, balaya, passa la serpillière, cuisina, fit la vaisselle et la lessive, amidonna et repassa le linge de la semaine. Son travail terminé, sans même se débarbouiller ni manger, elle se jeta sur son lit en grelottant, avec quarante de fièvre. Elle n'avait même pas remarqué le décor de la chambre. Malade, les yeux larmoyants, elle parcourut la pièce d'un regard brûlant. Les murs étaient peints en jaune, les montants de porte en bleu pastel. Un triste lustre aux larmes de verre pendait du plafond et baignait les murs d'un sanglot fantasmagorique, avec ses jeux d'ombre et de lumière. Les meubles étaient de style repentance espagnole. Un lit double trépidait au rythme de gémissements féminins. Sa forte fièvre lui avait fait imaginer que ces “aïe” provenaient de sa propre poitrine. Mais non, ce n'était pas elle qui jouissait si fort à frotter son corps nu contre la peau cannelle d'un autre corps superbe, semblable à celui d'une danseuse du *Tropicana*. Elle se frotta les yeux de ses poings fermés pour s'assurer qu'elle ne rêvait pas. Non. Ces deux filles ravissantes devaient être ses camarades de chambre : la Mechunguita et la Puchunguita.

Les deux nanas broutaient tellement qu'on sentait l'odeur du gazon, elles se frottaient à produire des étincelles. Nichons contre nichons. Raie contre raie. Leurs doigts couverts de bagues en toc branlaient leur clitoris à la vitesse de la lumière. Leurs bouches, ou plutôt leurs lippes, suçaient toutes les proéminences à leur portée. Elles se flanquaient même de ces fessées à en avoir le cul chauffé au rouge, et se pinçaient les bouts de seins à hurler. Cuquita crut mourir de honte. Pourquoi est-ce que la vie lui réservait des scènes aussi violentes pour son âge ? Elle ne savait pas comment faire remarquer sa présence, elle se racla la gorge énergiquement, mais les filles ne réagirent pas. Alors elle toussa, et son anus s'ouvrit bruyamment. La chevelure acajou de la Puchunguita flotta en l'air, elle se dressa et ses seins durcis vibrèrent, comme deux canons sur le point de tirer des boulets de feu :

— Qui c'est qui a pété, dis ?

— C'est pas moi, dis donc ! protesta la Mechunguita hirsute, avec sa tignasse défrisée de chabine agitée.

Elles finirent par remarquer la Môme Cuca. Tremblante, celle-ci les observait, le dos collé à la porte de la chambre. La Mechunga et la Puchunga passèrent leurs jupons, qui leur glissèrent sur la peau avec la douceur du jersey, jusqu'aux genoux. Comme elles n'avaient pas enfilé de culotte, on devinait leur toison à travers le tissu transparent. Les deux filles se jetèrent sur Cuquita en larmes.

— D'où qu'elle sort, cette tête de nœud, dis ?

— Ben dis, j'en sais rien, moi. C'est toi qu'as pété ?

Cuquita fit oui, encore plus apeurée, en s'imaginant violée par les deux gouines, je veux dire bisexuelles. Apparemment, elles lurent dans sa tête, car la réplique fut immédiate.

— Te fais pas d'illusions, les morveuses, on n'aime pas ça... fit la Mechunga. Nous on a l'habitude des femmes et des hommes à part entière... Ah, tu dois être Cuquita Martínez, la nouvelle ! Petite Môme, t'es beaucoup trop minuscule pour ça, va... pour la mauvaise vie, qui est si bonne !

Cuquita expliqua, déjà plus calme en voyant que les deux autres s'asseyaient de chaque côté de son lit et allumaient une Camel, qu'elle n'était là que pour faire le ménage, la lessive, la cuisine, c'est-à-dire s'occuper de la maison... et gagner sa vie de la façon suivante : honnêtement. Bref, elle n'était que la nouvelle bonne.

— Je ne sais pas si la patronne vous a informées que j'allais coucher dans votre chambre... Je respecte beaucoup les gens, je ne dérange personne, je respecte pour être respectée...

Ce à quoi la Mechunguita répondit, sarcastique :

— Personne te fera ce que tu veux pas qu'on te fasse... N'est-ce pas, Puchunguita ?

— Et comment !

Sur ces mots, Cuquita tourna de l'œil et tomba raide par terre, comme un poulet à qui on a tordu le cou ; la fièvre et les émotions lui avaient fait perdre connaissance. Les deux nanas soulevèrent son corps frêle et l'allongèrent sur son lit. Couchée, l'adolescente paraissait encore plus maigre, plus chétive, plus affaiblie. La Puchunga courut chercher une cuvette pleine et elles la frictionnèrent avec du coton imbibé d'alcool et de l'eau glacée. La fièvre céda aussitôt et Cuquita s'endormit paisiblement jusqu'à dix heures du soir. A ce moment-là elle se réveilla comme neuve, pleine d'énergie pour refaire le ménage de tout le bâtiment, si nécessaire. La Mechunga lui servit une assiette de bouillon de poulet. Elle l'avala en une minute en aspirant ses cuillerées avec un bruit affreux de vidange d'évier.

— Ne prends pas l'habitude de tomber malade, c'est toi la bonne, pas nous... Oh, et puis apprends à manger ta soupe...

— Excusez-moi, je ne le ferai plus, assura Cuquita Martínez en piquant un fard.

Pendant ce temps, la Puchunga moulait son corps sculptural dans une robe bordeaux en lamé, chaussait des souliers vernis écarlates à talons hauts et se barbouillait les lèvres avec un rouge couleur vin de Rioja. A son tour la Mechunga se para le corps, elle s'enduisit la peau d'une robe en lamé doré, chaussa des sandales à talons hauts assorties, et se teignit la lippe en rouge vif. Elles poudrèrent de talc leur dos, leurs épaules et leur décolleté. Les Havanaises sont ainsi faites, elles adorent sortir avec des nuages de talc autour du cou. Elles se parfumèrent, puis allumèrent deux autres Camel. En s'examinant devant le miroir, elles se lissaient le ventre, tapotaient leurs robes au niveau des fesses et pointaient leurs seins en avant. Enfin, elles accentuèrent leurs grains de beauté au crayon noir ; la Mechunga en avait un au-dessus de la lèvre, et la Puchunga à la naissance du sein gauche, juste sur le cœur. Cuquita observait la scène, médusée.

— Dis donc, pourquoi tu te lances pas à venir avec nous ? demanda la Mechunguita l'air moqueur.

Habile, elle refusa en secouant la tête avec énergie, mais elle enviait avidement ses camarades de chambre.

— Oh, oui, c'est ça, viens t'amuser un peu au *Momatre* ! (elle voulait dire *Le Montmartre*). Allez, va, je te prêterai une de mes robes, qui date de quand j'avais pas encore ces nichons-là et ce cul... insista la Puchunguita, qui riait en faisant de grands gestes.

En un tournemain, elles la déguisèrent avec une robe de velours noir brodée de paillettes bleues. Ses petits seins ne remplissaient pas son décolleté, ils dansaient sous les baleines. Pourtant, ses hanches remplirent la robe au-dessous de la ceinture. La chabine rembourra son soutien-gorge pour suppléer à son manque de poitrine. La Mechunga lui prêta des sandales vernies noires.

— Eh ben mademoiselle, vous vous tapez de ces panards ! Vous chaussez du quarante, la même pointure que moi, c'est maous pour ton âge, quand même !

Pas de doute, Cuquita pouvait dormir debout sur ses pieds, et elle avait un air drôlement marrant, ridicule même, attifée comme elle l'était, avec ses gambettes velues à l'air, et ses arpions immenses comme une paire de palmes pour homme-grenouille. La Puchunga barbouilla son visage nubile du maquillage le plus voyant possible. Mais dans le miroir, la petite se trouva très belle, car la première fois qu'une fille se colle du fard, son univers change du tout au tout, c'est le début de son traumatisme féminin, de son engagement libertaire. Sans la laisser s'attarder devant la glace, elles lui prirent le bras et l'entraînèrent vers la fraîcheur de la nuit vieille-havanaise, d'où elles se rendirent à pied jusqu'à l'Alameda de Paula. Là, la Chevrolet de leur ami Ivo les attendait pour les conduire au *Montmartre*. Quand il vit Cuquita, Ivo ne put réfréner son ironie créole et demanda sur un ton apitoyé :

— Et la p'te pute tubarde, dans quel hôpital on la dépose ?

La Puchunguita lui flanqua un coup si terrible avec son sac à main verni que le fermoir lui cassa un bout de dent. Ils restèrent une bonne heure dans l'obscurité, le temps pour Ivo de retrouver son chicot, afin de se le faire recoller le lendemain par le dentiste. Il finit par le dénicher, le déterra du bitume et le rangea soigneusement dans un mouchoir ; puis ils montèrent en voiture et démarrèrent en direction du cabaret. Cuquita était si énervée après la réflexion d'Ivo à son sujet, et le coup de sac que la Puchunguita lui avait assené pour toute réponse, que son menton tremblota, elle se mit à claquer des dents et bientôt, elle n'y tint plus.

— Mesdames, mesdemoiselles, messieurs... déclama la Môme d'une voix prétentieuse.

— Eh, t'entends, elle se prend pour une speakerine de télé, celle-là ! l'interrompit la Mechunguita. Hystériques, ils éclatèrent d'un rire historique, mais la jeune Cuca poursuivit :

— Chères mesdames, chers messieurs... je veux mettre les choses au point devant tout le monde, je n'ai rien d'une pute, mais alors rien, d'ailleurs, je suis vierge... Je sais lire et écrire, ma marraine m'a appris, et j'ai l'intention, dès que l'occasion s'en présentera, de continuer mes études...

Leurs éclats de rire furent si retentissants que les occupants des voitures voisines tournèrent la tête pour essayer de comprendre ce qui se passait dans la Chevrolet. Cuquita ébaucha une moue comme si elle allait pleurer ; elle eut envie d'ouvrir la portière de la voiture pour sauter en marche. En fait elle essaya, et sans la Puchunga, qui la tira en arrière de toutes ses forces, ce qui déchira sa robe en velours, Cuquita serait à l'heure actuelle une bouillie incrustée ou fossilisée dans le bitume de l'avenue du Front de mer.

— Hé, t'es pas un peu folle ? Merde, qu'est-ce qui te prend ? Y en a pas des putes, ici, te goure pas sur notre compte. La Mechunga et moi, nous sommes vendeuses à *El Encanto* (L'Enchantement), ce grand magasin célèbre... Evidemment, toi, tu viens de la cambrousse, tu piges pas ce que je te raconte... La nuit ça nous *enchante* de nous amuser... c'est tout. Pour ce qui est de ta virginité, on verra combien de temps tu te la garderas. En attendant, sache que nous aussi nous sommes instruites... parce que, ici, vouloir c'est pouvoir.

Les deux autres s'excusèrent auprès de la jeune fille, et il se fit un silence d'outre-tombe, seulement violé par les vagues gigantesques qui passaient par-dessus le parapet du Front de mer, inondaient l'avenue et atteignaient les immeubles. Une brume saline couvrait de mystère la nuit éclairée par la lumière dorée de majestueux lampadaires qui s'alignaient, imposants, au milieu de l'avenue, sur toute sa longueur. Le vent qui s'infiltrait par la fenêtre sécha les larmes de Cuquita, elle pensa à sa famille et aux ténèbres désolées de la campagne ; elle les compara à la luminosité de La Havane, si magnifique, si neuve, si radieuse à ses yeux. Ivo alluma la radio et la voix plutôt rocailleuse, pleine d'aspérités, unique, d'Ignacio Villa, dit Bola de Nieve, se fit entendre. Il chantait en anglais une chanson triste. Tout de suite, cette chanson fila un *feeling* inexplicable à la petite, pourtant elle ne comprenait pas un traître mot d'anglais, mais quelque chose de spirituel, ou de spirite, lui disait que c'était là sa chanson, ou au moins celle qui définissait son état d'âme à cet instant précis : *Remember, it's my heart, the heart with the old wishes... Be careful, it's my heart...*

— Oh, que veut dire cette chanson ? demanda-t-elle avec passion, la foufoune déjà mouillée, sans comprendre d'où lui venait ce flux vaginal.

— C'est rien, quoi, une histoire de cœur toute bête... Et la Mechunga se mit à fredonner en espagnol, à tue-tête, une traduction affreuse : *Rappelle-toi, c'est mon cœur, mon cœur plein de vieux désirs... Fais attention, c'est mon cœur, tralala...* Je ne connais pas les paroles

Cuquita poussa un profond soupir, déjà amoureuse du possesseur de cette voix diabolique et mélodieuse. La Puchunga devina ses sentiments subits, et en deux petites phrases elle lui démolit son château de sable :

— Ça, c'est vrai, la voix du Nègre Bola de Nieve, elle est super bandante, dommage qu'il soit nègre et tantouze ! Devant l'air effaré de Cuquita, elle s'écria : Ne viens pas me demander maintenant ce que ça veut dire, tantouze, tu comprendras plus tard ! Si tu veux le voir en chair et en os, tu peux aller au restaurant *Le Monseigneur* ou alors..., ajouta-t-elle ironiquement, partir en avion pour Paris, il est très célèbre là-bas, paraît-il...

L'odeur de la mer, mêlée à celle de l'herbe et de l'eau de Cologne à deux sous, envahit la nuit ; Cuquita se répétait inlassablement la mélodie, enfouie au plus profond de son cœur. Ce cœur, lorsqu'elle était encore enfant, elle désirait qu'on en prenne soin comme d'une porcelaine, comme d'un bibelot. Il lui fallait de toute urgence un homme plein de bonté, de fortune – dans les deux sens du terme – qui la gâterait de toute son âme. Ivo fit coulisser le toit ouvrant de l'auto. Mon auto-hommage à l'auto des romans de Cabrera Infante. Le vent salin souffla dans les chevelures et ravagea les maquillages, au grand dam de la crème Pons. Cuquita imagina qu'un homme très macho, un amant genre *Highlander*, éternel, pourrait lui donner l'amour qu'elle n'avait jamais reçu dans son enfance tourmentée.

2

Ma serveuse adorée

Dans ce bar se parlèrent nos âmes,
elles se dirent des choses délicieuses,
dans ce bar nous avons pensé tant et tant,
voilà pourquoi je reviens toujours en ce lieu.
Sers-moi un verre de rhum
et bois ta bière avec moi cœur à cœur,
tu es ma serveuse adorée.

Chanson de JOSÉ QUIÑONES,
interprétée par BENNY MORÉ.

Telle était La Havane, colorée, illuminée, quelle belle ville, Seigneur ! Dire que je l'ai manquée parce que j'ai eu la malchance de naître trop tard. Telle était La Havane, avec ses belles filles à la chair ferme, aux cuisses fortes, longues comme des tours, aux jambes soyeuses, aux chevilles fines, aux pieds experts quand vient le moment de porter des talons hauts pour travailler, pour guincher, filles aux petits seins durs, ou bien gonflés et doux, car la Havanaise est ainsi faite, elle a une poitrine menue, la taille fine et les hanches généreuses. Les décolletés provocants avec vue plongeante sur le balcon, comme pour attendre Martí avec le drapeau cubain. Les lippes peinturlurées qui chuchotent des caresses. Tout cela est toujours à point, dit-on : les grains de beauté, l'arc des sourcils, la frange sur le front, la goutte de parfum derrière l'oreille, la croupe haut perchée, le petit ventre bombé, les déhanchements et la *sandunga*. Tels étaient quelques-uns des codes sexuels et jubilatoires de la Perle des Antilles. Foutue perlouze !

La Havane et sa moiteur saline, maritime, qui vous imprègne le corps. La Havane, avec ses corps après le bain, talqués, parfumés, et cependant poisseux. Corps luisants de sueur, la sueur du plaisir, le plaisir de la danse, la danse de l'amour. La Havane, avec ses regards échauffés, ses frôlements ou ses pelotages qui vous brûlent, ses dragues lubriques :

— Hep, fillette, quel cul, tu pètes dans une boîte de talc et il neige pendant un mois !

— Dis ma chatte, si tu cuisines comme tu marches, j'en mange jusqu'au trognon.

— Hé la nana, ton papa, il est tourneur ? Oh pour rien, vu que t'es faite au tour...

— Oh ma biche, quelle devanture, si t'éternues, tu bascules en avant !

— Ma mignonne mammée ! Ma crème à la vanille, mon beignet de courgettes, mon gâteau de riz saupoudré de cannelle, viens tout près, ma chérie, mon p'tit chou !

Telle était la ville sucrée, la ville de miel de la tête aux pieds, musiques et voix alcoolisées, cabarets, fêtes, soupers. Le repas cubain typique : de la viande de porc rôtie, en sauce. Vous dites, quelle est la recette du jambon rôti à la créole ? Ingrédients : un jambon de six livres environ, une gousse d'ail, du jus d'orange amère (trois quarts de tasse), une cuillerée d'origan, deux pincées de cumin, une demipincée de poivre, deux cuillerées de sel, une livre d'oignons. Bon, d'abord rincez la viande et piquez-la en plusieurs endroits à la pointe du couteau. Ensuite, pilez la tête d'ail, ajoutez-y le sel, l'origan, le cumin, le poivre et le jus d'orange amère puis, à l'aide d'un pinceau, badigeonnez la viande avec une partie de cette marinade. Laisser reposer le jambon douze bonnes heures, couvert d'oignons en lamelles. Hacher de gros oignons blancs en bonne quantité, faire revenir l'ail et l'oignon avec un soupçon de poivre. Bien couvrir la poêle pour que l'oignon devienne transparent sans que l'ail noircisse. Mélanger avec le jus d'orange amère ; pendant ce temps, on fait rôtir le jambon au four à trois cent vingt-cinq degrés pendant quatre heures. Si on emploie un thermomètre à rôti, le laisser monter jusqu'à cent quatre-vingt-cinq degrés. On peut aussi faire cuire le jambon dans une cocotte bien fermée. On dresse la viande sur un plat et on l'arrose de marinade. C'est un vrai régal. Convient pour huit personnes. Ou alors on fait frire des cubes de porc dans beaucoup de saindoux, ensuite on arrose de jus de citron vert. Riz blanc. Ça c'est le plus facile à faire, surtout, ne pas s'énerver, je sais bien qu'il y a un truc pour le riz, certains ne le réussissent pas. Il y en a qui obtiennent de la bouillie, d'autres du plâtre à gâcher sur les murs. Pour qu'il soit bien détaché, il faut suivre les instructions suivantes : comme ingrédients, une livre de riz, évidemment, deux tasses d'eau, une cuillerée de sel, deux gousses d'ail, trois cuillerées d'huile. Dans une sauteuse, mettez l'huile à chauffer, faites dorer l'ail, le retirer ainsi que l'huile et transvaser le tout dans la casserole, ajouter l'eau salée. Dès que ça commence à bouillir, verser d'un coup le riz bien rincé. Quand l'ébullition reprend, baisser le feu, laisser cuire tout doucement à couvert pendant trente minutes. Convient pour six portions. Haricots noirs à la Valdés Fauly, c'est pas si difficile que ça : deux livres et demie de haricots noirs, une livre et demie de piments, deux tasses d'huile d'olive, une livre et demie d'oignons, deux boîtes de poivrons rouges, une demi-tasse de vinaigre, quatre gousses d'ail, deux pincées de sel, une demi-pincée de poivre, un soupçon d'origan, une feuille de laurier, deux cuillerées à café de sucre en poudre blanc. Lavez les haricots et faites-les tremper la veille au soir dans une casserole d'eau avec le piment. Après quoi, vos haricots seront tout gonflés, les cuire dans une grande quantité d'eau. Pilez les oignons et les piments sans jeter le liquide qu'ils dégorgent. Faites cuire tout ce mélange jusqu'à évaporation, ajoutez une boîte de poivrons hachés et la moitié de l'huile. Faites revenir et versez le contenu dans les haricots noirs. Assaisonnez avec sel, sucre et poivre. Ça doit cuire à petit feu. Entre-temps, ajoutez de l'huile, du vinaigre et l'autre boîte de poivrons coupés en morceaux avec leur liquide. Compter trois heures pour faire épaissir, ou quarante-cinq minutes à la Cocotte-Minute. Ne pas oublier le boudin et le laurier, selon votre goût. Le temps de cuisson dépend, bien entendu, de la qualité des haricots ; pour les américains qui sont gros, longs et durs, c'est plus long, pour les cubains ou les brésiliens, qui sont de minuscules haricots tout ronds et doux, le temps indiqué suffira. Quand on ôte le couvercle, augmenter le feu, à vue de nez, jusqu'à ce qu'ils prennent et se transforment en purée. Le lendemain, c'est encore meilleur, on les appelle alors les haricots noirs endormis, parce qu'ils ont l'air moulus, comme une pâte. Que de recettes encore, que d'odeurs ! La Havane et ses saveurs, mélange sucré salé, riz aux haricots noirs et à la banane frite ; comme dessert, gelée de goyave au fromage blanc fondu. Oh, La Havane, que de jouissances ineffables, pour le palais et… pour le reste ! Que de jeunes gens élégants en complet d'alpaga, ceux qui le pouvaient, les autres aussi portaient un complet, moins onéreux certes, mais toujours de bonne coupe. Car il faut dire que La Havane était, qui ose me contredire ?, la cité des étudiants, veston sur l'épaule, en train de discuter d'un poème de Valéry sur la place Cadenas, par exemple celui qui commence ainsi : *Ce toit tranquille, où marchent des colombes.* Quelle petite garce, cette métropole, avec ses médecins hyperprofessionnels, qui avaient leurs cabinets dans le quartier très chic du Vedado, avec ses professeurs myopes, endimanchés, assis sur les bancs du Parc Central. Avec ses jeunes voyous aussi, pourquoi pas ? La richesse d'une ville, et plus précisément de la ville dont nous parlons, s'accroît dans la mesure où la diversité de ses personnages la décore. Jusqu'aux bandits, avec leurs chevelures gominées et leurs rires de durs. Les jeunes filles et les garces se disputant le prestige et les fortunes. Sans compter les assassins, et les assassinés.

Dès l'aube, les effluves des parfums coûteux du grand magasin *El Encanto* se répandaient, ou ceux des parfums pas cher des *Prisunic*, terriblement vulgaires, mêlés à la pestilence de différents alcools. Oh, les Havanais, prêts à recevoir caresses et baisers ! Nom de Dieu, quelle délectation, cette Havane moite, cette ville aux nuits chaudes, suaves ! De temps à autre un coup de brise marine vous ensorcelait, et le fumet de potages, d'omelettes basques au chorizo, de pain grillé, arrivait par bouffées. Ou simplement la peau de l'autre, sa proximité, vous envahissait. Il fallait apprendre à s'effleurer, à se laisser tripoter sous un porche du Front de mer, à jouir du jouissif, ne pas confondre avec jouer dans le joyeux. De chaque terrasse s'échappait le délire d'une musique, tambours hallucinants, guitares mélancoliques, pianos audacieux, voix... Oh, les voix de La Havane ! Elles semblaient toutes chanter un *guagancó*, un *feeling*, une *guaracha*, un *son*, ou un *danzonete* :

> Danzonete, *essaie et pars,*
> *je veux danser avec toi,*
> *au rythme du* danzonete...

Même la diction des habitants avait sa tonalité propre selon l'heure. Le matin, les bruits et les conversations se fondaient pour offrir la tendresse d'un *danzón*. A midi, des quartiers entiers s'évaporaient dans la fournaise et l'atmosphère torride se chargeait de roulements de timbales et de contorsions. L'après-midi était un *son*, pour le balancement chaloupé. La nuit c'était le *feeling* et la *guaracha*. Mais comment oublier le cha-cha-cha, un rythme qui s'accordait si bien avec l'heure du déjeuner. Avec ce mouvement syncopé, la somnolence des draps blancs bercés sur les terrasses, et les petits pas bien marqués de chaque plat, servi pour le festin de votre palais. Ensuite, comment ne pas les humer, le café, le cigare, l'oscillation des fougères dans l'abandon de la sieste... Et beaucoup plus tard : la nuit. Le Havanais recherche toujours la nuit. La nuit est son autel. C'est alors qu'il se livre tout entier, nu, putassier.

Cuquita Martínez éprouvait pour la ville une attirance mâtinée de crainte. De la voiture, elle remarquait les scènes de rue les plus insignifiantes, qui pourtant se déroulaient sous ses yeux à une vitesse fantastique. Ils arrivèrent enfin au *Montmartre*. Ses nouvelles acolytes si étranges sautèrent de l'auto d'un bond d'expertes. J'ai déjà raconté que durant le trajet leur ami conducteur, Ivo, avait fait coulisser le toit de la décapotable. Ce détail n'avait pas échappé à Cuquita, mais sans bien comprendre le système, elle s'était dit qu'il était temps pour elle de s'adapter aux bizarreries sophistiquées de la ville. Voulant imiter ses deux compagnes, elle prit son élan et sauta hors du véhicule. Par malchance, elle le fit du côté opposé et atterrit sur les fesses dans une flaque d'eau putride. La cambrure de ses escarpins se fendit, un talon alla cogner la perruque d'un octogénaire à tête de curé jésuite (les jésuites se paient des têtes de meringues avariées). L'autre talon boucha le saxo d'un musicien qui faisait son entrée. L'octogénaire ne comprit jamais comment ce talon lui était tombé dessus et tel un débile franchement anormal, il s'obstinait à chercher le coupable en lorgnant vers les balcons. Quant au saxophoniste, il s'en apercevrait des heures après, en portant l'instrument à ses lèvres. Personne n'avait remarqué la chute, car Cuquita se releva à la vitesse de l'éclair. Elle avait à peine touché l'asphalte qu'elle bondit comme un ressort, pâle et crottée, mais le visage imperturbable, voulant seulement se frotter le postérieur et se masser l'os du croupion, qui la faisait souffrir cruellement. Mais dans son embarras, elle n'en fit rien. La Mechunga, la Puchunga et Ivo la virent disparaître et réapparaître en un clin d'œil. A la fois déconcertés et morts de rire, ils se tenaient les côtes ; avec des serviettes, des mouchoirs, des flacons de parfum, ils se mirent en devoir de nettoyer la gamine. En tout cas, Cuquita avait rapetissé. Elle avait beau froncer les sourcils, comme la Puchunga le lui avait recommandé, son visage, qui évoquait encore la niaiserie de la première communion, la maigreur de ses épaules et de ses genoux, trahissaient son jeune âge. Ses escarpins vernis n'étaient plus que des savates. Le barman examina Cuquita d'un air soupçonneux :

— Excusez mon indiscrétion, mais êtes-vous majeure ?

La Mechunga, rayonnante, moulée dans sa robe de lamé or, interposa son corps sculptural entre l'adolescente terrorisée et le barman déjà repenti. Ses seins, juste sous les narines du type, étaient si parfumés et si pointus qu'ils le firent éternuer :

— Dis donc toi, c'est ma cousine. Pauvre petit chou, c'est une naine… Tu vois comme la nature est ingrate. Moi, en grandissant, j'ai pris des formes. Elle, quand elle fait pipi, c'est tout juste si elle disparaît pas dans la cuvette !

La plaisanterie de la Mechunga les fit tous éclater de rire. Le barman, confus et vexé, leur offrit l'une des meilleures tables. A l'époque, le client était roi.

Les larmes de Cuquita coulèrent sur ses joues, rouges de honte. Une fois assise à l'abri des regards, enrobée de pénombre, elle pleurait pour ce qui était arrivé, elle pleurait aussi car c'était la première fois qu'elle foulait un tapis rouge. Elle se déchaussa et caressa de ses pieds plats les doux poils chauds du tapis. Qui lui aurait prédit, alors qu'elle marchait dans les sillons pierreux de sa campagne, qu'elle se reposerait sur un tapis rouge ? Cela était digne des reines, des dames riches, des…

— Pouffiasses, nous traiter de pouffiasses, non mais des fois ! Ce mec-là, il devra se refaire le portrait après la baffe que je vais lui allonger. Moi, tu sais, quand je vois rouge, je suis capable de défigurer les gens, grognait la Puchunga à l'intention d'Ivo qui s'éloignait vers une autre table, où une blonde à grosse poitrine et bien en chair lui faisait de l'œil depuis un bon moment.

— Toi, tu nous fais une crise de jalousie… Ça fait des mois que t'as Ivo dans la peau, je le vois bien, et tu lâches pas prise… Te gêne pas pour moi, j'ai rien à voir là-dedans, tu sais, et je suis des deux bords. D'ailleurs il est pas mal du tout… N'empêche, cette nuit, c'est la blonde oxygénée qui va emporter le morceau… elle tient le bon bout, pas vrai ? ironisa la chabine.

— Ça, c'est à voir… dis donc, la gamine, qu'est-ce que t'as à me dévisager, je te plais, tu me trouves sympa ? La Puchunga agita sa chevelure ondulée en direction de la Môme Cuquita. Essaie de te dégoter un amoureux, comme ça tu me foutras la paix, oh là là, quel pot de colle !

La petite fondit en larmes, se leva, humiliée, et se mit à courir comme une folle entre les tables en direction des toilettes. Elle trébucha sur tout ce qu'elle trouva sur son chemin. Les gens protestaient contre cet *ouragan furieux*. Au bout d'un couloir (elle se crut dans un labyrinthe), elle lui tomba dans les bras. C'était un garçon mince, mais vigoureux. Il la retint pour l'empêcher de se casser la figure contre la porte. Il avait des cheveux raides enduits de brillantine ; dans le mouvement brusque qu'il fit pour la rattraper, une longue mèche lui tomba sur la figure. Il avait des yeux aussi clairs que le ciel, que n'importe quel ciel, on ne va pas se mettre à décrire un ciel spécifique, et un très beau sourire malgré ses dents du bas, qui se chevauchaient un peu. Il prit son mouchoir et lui tapota les joues. Il n'était ni grand ni petit, il avait la taille parfaite pour qu'elle puisse se hisser sur la pointe des pieds et l'étudier de très près.

— Allons danser, ma petite, dit-il, sur l'air de la danse du balai qui, pourtant, n'était pas encore à la mode. Sa voix métallique annonçait des frénésies, augurait des refuges. Un frisson parcourut Cuquita et elle s'évada de cette main osseuse, mais ferme.

— Oh non, jamais de la vie ! Mais elle resta sur la pointe des pieds, à le regarder de près, à sentir l'odeur de sa lotion après-rasage, de son eau de Cologne de chez Guerlain, de sa brillantine.

Sans traîner, il prit la jeune fille par la taille et l'entraîna vers la piste de danse. L'orchestre se mit à jouer, et le monde cessa d'être tout cet enfer du pouvoir et de la politique, genre ôte-toi que je m'y mette, on va faire une saloperie à celui-ci et jouer un tour de cochon à celui-là. Pour la première fois, Cuquita vit le grand Benny Moré, armé de sa baguette, à la tête de son orchestre sublime. Il portait un costume gris beaucoup trop large pour lui. Mais non, c'était ainsi qu'on les portait, c'était la mode. Son pantalon à pinces flottait comme un drapeau au rythme de ses pas nouveaux.

D'une voix pareille à la brise dans un champ de canne, il entonna la chanson qui marqua la première et unique histoire d'amour de Cuquita Martínez :

Dans ce bar je t'ai vue pour la première fois,
sans y penser je t'ai donné ma vie entière,
dans ce bar nous avons levé nos verres de bière,
plongés dans la tristesse et l'émotion.

Le plafond tournoyait et tournoyait... les lumières aussi, les murs, on aurait dit de brillants miroirs versaillais argentés ou dorés. En tout cas, ils lançaient des reflets comme dans un labyrinthe de glaces. Les projecteurs semblaient des milliers d'étoiles filantes, à vitesse inouïe, et elle fit d'innombrables vœux. Dont très peu allaient se réaliser. Elle demanda que sa maman et son papa se réconcilient, elle pria pour qu'ils puissent habiter tous ensemble à La Havane ou à Santa Clara, réunis sous le même toit, comme une famille normale. Elle récita dix Credo pour que sa mère renonce au théâtre, pour que son père trouve un emploi mieux rétribué. Elle souhaita que son frère ne soit plus asthmatique ni pédé, que son autre frère atteint de la poliomyélite retrouve la mobilité de sa jambe infirme, que sa sœur se remette de son opération d'un kyste au cerveau, que sa marraine soit soulagée de ses abcès dentaires, que le mulâtre café au lait s'amende et fiche la paix à son frère. Elle supplia pour que cet homme, avec qui elle dansait, joue contre joue, reste ainsi à jamais.

Serveuse, serveuse, tu es ma serveuse adorée.

Alors il soupira, et Cuquita respira les bouffées de sa mauvaise haleine.

— Oh, est-ce que vous avez un bridge ? demanda-t-elle.

Elle voulait dire par là, avait-il un râtelier, en d'autres termes un dentier.

— Mais non, pourquoi ? Et il s'écarta, complexé.

— Parce que vous puez un peu du bec, vous avez mauvaise haleine, quoi. Si vous aviez un bridge, je vous aurais conseillé de vérifier ça, il se pourrait bien qu'un chien ait fait ses besoins là-dessous, mais comme vous n'en avez pas… dit-elle pour faire la spirituelle, et elle fit le geste de se flairer le creux de la main.

— C'est que j'ai mangé de l'omelette à l'oignon, j'adore ça, l'oignon cru.

Il sourit sans desserrer les lèvres et parla entre ses dents, mais il garda le bout de ses doigts dans le creux du dos de la petite.

— Quand on a mangé des oignons, on doit se rincer la bouche à fond, mâcher du papier journal ou du papier d'emballage. A propos, où est-ce que vous travaillez, si vous travaillez ?

Son père lui avait appris que l'essentiel chez un homme, c'était sa situation, et qu'elle devait se renseigner là-dessus.

— Qui, moi ? demanda-t-il stupidement.

— Mais non, bêta, le type d'en face, avec qui je cause, c'est pas avec vous ?

— Bien sûr. Alors moi, pour le moment, je vends ce qui me tombe sous la main, des bouquins, des meubles, des machines à coudre, à écrire, ou à conduire, je veux dire des bagnoles… Ma propre mère, si elle faisait des siennes, je la vendrais. Bref, ma petite, je vis de la débrouille, comme on dit. Je peux vendre ma daronne pour un dollar si je me sens acculé.

La fille tressaillit d'un frisson humide, des chevilles jusqu'au cou, elle en eut la chair de poule à cet endroit de la peau.

— Attention, ne dites pas une chose pareille, une mère c'est ce qu'on a de plus sacré...

— Façon de parler, ma petite, façon de parler...

Il la fit tourner sur elle-même, la lâcha et l'obligea à se distinguer en marquant le rythme toute seule, il la força à se décarcasser avec ardeur. Mais la Môme Cuca ne pouvait pas, car c'était la première fois qu'elle osait danser avec quelqu'un d'aussi expert en couleur et en saveur locales. A vrai dire, elle n'avait jamais dansé auparavant. Jusqu'ici, elle s'était contentée de piétiner les chaussures bicolores de son cavalier.

Maintenant, en solitaire, elle pouvait à peine contrôler le balancement de ses hanches, elle perdait l'équilibre, aucun de ses gestes ne suivait la cadence, son corps ballottait comme un flan démoulé. Il s'aperçut de sa gaucherie, alors, du bout des doigts, il la prit légèrement par sa taille de guêpe, guida ses mouvements, corrigea ses pas, rectifia le trémoussement de ses reins, lui montra comment bouger les épaules. En bonne apprentie de rumba, elle capta son rythme, le surpassa et de but en blanc, elle se retrouva en plein milieu de la piste, déboîtée, désarticulée, comme si elle avait passé toute son existence à se tortiller.

De leur table, ses amies observaient la scène hors d'elles, à en baver sur leur robe de lamé ; enfin la Puchunga parvint à articuler péniblement :

— Mais dis donc, quelle mouche l'a piquée, à croire qu'elle est possédée ?

— Penses-tu, elle a trouvé l'homme de sa vie, répliqua la chabine.

Cette nuit-là, elle fit sensation. On jouait un mambo et en moins de deux, elle se plongeait dans ce rythme qui suggérait une jeune chienne en chaleur :

Mambo, quel délice le mambo.
Mambo, quel régal, hé, hé, hé...

Quand venait un cha-cha-cha, elle observait bien les pieds de son ami, la façon dont il marquait le rythme et elle apprenait d'un seul coup : un, deux, trois, cha-cha-cha, et un, deux, trois, cha-cha-cha. Sur chaque vers la Puchunga, jalouse, ajoutait un adjectif méchant contre Caruquita :

Vers Prado et Neptuno allait une petite fille (des rues),
et tous les hommes devaient la regarder (putassière).
Elle était rondelette, bien enveloppée (squelettique),
elle était mignonnette, en résumé, colossale (moche comme un pou).
Mais dans la vie, tout se sait (plouc chinetoque),
Sans avoir à le vérifier (langue de vipère),
on a su que dans ses formes (difformes),
il n'y a que du rembourrage (morveuse),
Qu'elles sont bêtes les femmes (débile mentale),
qui cherchent à nous tromper, m'as-tu dit (bec-de-lièvre lépreuse) !

On joua une *guaracha* et leurs corps se rapprochèrent. Vint une rumba et ils s'écartèrent de nouveau. Elle suait à grosses gouttes, son maquillage dégoulinait, ses yeux brillaient, car entre-temps, elle avait bu plein de martinis. Oh petite Vierge de la Charité, dire que c'était la première fois qu'elle buvait du martini ! Cuquita dansa tant et tant que, au bord de l'épuisement, elle s'écroula désarticulée, une fois de plus, dans les bras de son cavalier.

Benny Moré, le roi du rythme, était revenu sur scène avec son orchestre inimitable et il entonnait, d'une voix sirupeuse, un boléro grandiose, de ceux qui vous secouent sur votre chaise, avec une seule envie, celle d'avaler du cyanure. Le jeune homme serra Cuquita dans ses bras comme pour la dissoudre en lui, et elle sentit sa trique dure entre ses maigres cuisses, s'émerveilla du chatouillis que faisait le bout de la queue sur la crête de sa chatte. Il prit un mouchoir blanc dans la poche revolver de son pantalon pour essuyer la transpiration sur le visage et sur le cou de Cuquita ; une bonne partie de son maquillage resta sur le tissu blanc. Elle avait des cheveux d'un noir de jais, ondulés, le visage ovale, le front large et l'os de la nuque saillant (signe d'une ardente sensualité, symptôme d'un feu utérin futur, quoi), les yeux bridés d'une couleur sombre teintée de miel, un petit nez légèrement épaté, une bouche rose et charnue, un teint de nacre. Son visage se montra limpide, à découvert, lisse, enfantin. Ses cheveux dégoulinants la montraient telle qu'elle était, une adolescente, mais qui arrivait juste de la plage, ou d'une rivière, ou simplement de la douche, comme la Lolita de Stanley Kubrick.

— Quel âge as-tu, toi ? demanda-t-il en prenant son visage entre ses mains.

— Maintenant, le scandale va éclater, commenta la Mechu toujours attablée, les yeux rivés sur eux.

— Eh ben moi, tu vois, oh que je suis bête, j'ai oublié de te demander ton nom ! Et toi, tu ne connais pas le mien, je m'appelle Caridad

Martínez, oh j'en ai, du culot, eh ben je vous tutoie déjà, pour vous servir, mais on m'appelle la Môme, ou Cuquita, ou Caruquita ! Je peux vous tutoyer ?

Il accepta de mauvaise grâce, crispé.

— C'est une sainte nitouche, cette gonzesse, non mais, tu te rends compte.

— Quel faux jeton ! dit à son tour la Puchu sans cesser de lire sur leurs lèvres toute la conversation.

— Oui, bon, d'accord, mais en quelle année tu es née ? Moi je m'appelle Juan Pérez, et on me surnomme le Ouane, à cause de *one* en anglais, parce que je suis toujours le numéro un en affaires, y a personne qui me passe devant, bref, je suis le meilleur et le plus parfait, l'unique, ici et partout… et rapport à ton âge, t'es mineure ?

— Mais il va pas se laisser embobiner comme ça… poursuivit la Mechu déchiffrant les phrases, non sans mal.

Cuquita l'avoua, se sachant trahie par sa figure de bout de chou, terrifiée à l'idée de le perdre, lui, le seul être humain qui l'ait caressée tendrement. Lui, son premier homme, celui qui lui avait appris à danser.

— T'es mineure de combien ?

Le visage masculin se contracta de terreur et de doute, mais il déguisa sa phrase sous une touche d'orgueil.

La Mechu et la Puchu, les trouvant incorrigibles, les laissèrent tomber, d'autant qu'elles retrouvaient leur chance habituelle : deux énormes balèzes, sapés style mafia sicilienne, les invitèrent à danser.

— Non, pas tant que ça, j'ai seize ans et des poussières…

Euphorique, il en sauta de joie, paternaliste, tendance Pygmalion, il se signa plusieurs fois, la souleva, la fit tournoyer dans ses bras, puis la posa à terre avec les précautions infinies d'un marchand de jouets :

— Ça alors, mais t'es presque vieille !

Et... il l'embrassa sur la bouche. Ouille, ouille, ouille, quel délice, quel régal, mon gars ! Pourtant, elle se goûta elle-même et très délicatement, elle lui ouvrit la bouche afin de flairer à l'intérieur :

— Il te reste encore une petite mauvaise odeur. Va acheter du chewing-gum, ou prends de la menthe, c'est ce qu'il y a de plus indiqué pour la mauvaise haleine.

— C'est tout ce que tu trouves à dire de mon baiser ?

— Eh bien, tant que tu ne te seras pas débarrassé de ce relent de dent cariée mêlé à l'odeur d'oignon, je ne pourrai pas savoir ce que ça veut dire, de s'embrasser. Rends-toi compte, c'est mon PREMIER BAISER. Elle prononça cela bien plus grand que les majuscules possibles de la machine sur laquelle je tape.

Le Ouane fila comme une flèche vers le bar et disparut entre les tables et les gens. Cuquita se souvint de ses nouvelles amies, les chercha des yeux : elles étaient en train de se faire lever et enlever, serrées un maximum contre les deux machos genre George Raft, je veux dire Sonny Corleone. Elle s'aperçut alors que ses cors aux pieds la faisaient terriblement souffrir et elle revint s'attabler. Elle allongea les jambes et massa ses plantes de pieds toutes sales contre les poils du tapis rouge ; avec les rebords, elle jouait du violon entre ses orteils, quel soulagement ! A tel point qu'elle faillit rester sur place, harassée, et piqua même du nez plusieurs fois.

Elle cligna des yeux. Le vacarme d'un roulement de tambours la tira de son sommeil ou plutôt de son épuisement. La grande salle plongea dans les ténèbres, seul un vaste cône de lumière éclaira le centre. Dans le faisceau incandescent se glissèrent les silhouettes superbes de deux hommes moulés dans des maillots couleur chair, ce qui donnait l'impression qu'ils étaient nus. Vu qu'ils étaient très bien montés, leurs *machins* (leurs bijoux de famille respectifs) étaient soulignés que c'en était un plaisir. La Môme détourna les yeux, mais peu à peu son regard revint et du coin de l'œil, elle examina en détail cette paire de phénomènes, sur le point d'éclater dans leurs suspensoirs. Entre les deux danseurs, une femme raide au corps d'Américaine, c'est-à-dire au cul plat et aux épaules en portemanteau, souriait. Elle portait un maillot à franges, en tissu léopard, pour donner une impression de sauvagerie. Après un roulement de tambours, ils changèrent de posture, pour imiter le ralenti. Nouveau roulement de tambours, et la danse apache commença. La chorégraphie consistait à lancer la femme d'un côté à l'autre et à la rattraper juste à l'instant où elle allait se casser la figure. Le blond athlétique à petite moustache la saisissait par le poignet, prenait son élan et, d'une secousse, elle fendait l'air comme un javelot incomparable, en direction du mur le plus insoupçonnable. Le grand brun bien bâti, les tendons en érection, la rattrapait juste quelques millimètres avant qu'elle ne s'écrabouille contre la cloison tapissée de miroirs. Les tambours retentissaient toujours avec ferveur, évoquant une indiscutable aventure africaine. Rien n'avait de sens, ni l'inspiration tribale de la musique, ni les gestes retors et violents, ni les costumes, ni même le nom prétentieusement indigène du ballet. Sitôt après, la jeune femme, belle mais pathétique, arborant un sourire hyper fabriqué inaltérable, afin de ne pas suggérer l'idée même de la moindre peur du danger, était de nouveau catapultée dans l'abîme, ou roulait sur le sol luisant vers un coin éloigné de la salle où apparemment, l'homme invisible la recevait. Le cône de lumière se déplaçait avec elle et soudain, à l'instant où la fille allait se rompre le cou contre une table, le bras salvateur intervenait à nouveau. Cuquita Martínez était fascinée, mais surtout épouvantée, par ce nouveau sport pour elle totalement inconnu, mais qui ressemblait tant au base-ball, sauf qu'il n'y avait pas de batte, ou peut-être au football, mais la semi-nudité de ces éphèbes danseurs de cabaret ne coïncidait pas avec les uniformes, qu'elle avait vus dans les magazines, des joueurs de foot, ou de basket, ou de volley. En tout cas, l'impassibilité de la femme-boulet, l'agressivité de la situation, et le fait d'être restée sans son cavalier la bouleversaient. C'était le bouquet, mais pas de roses, plutôt le paquet de nerfs. Elle chercha ses amies des yeux, devina leurs profils dans la pénombre, elles contemplaient la scène en extase, compressées, blotties, contre les torses des frappes à la Al Capone, et elles avaient peut-être envie de recevoir aussi des coups de batte, et de se faire propulser dans l'espace. Avec un désir fou, effréné, que l'on joue à la balle avec elles aussi.

Le ballet s'acheva ; la femme claquée, quasiment étripée, était par terre. Comme morte, mais souriant toujours. Les deux types triomphants saluèrent le public, dans un tonnerre d'applaudissements. La ballerine se redressa, se montra beaucoup plus joyeuse, mais haletante encore, puis elle se leva d'un bond et fit une révérence. Les ovations se transformèrent en clameurs encore plus véhémentes et enthousiastes. Cuquita Martínez était désarçonnée. Elle se contentait de pleurer, mains jointes, en signe de prière, non qu'elle fût émue par la qualité du spectacle, mais parce que tout était enfin terminé, sans le moindre incident tragique, sans le moindre début de fracture dans le corps de la fausse Apache.

Un effluve mentholé, une bouffée alcoolisée s'insinuèrent dans son oreille gauche. C'était lui, de retour ; il apportait deux verres débordants de menthe et de glace et mâchait du chewing-gum… à la menthe. Il tira la chaise placée devant la Môme Cuca, lui tendit un verre. Il regarda passionnément – du bout de sa queue mouillée – ses yeux sombres. Elle soutint son regard indécent. Le Ouane but jusqu'à la dernière goutte, ensuite il souffla en plein sur le visage de sa compagne, l'interrogeant d'un signe de tête pour savoir si quelque odeur désagréable persistait. Non, à vrai dire, elle assura que non ; une fois débarrassé de son haleine malodorante, il ne lui restait plus un soupçon de points blancs puant la merde au fond de la gorge. La menthe avait éliminé sa mauvaise haleine, pénétrant sans doute à travers l'emplâtre, et désinfectant le nerf pourri de sa dent cariée.

Il changea de place et vint s'asseoir tout près du corps vibrant, éloquent, de la Môme. Des deux mains, elle porta le verre à ses lèvres et avala la boisson cul sec. Ensuite, elle prit les glaçons du bout des doigts, pour les suçoter et les croquer bruyamment. Heureusement la musique, à nouveau, couvrit le claquement de ses mâchoires en contact avec ce mets glacial. Il ne cessait de l'observer ; avant que ne disparaisse le dernier petit glaçon, il lui demanda de le faire passer de ses lèvres aux siennes. Elle obéit et cet apéritif solide et algide fondit tout de suite, se transformant en salive impudique.

Le baiser commença, très maniéré, avec le petit jeu de se faire passer le glaçon d'une langue à l'autre ; quand celui-ci fut dissous, leurs langues s'entremêlèrent comme deux serpents, et l'ingénuité devint pornographique. Il mordilla les lèvres de Cuquita, jusqu'à les faire gonfler, elle lui rendit la pareille, mais encore inhibée de timidité, peut-être. Leur baiser dura trois longs boléros, l'un de quatre minutes, le second de trois minutes vingt secondes et le troisième, de quatre minutes virgule trente-trois secondes. Au total, onze minutes virgule cinquante-trois secondes de suçotage et de coups de langue. La durée, c'est la Mechu qui la calcula, morte de jalousie, suffoquée, surexcitée.

Les trombones retentirent dans une autre dimension aux oreilles de Cuquita Martínez, ils allaient au rythme du sang vers le cerveau, vers le cœur et pourquoi pas ? vers la pine, pas peinée du tout, du Ouane. Elle eut l'impression que toutes les lumières du *Montmartre* s'éteignaient l'une après l'autre et que peu à peu elles allumaient chaque fragment de son corps, chaque parcelle de son désir. Cuquita Martínez ferma les yeux et quand elle allait ouvrir tout le reste, elle se souvint qu'elle devait arriver pucelle au mariage. D'une poussée, elle se débarrassa du Ouane, vociféra un NON-ON hystérique, comme dans ces films d'horreur et de mystère que l'on vend pour deux sous dans les boutiques de soldes, hors de Cuba, évidemment. Eh bien, son hurlement resta gravé dans l'écho de la salle, et elle s'enfuit comme un bolide du cabaret et du vice succulent.

Elle courut déchaussée, si vite qu'on ne pouvait pas voir ses pieds – ce qui était difficile vu leur dimension impressionnante. Elle volait presque sous les arcades de l'avenue du Front de mer. Comme Ana Fidelia Quirot, coureuse du futur, elle atteignit le Paseo del Prado. Sans s'arrêter, malgré son point de côté, elle franchit des blocs et des blocs, moult pâtés de maisons, des kilomètres et des kilomètres. En moins de deux, elle se retrouva à la gare de chemin de fer, à deux pas de la rue Conde. En moins de deux, elle arriva devant l'immeuble de l'Asturienne. Elle grimpa les escaliers quatre à quatre, les yeux exorbités, la bouche écumante, en nage. Elle était le portrait vivant d'une démente échappée de l'asile de Mazorra, cinq secondes après avoir reçu des séries d'électrochocs. Elle fonça dans sa chambre, referma la porte derrière elle et se jeta sur son grabat en se plaignant de son sort maudit, ou béni. Elle était éperdument amoureuse.

Une demi-heure après, ses compagnes arrivèrent, hallucinées, médusées par son étrange conduite. Elles l'interrogèrent sans pitié. Elle faisait non de la tête, tripotait ses mèches, ne pouvait articuler une phrase cohérente. Sauf celles qu'elle avait apprises par cœur grâce à la radio, quand les actrices *jouaient* des situations similaires. Ses amies prirent une cuvette d'eau froide et lui rafraîchirent les tempes avec un linge, puis elles lui firent boire une carafe et demie de limonade glacée. La chabine la déshabilla, la sécha avec une serviette, la conduisit aux toilettes collectives, ouvrit le robinet, et le jet d'eau coula, impérieux, sur le sommet du crâne de la Môme. Sous l'eau elle pleurait avec une frénésie contagieuse :

— Je l'aime, je l'aime, Mechunguita ! Je l'aime, je meurs d'amour pour lui !

Elle sanglotait et faillit s'étouffer avec le liquide savonneux qu'elle aspirait, elle toussa et une énorme bulle jaillit de ses lèvres.

— Mais enfin, t'es pas normale, pourquoi tu l'as plaqué, alors ? répliqua la Puchunga adossée au chambranle, matant en douce la douce Caruquita, l'eau à la bouche à la vue de ses bouts de seins roses, intacts.

— Parce que… parce que…

Soudain, elle se rendit compte qu'elle ne savait que répondre, car elle ne savait pas elle-même pourquoi elle avait réagi de cette façon si peu civilisée, peut-être sous l'influence du ballet apache, peut-être par nervosité.

— … je me suis énervée, enfin quoi, c'est la première fois que je donne un baiser, comme ça sur la bouche, vous vous rendez compte… flûte alors !

— Pour une première fois, c'était pas mal.. ironisa la Mechunga.

— Oh, ne te moque pas de moi !… Je suis partie parce que… je ne sais pas… Parce que cet homme, il ne se mariera jamais avec moi…

De nouveau, elle se couvrit le visage de ses mains. Les deux autres filles se regardèrent incrédules, persuadées qu'un virus inconnu avait détruit les circonvolutions mentales de la jeune fille, et elles n'eurent même pas envie de se moquer d'elle. Se marier, mais pourquoi fallait-il se marier ? La Mechunga finit de l'essuyer et, au passage, de la tripoter, puis elle la conduisit très tendrement dans leur chambre. Une fois sous les draps, le corps frais et talqué, elle essaya de s'endormir. Son visage à lui était là, elle pouvait presque le palper, il ne bougeait pas de son cerveau, il restait gravé dans sa matière grise, photographié pour l'éternité. La Puchunga apporta un verre de lait chaud dans lequel elle avait dissous quatre Equanil. Cuquita le vida jusqu'à la dernière goutte, en faisant un bruit à chaque gorgée, comme le tic-tac d'une pendule de couvent. Elle rendit le verre, s'essuya la bouche du revers de la main, remonta le drap jusqu'à son nez et ferma les paupières, convaincue qu'elle allait rêver de son José Angel Buesa, voluptueux poète des rues : le Ouane.

3

Une rose de France

Une rose de France, dont l'arôme suave
un soir de mai, m'offrit son miracle…

Chanson de RODRIGO PRATTS,
interprétée par BARBARITO DÍEZ.

Son rêve dura huit ans. Non à cause des quatre Equanil, mais de par sa propre volonté. Comment allait-elle le revoir puisqu'elle ne faisait rien pour cela ? Elle se dit avec obstination qu'il lui incombait à lui, l'homme, de la chercher, de lui courir après, de se jeter à ses pieds. Elle ne bougea plus de La Vieille Havane, n'accepta plus, de la part des inséparables Mechunga et Puchunga, une seule invitation pour le cabaret. De leur côté, elles n'avaient pas insisté outre mesure. La disparition du Ouane avait stimulé le désir de la Môme Cuca. Ce qui avait été un coup de foudre se transforma très vite en obsession passionnelle, en véhémence, en dévotion muette. Tous les soirs, agenouillée devant son souvenir, elle hurlait comme une chienne, ou elle récitait son chapelet comme une dévote à l'église devant le Christ. Elle consacra tout son temps à travailler comme une brute et à attendre cet homme. Le mâle de sa vie. A qui elle n'avait même pas donné son adresse, ni la moindre piste pour qu'il la retrouve. Elle travailla tant et si bien qu'au bout de trois ans l'Asturienne lui concéda le droit à une chambre à part, *une chambre individuelle* ; si elle avait lu Virginia Woolf, elle aurait brûlé un cierge en reconnaissance. Entre-temps, elle avait dû supporter les acrobaties sexuelles de ses amies. Quand une tierce personne venait, homme ou femme, elle se voyait obligée de passer des nuits entières jusqu'à l'aube dans la cage d'escalier, pleurant de panique, couverte de cafards (qui lui aurait prédit que dans sa vieillesse elle aurait un cafard comme hôte, presque comme parent), et manquant se faire dévorer par les rats. Jusqu'au jour où l'Asturienne la découvrit, endormie dans les toilettes collectives, avec une gouttière permanente qui lui perforait le crâne ; alors, émue, elle lui ordonna de déménager dans la chambre de la terrasse. Il y faisait une chaleur torride, mais elle pouvait au moins avoir quelque intimité. La Mechunga et la Puchunga la gâtaient toujours et elle avait appris à les aimer comme deux bonnes femmes écervelées, incurables et sans espoir de rédemption. N'empêche que dans la journée elles étaient bel et bien vendeuses dans le grand magasin *El Encanto*, où elles gagnaient leur vie correctement. De sa vraie famille, elle ne savait rien, mais elle envoyait religieusement tout son salaire chez sa marraine María Andrea ; c'était elle qui se chargeait de le répartir entre son père, ses frères et sœur, et sa mère. En effet, sa génitrice ne s'en sortait pas avec la misère qu'elle gagnait au théâtre, et qu'elle dépensait du jour au lendemain, juste pour les beaux yeux de son gigolo de service, un garçon imberbe.

Un après-midi, une autre fille toute menue, âgée de quinze ans, qui cherchait un toit et du travail, se présenta. Concha la reçut selon son habitude, armée de sa savate en bois, comme elle avait reçu Cuquita ; du coup, les tâches ménagères furent partagées. Cuquita se trouva subitement avec du temps libre à revendre. Alors, l'Asturienne la fit embaucher à la Cafétéria Nationale de Juanito, le gars du coin de la rue. L'après-midi, elle servait des tasses de café à trois centavos. Elle voulut faire des études. Comme elle gagnait davantage, elle essaya de mettre un peu d'argent de côté, sans cesser d'envoyer la même somme à sa nombreuse famille. Ses économies suffisaient à peine à acheter des livres, car elle devait désormais payer un loyer à l'Asturienne. Le fait est qu'elle avait rencontré, à la blanchisserie des Chinois de la rue Jesús María, une institutrice qui habitait rue Merced ; celle-ci consentit à lui donner des cours gratuits. En échange, Cuquita prendrait soin de sa vieille mère les week-ends, car l'institutrice devait rejoindre son mari, prêtre de la *santería*, à Matanzas. Ainsi, Cuquita parvint à progresser dans sa scolarité et, par la suite, elle put s'inscrire au collège, un peu en retard pour son âge, mais c'est toujours ça. C'est mieux que rien.

Car ceci est une histoire d'amour et de douleur comme dans la chanson de María Teresa Vera. C'est comme l'une de ces roses qui piquent, un roman-fleuve avec des épines, mais la chanson le dit bien : *L'amour blessé est une douleur douce.* J'expliquerai cela dans un autre chapitre, malgré l'avis de Géminette Criquette, ma conscience révolutionnaire, je veux dire ma marraine, mais elle n'a pas intérêt à se faire appeler ainsi, cela lui porte préjudice ; même si le folklorisme est autorisé, on ne sait jamais jusqu'à quand va durer l'autorisation... Bref, je vous disais donc, ceci est un petit feuilleton comme il y en a tant sur des paysannes pauvres arrivées sans un sou à La Havane et qui ont décroché une licence. Sauf que dans la plupart des fables officielles, je ne comprends pas pourquoi, toutes ont dû se prostituer, et n'ont été alphabétisées qu'après le triomphe de la révolution. Avec le temps, j'ai constaté que vraiment on raconte l'histoire à la va comme je te pousse, à la convenance de ceux qui la racontent. Il y a beaucoup de filles qui ont réussi à faire des études, je les connais, au prix d'un labeur immense, non pas au moyen de la prostitution, mais en se brûlant les yeux et à la sueur de leur front. Ce qui est plus difficile. Plus stimulant. *Seule la difficulté stimule*, a écrit Lezama, José Lamama Mima. Enfin bref, pour ne pas allonger la sauce, Cuquita fut l'une d'elles, bien qu'elle ne soit pas parvenue à la licence, mais c'est tout comme. Elle n'a pas pu fréquenter l'université par la faute d'un type, son unique amour, et d'un billet de un dollar. L'histoire de l'humanité est remplie d'amours, de douleurs et de dollars. Ne pas perdre de vue qu'en 1626, le Hollandais Peter Minuit, protestant huguenot, acheta New York, en ce temps-là La Nouvelle Amsterdam, pour vingt-quatre dollars ; pour comble, la somme fut payée en verroterie.

Mais même les mathématiques furent impuissantes à chasser du cœur de Cuquita ce X que le Ouane avait été pour elle. Le trou encore inexploré de son vagin n'avait pas cessé de battre depuis la nuit où il avait suçoté et mordillé ses lèvres et sa langue, avec sa bouche odorante ou pas, qui sentait la menthe, l'oignon, la carie et les points blancs. Elle se sentait toute à lui. Depuis cette nuit-là, son physique s'était développé d'une manière sensationnelle ; elle n'était certes pas d'une beauté éblouissante, n'empêche qu'elle vous coupait le souffle. Elle faisait quatre-vingt-cinq de tour de poitrine, ce qui voulait dire qu'elle avait des seins au goût de tout consommateur, ni trop grands ni trop petits, une devanture respectable, quoi. Elle pesait cinquante-deux kilos et mesurait un mètre soixante-sept. Elle avait une taille de guêpe, des hanches plutôt larges, l'arrière-train cambré comme celui d'une Négresse, de longues cuisses fermes, des jambes fuselées, de fines chevilles. Mais elle était affligée de grands pieds, ça c'était sans solution, parce qu'un panard c'est un panard, ici ou en Cochinchine ; on sait que dans les années vingt, à Paris, c'était très chic d'exhiber des pieds comac, mais à La Havane, c'est impardonnable, une femme qui chausse du quarante, c'est en soi un crime de lèse-bottier. Alors Cuquita décida de dissimuler ce défaut en se chaussant avec deux pointures de moins, grâce à quoi, en fin de journée, elle avait envie de se couper les orteils, c'était un vrai supplice que de travailler les pieds comprimés. Une chose est sûre, Cuca Martínez interrompait la circulation dans les rues à l'époque de ses quinze, vingt ans, et au-delà. C'est qu'elle avait une démarche chaloupée très typique de sa patience chinoise et de sa passion dublinesque contenue, sens dessus dessous, sens devant derrière, de quoi faire bander le plus ramolli.

Solitaire, barricadée à double tour dans sa chambre-sauna, suant à grosses gouttes, nue sans le moindre complexe, elle se contemplait avec ravissement devant son armoire à glace de style repentance espagnole. Elle aimait se caresser les poils d'en bas et gamberger que c'était le Ouane qui débroussaillait cette épaisse toison noire, car Cuquita avait la chatte en chaleur et son mont de Vénus s'ornait d'un beau cuir chevelu. Toute cette masse de chair, de poils, d'os et de cerveau, c'était elle. Tout entière pour son homme : le Ouane. Tout ce phénomène, c'était déjà un brin de fille de vingt-trois ans, vierge, dans une Havane débraillée et ébouriffée qui supportait très peu les vierges. La Môme, plus si môme que ça, se glorifiait de se préserver intacte pour son Pipo, ou Papi, ou mieux, Papirriqui. C'est ainsi que les Havanaises appellent leurs mâles en toute circonstance. Un mec quelconque pourra s'appeler, je ne sais pas, Guillaume, Frédéric, Andrés, John, Richard, Francisco, mais à la longue il sera toujours : *Pipo, Papi* ou *Papirriqui*.

Elle s'accrocha de toutes ses forces, dans sa prison vieille-havanaise auto-infligée, elle supporta le châtiment qu'elle s'était imposé à elle-même, elle n'irait jamais lui courir après, c'est lui qui devrait venir ou alors, en dernière instance, le hasard ferait le miracle de les réunir. Elle songeait à tout cela quand un samedi à midi, profitant de ce qu'elle n'avait rien à faire, elle monta en maillot sur la terrasse, se versa un seau d'eau salée sur le corps et étala de la crème bronzante sur sa peau, pour prendre le soleil. *Finalement les heures les plus sensibles* s'écoulèrent sous le soleil le plus ardent. Longtemps après, dans une chambre du voisinage, quelqu'un alluma la radio, et l'on entendit une voix d'homme d'une élégance incomparable. La respiration de Cuquita s'accéléra, sa poitrine s'échauffa, sa zézette battit à tout rompre. D'après le speaker, la chanson s'intitulait *Une rose de France*, et elle était interprétée par Barbarito Díez en hommage à une grande dame de la *chanson française* – ce furent ses mots – pour souhaiter la bienvenue à la divine Edith Piaf qui revenait au *Montmartre* afin de :

> Apporter l'esprit canaille de ses chansons dans les shows de Sergio Orta. Edith Piaf nous comble de son art merveilleux. La chanteuse a été accueillie à l'aéroport havanais, il y a trois nuits, par Ramón Sabat, président de la compagnie Panart qui distribue ses disques, et par Mario García, imprésario du *Montmartre*. L'artiste était accompagnée par Juan Pérez, chargé des relations publiques, qui a passé beaucoup de temps en voyage, en fait c'est lui qui a réussi à la faire venir, et par le photographe Edouard, nous avons pu enfin déchiffrer son nom de famille : Matussière. Edith Piaf a commencé par demander aux tarots et aux coquillages si elle allait avoir de la chance avec les Havanais, ensuite elle a appris quelques mots avec un dictionnaire français-espagnol, pour être à même d'annoncer au public ses nouvelles chansons. En espagnol, elle a fait des progrès spectaculaires. Mais ce que nous aimons, ce sont ses chansons, son bel accent parisien, elle a déjà donné deux récitals dans ce cabaret, à guichets fermés, et les gens en redemandent. Telle qu'elle est, dans sa robe noire sans ornements et ses souliers plats, elle chante comme une déesse. Quand elle entre en scène, son seul ornement, c'est sa voix. La même voix que les Parisiens émus écoutaient vingt ans auparavant rue Troyon, et à d'autres coins de rue du Paris sentimental. Lorsqu'on la voit apparaître pour la première fois sans rien savoir d'elle, on ne peut se défendre d'un geste de

surprise. Comment se fait-il, pensent ceux qui ne savent rien d'elle, que ce petit bout de femme à grosse tête, au visage lunaire, sans maquillage, aux bras un peu trop longs, aux menottes dodues, compose la silhouette d'une chanteuse aussi célèbre ? Pour le public ordinaire, le principal ornement d'une artiste, ça doit être les bijoux. Où sont les bijoux de cette étoile qui touche les cachets les plus élevés du monde ? Sur ce, quand l'orchestre attaque une chanson, Edith Piaf, la grande *môme** (je crois que ça veut dire "momie") de Paris, par un effort de mémoire formidable, explique brièvement, dans son espagnol pittoresque, le sens des paroles qu'elle va chanter. Le spectateur qui la voit pour la première fois n'arrive pas à comprendre qu'elle soit vêtue si humblement. La dame qui s'y connaît en luxe la plaint, car pas une pierre précieuse ne brille à ses doigts, ni à ses oreilles. Mais... voici qu'Edith Piaf chante déjà. Les premiers vers, comme ses vêtements, comme son allure, se sont gravés dans l'esprit de la foule des orphelins de l'éclat et de la couleur. Dans la salle, règne un silence à couper au couteau. D'habitude, une clause de ses contrats stipule que pendant son tour de chant, on ne sert pas un seul verre d'alcool, pas un plat, même pas un verre d'eau.

Mais le public, qui ignore cette clause, garde un silence tendu devant sa silhouette de fille pauvre. Qu'est-ce qui oblige le public à un tel silence ? C'est la voix d'Edith Piaf. La voix douloureuse qui chante des chansons tristes et canailles, avec l'accent que les rues de Paris lui ont appris. Ceux qui l'écoutent n'en comprennent pas tout le sens. Certains sont des touristes américains. La plupart, cubains, n'ont guère voyagé qu'à Miami et encore,

* En français dans le texte. *(N.d.T.)*

rarement. Mais quand Edith Piaf chante, ils savent tous qu'elle exprime des sentiments immenses. Ils le devinent à l'accent déchirant qui sort de sa gorge. A l'agonie de son regard lointain. Aux mouvements souples de ses bras, qui ont si peu à voir avec le reste de son corps. Fille d'un acrobate et d'une blanchisseuse, elle s'échappait des faubourgs parisiens pour des coins de rue propices de la capitale, et faisait entendre un filet de voix. Elle était habillée ainsi, comme aujourd'hui, et allait pieds nus. Sa silhouette menue, moulée dans ce noir sépulcral, sa pâleur évoquaient une croix clouée sur le mur d'un bâtiment, lorsqu'elle écartait les bras et laissait flotter le regard de ses yeux sombres vers le ciel. Quelqu'un lui demanda de chanter des choses plus gaies. Car l'ambiance du cabaret ne se prête pas à des chansons tristounettes. Si elle l'entendit, sans se départir de son sourire de femme triste, elle dut le lui pardonner. Car elle avait déjà entendu des propos semblables, et comme il s'agissait d'un public composé essentiellement de millionnaires et de beautés internationales, elle crut qu'elle ne devait pas se présenter comme elle le faisait sur les trottoirs des rues citadines. Alors une couturière – sur les conseils d'Arletty et de Marlène Dietrich – conçut pour elle en exclusivité un modèle somptueux. Dans un salon de beauté, on la maquilla avec des fards à la mode. On modela son corps avec toutes sortes de prothèses et d'ornements, pour lui donner l'air d'un mannequin. Elle vint chanter ainsi, resplendissante de faste et d'élégance. Mais ce soir-là, les applaudissements furent maigres, plutôt contraints, de simple politesse. Son imprésario, qui l'observait, l'attendit dans sa loge. Et sans lui demander la permission, il lui arracha du cou sa croix d'émeraudes. Il lui ôta sa robe luxueuse, un modèle exclusif et lui passa les vieilles fringues qui rappelaient celles de ses vagabondages misérables par les rues de sa ville natale, le Paris sentimental.

— Allez-y maintenant, Edith, allez chanter pour eux.

Et elle redevint Edith Piaf, celle que tout le monde aimait. *Une rose de France*, comme dans la chanson interprétée par Barbarito Díez, qui lui rendait hommage pour la circonstance :

... Avec ses pétales blancs c'est la rose la plus belle, l'ensorceleuse qui nous donne son élégance et son honneur,
cette rose de France, dont l'arôme suave,
un soir de mai, m'offrit son miracle.

La voix du Nègre le plus élégant et le plus serein (pendant qu'il chantait, pas un muscle de son visage ni de son corps ne bougeait), du Nègre le plus beau, le plus intelligent, le plus simple de toute l'île et au-delà, se tut, le voisin ayant éteint sa radio. La jeune fille entendit ses propres sanglots. Mais ses grosses larmes s'évaporaient avant de couler sur ses joues, car le soleil était si brûlant qu'il les séchait à la seconde. Elle pleurait pour tout à la fois, à cause de la chanson, un *danzonete* comme on n'en fait plus, composé sur mesure pour la voix aristocratique de Barbarito Díez. Elle gémissait en pensant à la triste histoire de la chanteuse française, avec sa robe si pauvre, avec sa mélancolie, sa laideur sublime, et son ardent désir de chanter, malgré toute l'amertume de sa vie. Mais surtout, elle braillait presque car elle n'avait pas pu ignorer le nom de la personne chargée des relations publiques au *Montmartre* : Juan Pérez. Le speaker assurait qu'il était resté longtemps loin de Cuba, voilà pourquoi sans doute il ne l'avait pas cherchée, c'était rapport à son métier. Mais comment avait-il pu changer de situation aussi vite ? Quand elle l'avait connu, il vendait n'importe quoi, tout ce qui lui tombait sous la main, sa mère elle-même, si elle faisait des siennes. Comment avait-il réussi une telle ascension ? Le présentateur avait ajouté que c'était le Juan Pérez en question qui avait obtenu de la Française qu'elle accepte l'invitation. Et s'il s'était amouraché de la chanteuse ? Et s'il l'avait oubliée pour une autre ? Une autre bien mieux qu'elle. Française, par-dessus le marché ! Elle enragea de jalousie. Et si elle s'illusionnait à plaisir ? Elle n'aimait pas vivre de fausses illusions, comme les héroïnes des feuilletons radiophoniques, mais elle savait bien, grâce à son institutrice et au dictionnaire, qu'il était incorrect de dire *fausse illusion*, c'était redondant, puisqu'une illusion était, par définition, fausse. Sans parler du fameux dicton : qui vit d'illusions, meurt de déceptions. N'aurait-elle pas vécu d'illusions jusqu'à présent ? Et si ce Juan Pérez-là, ce n'était pas lui ? Car si on trouvait quelque chose à la pelle à La Havane et dans ses environs, c'était bien des Juan Pérez. C'était lui, oui ou non ? Si c'était lui, il viendrait sûrement à sa rencontre. Mais comment ? il ne possédait même pas une photo d'elle ! Et combien de Cuquita Martínez pouvait-il y avoir dans toute l'île ! Autant que de filles d'Oshún, soit à peu près quatre-vingt-dix-neuf pour cent de la population féminine.

De nouveau, huit ans après, elle fut prise de l'envie irrésistible de se passer du rouge à lèvres, de se pomponner comme une femme mondaine de plein droit, d'enfiler une robe luxueuse du samedi soir, des escarpins vernis à talons hauts, des bas nylon (ça tenait affreusement chaud, mais ça faisait de si jolies jambes !), de se talquer le dos et la naissance des seins, et de partir au *Montmartre*. Cette idée folle lui vint tandis qu'elle versait des larmes contagieuses, impossibles à retenir. Plus elle pensait à son bien-aimé, plus son nez coulait. Elle se leva d'un bond intempestif, sécha ses larmes avec sa serviette, se moucha, et en une minute, elle décida de faire ce qu'elle s'était interdit durant des années : retrouver le Ouane.

Le soir tomba rapidement tandis qu'elle se lavait dans une bassine qu'elle avait installée dans sa chambre. Elle sortit à la fraîcheur de la terrasse en peignoir, sa serviette nouée en turban sur sa tête. Un gigantesque soleil rouge se cacha au ralenti derrière les immeubles, imaginez un film muet, et on avait l'impression qu'il se couchait définitivement dans les profondeurs inconnues de la mer. De toutes parts, elle pouvait voir l'océan, c'est pourquoi elle aimait tant vivre sur les hauteurs, si près de la lumière, pour dominer le paysage. De nouveau on alluma une radio et elle entendit alors une voix de femme qui chantait comme un moineau des villes. La Française sans doute, et dans la brise du crépuscule, par-dessus les immeubles, retentit la mélodie douloureuse de la passion dans un autre lieu de la planète. Cuquita n'y comprenait goutte, mais elle avait la certitude que ces paroles évoquaient un homme aimé arraché à son existence. Elle voulut courir après cette voix si semblable à l'amour, devenir comme cette femme que le monde entier admirait ! Elle en arriva à oublier Juan Pérez. Elle ne souhaitait plus qu'une chose : connaître celle qui chantait une mélodie aussi envoûtante, ou du moins la voir de très près.

Elle se précipita vers l'œil noir de l'escalier, dévala les marches à toute allure et se présenta dans la chambre de la Mechunga et de la Puchunga :

— Tiens, voilà la tourterelle du pigeonnier. Elle se croit dans un solarium, je viens juste de la surprendre en train de griller comme un beignet de banane ou un filet de porc frit... Qu'est-ce que tu te figures, c'est dans un taudis que t'habites, faut pas te gourer... t'es pas au *Ritz*, non mais des fois... ronchonna la Puchu.

La Mechunga la détailla avec sans-gêne :

— Qu'est-ce qui t'amène attifée comme ça, dans une tenue aussi sexy et provocante, en petit peignoir, les cheveux trempés ?

Elle hésita avant de répondre, elle ne voulait pas qu'on se moque d'elle, mais... Elle avait besoin de savoir si elles avaient l'intention de sortir cette nuit, si par hasard elles ne voyaient pas d'inconvénients à l'accompagner quelque part... Elle se fit offrir une Camel, elle était si nerveuse, elle qui n'avait jamais fumé de sa vie, vous imaginez, voilà qu'elle avait envie de fumer. Elle ne voulait pas déranger, elle s'ennuyait tant, elle avait besoin de respirer un autre air, de modifier son univers, d'accélérer son rythme, de redevenir un être humain, une femme désireuse et désirable, de ne plus être ce qu'elle avait été jusque-là : un instrument de travail, une bête de somme, un manche à balai, un fourneau noir de suie, un baquet rempli de linge puant. Elle en avait assez d'attendre, de se crever pour rien. Si elle ne transformait pas son mode de vie, elle deviendrait folle. Elle avait déjà commencé à se ronger les ongles. Chaque fois qu'elle entendait une chanson d'amour, un boléro, n'importe quelle musique, quoi, elle chialait comme la reine des connes, pareil que dans les feuilletons radio. Chaque chanson avait laissé comme une cicatrice dans sa vie insipide. Elle était en manque d'amour, en manque de vie, en manque de…

— De queue, ma chérie, toi ce qu'il te faut c'est de la queue, et beaucoup. On ne peut pas vivre comme tu le fais, sans stimulant sexuel, l'interrompit la Mechunga.

— La mignonne, elle est privée de queue, ma chatte, et pour la chatte, on en a à revendre, remarqua malicieusement la Puchunga.

Elle n'avait besoin que d'une chose – *une chose que je suis seule à savoir* et qui n'était pas du café –, d'un service très spécial : qu'elles l'accompagnent ce soir dans un… cabaret. Un cabaret ? s'écrièrent en chœur les deux amies. Pourquoi ce revirement brutal ? Hier elle avait un pied au couvent, aujourd'hui, elle a l'autre au bordel. Elle expliqua ce qui s'était passé, l'émission de radio, le nom probable de son bien-aimé probable, mais surtout : la chanson si sentimentale, l'histoire de la Piaf, presque aussi tragique que sa propre histoire, tant de coïncidences exceptionnelles chez une seule femme, au physique tellement insignifiant, selon le speaker. Tout cela avait éveillé chez Cuca le désir de raviver avec force et avec fougue l'appétit sensuel qu'elle avait mis en veilleuse par rapport au monde qui l'entourait. Les femmes comprirent et acceptèrent sans hésiter. Après tout, elles étaient sorties toutes les nuits pendant huit ans. Il ne restait pas un bar, pas un restaurant, pas un café, ni un cabaret, qu'elles n'aient fréquenté, toujours conduites par Ivo, le chauffeur le plus solliciteur et sollicité de la petite île entière. Elles en avaient déjà fait leur amant, elles l'avaient viré et repris autant de fois qu'elles en avaient eu envie. Juste à l'instant où la nuit tombait, une nuit splendide éclairée par les étoiles (ces mêmes étoiles que je décris dans tous mes livres comme uniques, sensationnelles, merveilleuses, sublimes, irremplaçables, l'origine de tous mes coups de cafard, quoi, pour abréger ma rengaine). Eh bien, à l'instant même de la vie des astres, les trois femmes sortirent, pomponnées comme trois reines de carnaval.

Sur l'Alameda de Paula, Ivo attendait dans une autre Chevrolet dernier modèle, rutilante. Il préférait rester fidèle à la Chevrolet, car entre-temps il avait essayé la Studebaker, avec laquelle il avait provoqué cinq accidents ; ce n'est pas pour rien que les mariolles le charriaient avec ça : la Studebaker, c'était la Studébâcle d'Ivo. Le trajet par le Front de mer fut plus agréable que la première fois. C'est là le charme de La Havane, plus tu l'arpentes, plus tu l'aimes. Tu ne t'en lasses jamais, tu la trouves de plus en plus belle, car à chaque détour une aventure différente t'attend, une séduction qui fait fondre ton cœur comme du lait frappé à la mammée. Elle aura beau tomber en ruine, elle aura beau mourir de désillusions, La Havane sera toujours La Havane. Si tu la parcours dans les livres écrits pour elle, où la ville apparaît comme une magicienne, si au lieu d'y marcher, comme Eusebio Leal, l'historien, tu la caressais comme une somnambule démantibulée de souffrance, dans le doute et dans la dette de l'exil, avec le tourment de l'impossible, ce qui est d'après Lezama Lima, ou Lamama Mima, je répute, euh, je répète, le seul stimulant, on s'aperçoit alors que La Havane est la ville possible, celle de l'amour encore, en dépit de la douleur.

Le cabaret était bondé. Il fallait rester un moment les sens en éveil pour arriver à assimiler comme une éponge les odeurs de rhum, de cigare, et d'innombrables parfums de luxe mêlés aux eaux de Cologne suffocantes, pour distinguer l'éclat des bijoux authentiques et accepter ceux en toc, très voyants, pour être à même de comparer les femmes entre elles, de reconnaître que tel décolleté, telle gorge, n'étaient pas exactement comme telle autre, sur le point d'éclater. Il fallait savoir deviner la subtilité des bas résille, se libérer du charme des bas de soie, apprécier une bonne coupe de cheveux chez un homme, une moustache soignée, un menton fleurant bon l'*Old Spice*, un autre le Roger & Gallet, détailler chaque nœud de cravate, pour remarquer qu'il y en avait une vingtaine avec des perles agrafées, une dizaine laissaient voir d'imperceptibles diamants, raffinés, un grand nombre n'avaient que des épingles ordinaires ou tout simplement, rien. Il fallait rester debout un moment, en position d'alarme, ou alarmante par rapport aux autres observateurs, pour s'intégrer avec succès dans cet espace. Pour tenter de se mêler à cette vie excitante faite de rythme et de désir, qui est notre véritable raison d'être.

Les trois femmes firent leur entrée, et tous les regards convergèrent sur l'une d'elles. Vu que la Mechunga et la Puchunga avaient fréquenté *Le Montmartre* sans interruption, elles étaient archiconnues, et les regards restèrent rivés sur la Môme Cuca, qui avait eu l'idée géniale d'acheter au *Fin de Siècle* un coupon de cotonnade jaune. La cotonnade, tout le monde sait que c'est fait pour les pauvres, et quand elle est jaune, elle signifie un vœu à la Vierge de la Charité. Mais il y avait dans cette étoffe un petit quelque chose, elle ne ressemblait pas à une cotonnade ordinaire. Ce tissu jaune avait beaucoup de cachet, car c'était un lamé brillant, de couleur safran. Cuquita avait confié le coupon à une couturière en la priant instamment de lui confectionner une jolie robe, avec sur le devant un décolleté en V, de sorte que la pointe plonge entre les seins, et un autre pareil dans le dos, mais plus osé, presque jusqu'à la taille, muni de languettes pour que les bretelles ne glissent pas continuellement sur ses épaules rondes. Cuquita Martínez était vraiment ravissante avec cette robe quand elle fit son entrée au *Montmartre*, chaussée d'escarpins à talons aiguilles doublés du même tissu que ses vêtements et portant des bas extra-fins avec couture, de couleur chair (une astuce pour faire loucher les mecs). Elle avait la taille prise dans une large ceinture vernie jaune. Sur ses épaules, une mantille de yoryé (oui, je sais que ça s'écrit *georgette*, mais qui peut demander à un Cubain de prononcer comme il faut), d'un jaune dégradé du plus intense au plus pâle, presque blanc, avec un papillon brodé sur une pointe. A son poignet gauche brillait un bracelet en or dix-huit carats, avec une petite médaille de la Vierge de la Charité du Cuivre. Ses boucles d'oreilles étaient deux simples créoles de même carat, hyper travaillées contre le mauvais œil par sa marraine María Andrea, pour qu'elles lui portent chance et la rendent heureuse en amour. La Puchunga l'avait maquillée, mais déjà une fine pellicule de transpiration perlait à son front, sur sa lèvre supérieure et sur son nez. Elle prit un petit mouchoir de dentelle pour essuyer sa jeune transpiration, encore succulente à lécher. Elle tremblait comme une feuille, surtout maintenant avec toutes ces paires d'yeux masculins qui l'assaillaient, et autant de regards féminins incisifs qui la jaugeaient, tantôt avec envie, tantôt avec un désir réprimé. Quand elle s'habitua à l'espace bondé, elle eut un sourire de soulagement, car on venait de l'installer, quelle coïncidence, à la même table que la nuit d'autrefois, si exceptionnelle ! Elle se sentait comme un poisson dans l'eau, comme si elle connaissait tout le monde, comme si la superstar de la nuit c'était elle, et non la Piaf. Ses amies commandèrent trois menthes avec glaçons. La menthe, ce n'est un secret pour personne, c'est la boisson qui désordonne très vite les sens des femmes. Grâce à la menthe, elle évoqua mentalement l'haleine délicieuse de son tourment adoré. Il lui fallait de toute urgence un baiser de cette bouche. A une autre table, il y avait un personnage que ce public embourgeoisé jugeait aussi provocateur qu'elle, à cette différence près que l'extravagance de Cuquita était un produit de la carence, tandis que celle du peintre célèbre, nommé Roberto García York, était de génie artistique. Oh dis donc, comme il a fière allure, le gaspillage, quand c'est de l'art, du vrai, du cousu main ! Il portait un frac noir, un huit-reflets et deux immenses ailes d'ange dans le dos. C'était un hommage à Marlène Dietrich et à son ange bleu. Son amie Janine, une Française, était *dévêtue* à la Joséphine Baker. Ils étaient le point de mire de la plupart des gens. Seul un type aux traits rigidouceâtres ne remarquait pas la tenue opulente du peintre. Il avait le type chinois, paraissait de petite taille mais ne l'était pas tellement et, assis au comptoir, il observait la jeune fille d'un regard ravageur. Cuquita détourna les yeux sans lui livrer passage ; si elle l'avait fait, elle serait peut-être, à l'heure actuelle, mariée à Londres avec un formidable écrivain en exil.

Bebo Alonso, l'animateur, d'une élégance insolente, grâce à un énorme nœud papillon mauve incrusté dans sa trachée, salua le public dans un anglais de port, un français d'aéroport, et dans son habituel havanais de fiesta :

— Quoi d'neuf, public divin ?

Essayez de traduire ça en français, ou en anglais :

— *Ça va, mon public divin* ? Are you all right, public divine ?*

Il répétait sans cesse dans un français faubourien, aussi prétentieux que minable :

— *Ça va, ça va* ?*

Jusqu'au moment où un blagueur, ou peut-être un gars peu doué pour les langues, répondit à tue-tête :

— Mon vieux, arrête de nous demander si s'en va, personne s'en va, on vient d'arriver, nous emmerde pas, mon pote, s'en va, pas question !

Toute la salle s'écroula de rire, les plaisanteries fusèrent. Alors Bebo Alonso se rendit compte qu'il ne lui restait plus qu'à présenter les génies musicaux de la nuit : l'impeccable Barbarito Díez, et la môme moineau de Paris, l'extraordinaire Edith Piaf. Barbarito avança au milieu de la scène, auréolé de lumière, et commença aussitôt sa sobre interprétation de *Una rosa de Francia*. Si Othello, le Maure de Venise, s'était

* En français dans le texte. *(N.d.T.)*

adonné au bel canto du *danzonete*, il aurait eu sûrement ce timbre de voix, la lévitation identique et durable du *son* dans ses cordes vocales. Il faut l'entendre pour le voir. A la fin du morceau, il tendit sa fine main brillante, si noire qu'elle en paraissait bleue, et fit sortir de l'ombre sa rose de Paris. Un petit bout de femme très bizarre, une sorte de vieille enfant, aux sourcils arqués, aux yeux candides mais en même temps malicieux, courtaude, les jambes douces, écartées comme celles d'une ballerine, et d'une fragilité, Sainte Vierge ! elle évoquait une feuille d'automne, du papier pelure importé de Chine. Barbarito Díez, comme un dieu authentique de la mythologie, effleura de ses lèvres de jais les doigts gourds de la Piaf. Elle prononça je ne sais quels mots insignifiants dans son espagnol rococo. Ensuite elle ouvrit son cœur, et la petite fourmi se métamorphosa en Artémis, en Yemayá, en Vénus Aphrodite, en Oshún. Elle était pétrie d'intelligence et de sensualité, et ces deux attributs réunis chez la même femme, ça fait un malheur. Il n'y a plus qu'à serrer les fesses et à prendre ses jambes à son cou. Quand cette femme chanta, l'argent chut et tout le monde fit chut. Avec les chansons d'Edith Piaf, on aimait différemment :

Tu me fais tourner la tête,
mon manège à moi c'est toi,
je suis toujours à la fête,
quand tu me tiens dans tes bras.
Je ferais le tour du monde,
ça ne tournerait pas plus que ça,
la Terre n'est pas assez ronde,
*mon manège à moi c'est toi**...

* En français dans le texte. *(N.d.T.)*

Le silence, l'euphorie, l'expectative des prochaines chansons inondaient la salle. Tous observaient l'artiste et l'écoutaient, fascinés par le mystère de sa voix, par une musicalité impétueuse, une virtuosité enviable, par ses *r* prononcés comme un démon sur le point de se muer en ange, des *r* incroyablement grasseyés ; pour obtenir un tel résultat, vingt ans à l'Alliance française du boulevard Raspail à Paris, ou une opération chirurgicale de la glotte, n'y suffiraient pas. Et ces paroles fabuleuses que personne ne comprenait, mais que tous devinaient, qui faisaient rêver, pas besoin d'avoir une licence de français pour s'amouracher comme un dingue de cette voix-là. D'ailleurs Cuquita elle-même invoquait déjà son homme imaginaire, c'est-à-dire celui qui se présenterait et tomberait dans ses filets. Car toute femelle qui écoute une chanson d'Edith Piaf s'invente sur-le-champ un amant extraterrestre, une idylle éternelle, des amours tragiques. Son répertoire engrossa la nuit, la Môme était tout miel, au bord des larmes à cause de l'absence, qui signifie l'oubli, à deux doigts, à un cheveu, d'oublier l'amour de sa vie pour tomber dans les bras du premier garçon venu quand d'un seul coup, elle découvrit son profil au loin.

Il était assis à une table réservée aux invités d'honneur, avec des femmes sur leur trente et un, couvertes de visons et autres fourrures, inouï par une canicule pareille ! Les hommes portaient des costumes et des chapeaux à la Jean Gabin. La frivolité est divine, surtout quand elle est si proche de la tragédie grecque ; ça ressemble à un vidéoclip apocalyptique. Comme tout le monde, il avait les yeux braqués sur la chanteuse. Il n'était pas si beau ainsi, immobile, avec un petit sourire plaqué sur son visage, un sourire de comédie, très tendre, de commande bien entendu, à la Roger Moore. Cuquita se sentit jalouse de la voix qui l'ensorcelait si fort. Puis elle se trouva idiote, oh Seigneur, elle ne pouvait tout de même pas se conduire en épouse officielle. Elle n'osait pas le siffler, psitt, psitt, pour lui demander de la regarder, pour lui signifier qu'elle était là, qu'elle avait fichu en l'air sa vie maudite par la faute de son absence, elle ne pouvait pas davantage se racler la gorge et dévier son attention, de la chanteuse vers elle, personne ne le lui pardonnerait, et la franchouillarde la détesterait à jamais. En outre, est-ce qu'on pouvait appeler ça de la bonne éducation, depuis quand ? Elle eut l'idée de recourir à une tactique infaillible, scruter son cou sans ciller, le fixer avec insistance. Ça ne ratait pas, au bout d'une minute il se gratterait la tête, bientôt il allait la chercher des yeux dans le public et la repérer. C'est ce qu'elle fit, elle regarda, regarda, regarda et regarda l'oreille de l'homme, au point qu'elle en eut les larmes aux yeux à force de rester pétrifiée, sans ciller. En effet, il commença par se gratter le lobe discrètement, ensuite il pressa sauvagement son oreille. Il n'allait pas tarder à se l'arracher, quand il tourna son visage vers elle. La moitié de sa figure à lui resta dans la pénombre. Elle mit pleins feux sur l'homme, comme dans un film d'Hollywood, et débrancha le reste de l'univers. Il était visiblement mal à l'aise, pourquoi est-ce que cette demoiselle ne le quittait pas des yeux ?

Il avait une vue très basse ; au bout de huit ans, sa myopie s'était considérablement aggravée. Il sortit ses lunettes. Oh, quel bel homme, comme les verres l'avantageaient ! A vrai dire, je ne sais pas comment les hommes s'arrangent, mais ils savent sortir l'instrument qu'il faut quand il faut. Les lunettes de vue lui allaient comme un gant, à croire qu'il était né avec. On avait envie de le manger tout cru, quel délicieux sucre d'orge ! Cette fille lui rappelait quelqu'un, il était sûr d'avoir dansé avec elle, ou avec son sosie. Mais oui, à force de la regarder à travers ses lunettes en cul de bouteille, il était absolument certain d'avoir dansé joue contre joue avec cette fille au teint de pêche. Il sourit aimablement, d'un léger signe de tête puis, très méthodique, revint au récital. Oh, béni soit le saint des saints, il l'a reconnue, bien sûr, comment ne l'aurait-il pas reconnue ? Puisqu'il était l'homme de ses insomnies !... Mais était-elle pour lui la femme de ses cauchemars ?

Les flashes crépitèrent pendant toute la durée du récital, surtout le flash d'un jeune homme terriblement hirsute, en tenue de motard, avec son casque inconfortablement accroché à l'épaule. La Môme pensa qu'il pouvait s'agir d'Edouard Matussière, dont la radio avait parlé ce soir, le photographe qui accompagnait la Piaf. Les heures passèrent, lentes quand elle l'observait, lui, trop rapides quand elle écoutait la femme-piaf. Le temps, impitoyable, est parfois trop long parfois trop court, c'est selon. Elle redoutait pourtant la fin du tour de chant et de l'envoûtement suscité par l'artiste. Enfin, la môme de Paris prit congé des spectateurs et des auditeurs (n'oublions pas que beaucoup de gens l'écoutaient à la radio). Pour cette nuit seulement, car le lendemain elle reviendrait chanter. Elle dit *A demain**, de ses deux mains

* En français dans le texte. *(N.d.T.)*

généreuses et grassouillettes posées sur son cœur immense, et avoua qu'elle aimait tout le monde. Certains murmurèrent que ce n'était pas seulement le cœur qu'elle avait grand, d'une capacité suffisante pour aimer la planète entière, annexes comprises. D'après des rumeurs issues de la capitale européenne, elle avait des proportions divines, là, entre les jambes, voilà pourquoi elle affolait ses amants, et pouvait en abriter autant à la fois car, sur ce chapitre, elle en connaissait un bout, c'était une experte. On raconta qu'elle avait un fixatif extraordinaire dans la foufoune. Elle était comme un parfum de prix présenté dans un flacon minuscule, on a beau se laver, impossible de l'éliminer. Elle eut droit à neuf rappels, les gens pleuraient à chaudes larmes, les applaudissements et les ovations se prolongèrent près de quatorze minutes.

Bebo Alonso y coupa court pour annoncer un orchestre de danse, et les mêmes personnes qui, cinq secondes avant, gémissaient et s'époumonaient d'émotion se contorsionnaient maintenant sur des rythmes de *pachangas* et de *sandungas* endiablées. Nous sommes ainsi faits, les Cubains, nous pouvons avoir des notes de *guagancó* qui nous trottent dans la tête en plein salut aux couleurs. Si on nous apprend qu'un de nos parents est allongé au funérarium, à l'angle des rues Calzada et K, et qu'il y a une fiesta au *Tropical*, nous hésitons sans savoir où donner de la tête, mais vous pouvez parier sans crainte que neuf fois sur dix, nous choisirons la fête. Au petit matin, en passant et sans avoir l'air d'y toucher, avec une gueule de bois épouvantable, nous allons chialer un bon coup sur le défunt, pour qu'il ne se fâche pas, le pauvre. Puis… lumière et progrès. C'est une calamité, mais la chaleur consume les neurones. Ça, ce n'est pas le pire. Le pire c'est quand il se met à pleuvoir après un soleil d'enfer ; imaginez un peu, le crâne brûlant comme une poêle. Au soleil cubain de midi, on pose un œuf sur sa tête et il frit tout seul ; bientôt c'est le déluge, alors ça se gâte et vos neurones défaillent. Qui peut réfléchir dans ces conditions, qui peut prendre la moindre décision, avec des neurones défaillants ? Moyennant quoi, les critiques littéraires s'offrent la liberté, et le luxe, d'écrire que les personnages d'un roman cubain sont caricaturaux. Eh bien, je suis au regret de dire qu'ils ont parfaitement raison car dans cette petite île caricaturale, nous sommes une caricature de nous-mêmes, tous autant que nous sommes. Pourquoi enfoncer le clou ? Puisque nous avons foiré depuis si longtemps. Máximo Gómez*, que Dieu ait son âme, l'avait bien dit, car s'il est vrai ou pas qu'il a arraché une page du journal de Martí, c'est son problème, pas le mien, cela ne regarde que sa conscience, quel que soit le lieu où il repose, ou pas. Eh bien oui, le généralissime l'avait déjà dit : *Le Cubain n'arrive pas, ou alors il passe les bornes.* Oui nous sommes ainsi faits, voilà pourquoi on en est là. Personne n'est d'accord avec le régime mais le 1er Mai, la place grouille de moutons reconnaissants, heureux d'applaudir car, pour eux, c'est la seule occasion de l'année d'acheter des canettes de soda, et en monnaie nationale, s'il vous plaît. Bref, pour en revenir aux années cinquante…

Il s'approcha de sa table. Elle était seule, désemparée, délaissée par la vie, en train de

* Máximo Gómez (1836-1905), héros de la guerre d'Indépendance de Cuba, nommé par José Martí général en chef de l'Armée de libération (1895). *(N.d.T.)*

l'attendre comme une *cuquita* ou cocotte mal découpée. La Mechu et la Puchu dansaient ensemble, faute de mâles, on mange des merles. Certes il n'en manquait pas, mais une femme trouvera plus vite un cavalier si elle danse en solo ou avec une autre femme, que si elle reste assise à sa place. Comme ils sont démerdards avec leur air innocent, ces pauvres malheureux esseulés, fils du martyre et de l'infortune ! Comme si quelqu'un m'avait entendue, ou lue, elles furent soudain entourées par un essaim de mouches du coche qui venaient les faire danser. Mais elles continuèrent à bomber le torse et à faire les chochottes (une expression que j'ai piquée dans les œuvres de Pepe Triana) car les mecs, faut les traiter à la dure, sans prendre de gants, les coller au poteau sans ménagements, pour les faire souffrir un max, pour qu'ils en bavent de voir danser deux femmes surexcitées, qui se foutent de la vie quand il s'agit de s'envoyer en l'air, de draguer deux mastodontes musclés. Il s'approcha de l'endroit où elle feignait de souffrir. Tout près d'elle, il examina l'affaire prudemment.

Caruquita en oublia qu'elle avait attendu pendant huit maudites années.

— Alors ? demanda-t-elle d'une voix mielleuse, même gluante, à la limite. Très douce, mais il la trouva très coquine, à la limite de la putasserie.

Qui était cette gamine qui l'interpellait avec autant d'assurance ?

— Bof. Moi ? Ça va, et toi ? répondit-il, coquin.

— Je ne peux pas aller mieux.

Mais d'où avait-elle tiré tant d'audace ? En s'entendant, elle se dit que cette façon de parler ne lui ressemblait pas du tout.

Assis devant cette femme fascinante, il examina en détail l'ovale de son visage, ses yeux couleur de gelée royale, légèrement asiatiques, sa bouche charnue, lisse, son rire léger et candide en même temps, genre je te le donne et je te le reprends, sa longue chevelure naturelle, noire et ondulée, sans laque. Elle sentait le vétiver, ou un parfum que mettait sa mère, *Bois d'Orient*, il ne pouvait le préciser exactement… Elle était séduisante, sans doute, *elle était mignonne, en résumé, colossale, mais dans la vie, tout se sait, sans même le vouloir…* Il ne comprit pas pourquoi les paroles de ce cha-cha-cha lui étaient venues aux lèvres.

— Toi, je t'ai déjà vue quelque part… affirma-t-il en hésitant. Et l'univers romantique de Cuquita s'écroula, cet univers classique style : prince amoureux trouve enfin princesse amoureuse, l'embrasse, et ils se marient pour l'éternité. C'est incroyable, le tact et la mémoire meilleure encore qu'ils possèdent, *eux*, et à quel point nous sommes susceptibles, nous, les *elles*. Car une chanson d'Edith Piaf fait des miracles, je l'ai déjà dit, et peut métamorphoser à nos yeux Boris Eltsine en prince charmant. Cuquita se dit qu'il jouait peut-être à ne pas la reconnaître, et elle entra dans son jeu :

— Non, on ne s'est jamais vus.

— Eh bien, tu vois, je jurerais le contraire. Allez, viens danser, fillette, la nuit est lourde de promesses…

Mais quand elle se leva et que son corps surgit de derrière la table, *comme une fleur printanière*, comme la *Longines séductrice*, le cabaret tout entier resta figé en *stop motion*. C'était une petite bouteille de Coca, avec sa taille fine, ses hanches généreuses, son cul rebondi de Négresse des faubourgs, ses cuisses fermes et droites dans sa robe de coton lamé, ses seins durs, son cou allongé et ses petites oreilles délicieuses, à croquer. Il fut enchanté de les voir se régaler de la jeune fille, il se sentait ainsi sexuellement envié. Toujours gagnant. Car pour être le propriétaire d'une poupée de cet acabit, il faut pouvoir l'entretenir, et comment, même un ouvrier de chez Renault aurait du mal.

— Ma beauté, vous êtes drôlement excitante, lui susurra un individu *enguayabéré*, je veux dire qu'il portait une *guayabera* amidonnée à manches longues, chose peu courante dans ce genre d'établissement si peu traditionnel.

Jaloux, il l'attira contre lui d'une secousse, la protégea de son corps et brandit un poing menaçant vers l'impudent qui n'en démordit pas, flanqué de sa cavalière impavide aux yeux révulsés, sonnée par la fumette et le coma éthylique.

Ils dansèrent le premier morceau, un boléro, collés comme par de la Superglu n° 3. Il s'interrogeait, de plus en plus intrigué, car cette joue contre la sienne lui était par trop familière. Et la taille, la douceur des bras bien enveloppés, comme s'il les avait caressés depuis sa première éjaculation précoce. Sa poitrine, pulpeuse, se soulevait régulièrement, ses seins enflaient et se dégonflaient, monte et descends, tout à fait comme les décolletés des femmes qui, en respirant, menaçaient de faire craquer leurs corsets, dans les films de cape et d'épée d'Errol Flynn ou d'Alain Delon. Elle n'y tint plus et chercha la bouche si convoitée. Elle l'embrassa comme elle avait rêvé de l'embrasser depuis huit ans, le jour où elle lui remettrait la main dessus : elle lui introduisit sa langue jusqu'à la glotte, lui ausculta chaque dent, lui suça les gencives et les lèvres. Il fut parfaitement à la hauteur, comme un grand garçon. Ils se donnèrent des coups de langue, bang, tels deux félins. Ils s'écartèrent l'un de l'autre et en tapinois, ils observèrent leurs crocs et leurs griffes pointues, puis elle dit :

— Tu ne manges plus d'oignon ? Tu as fait plomber ta dent cariée ?

— De quoi ? Comment ?

— Allez, ne joue pas au plus fin, ne fais pas l'idiot, toi tu es le Ouane.

— Et toi… toi… tu es… Caruquita Martínez ?

— Elle-même, en chair et en os. Et depuis huit ans je suis amoureuse de toi, jusqu'à la moelle des os.

Tant d'ardeur réprimée la poussait à tout déballer sans reprendre son souffle.

— Bon, je croyais, enfin, vu que tu as filé comme si tu avais le diable aux trousses, je me suis dit que tu avais été déçue parce que je puais du bec… Non, j'ai décidé de ne plus manger d'oignon ; à Mexico un dentiste m'a examiné, j'avais un petit problème aux gencives… et à une molaire…

— Mais voyons, il ne fallait pas dépenser d'argent à te payer un billet d'avion pour savoir que tu avais une molaire cariée, on sentait ça de loin… Je suis seule. Et toi ?

Elle n'hésitait pas une seconde, une foutue mitrailleuse.

— Moi aussi je suis seulingue. Evidemment, je suis très pris, j'ai un boulot fou, ça n'arrête pas. Je m'occupe des relations publiques d'ici, et bientôt du *Salon rouge* du *Capri*, si les choses tournent comme je veux…

— Et moi, si les choses tournent comme je veux, je te rendrai très heureux toute la vie…

Oh, et puis flûte ! Pourquoi devons-nous passer notre temps à promettre le bonheur à la gent la plus malheureuse du monde, la masculine ? Comme s'il dépendait de nous d'en faire des chefs d'entreprise, des directeurs de journaux, des dirigeants de parti, des généraux d'armée, des présidents d'un pays riche. Quand finirons-nous par comprendre que pour la plupart d'entre eux, hélas, le bonheur dépend du pouvoir, très rarement de l'amour ? Même s'ils prétendent qu'une paire de nichons tire plus fort qu'une carriole.

— Pour le moment, rends-moi heureux cette nuit.

Réponse inévitable que Cuquita accepta les yeux fermés, sur le point d'ouvrir tout le reste. Elle ouvrit tout le reste chez lui, dans son appartement. Au dixième étage d'un immeuble qui portait le nom de son propriétaire : Somellán. Au diable, le bout de chair définitif et définitoire, l'hymen destiné à la nuit de noces ! La chose se produisit sur une terrasse aussi vaste qu'une salle de bal de la bonne société, face à la mer, avec un vent furieux et du sel sur les lèvres, tout près du ciel, comme elle aimait, dominant le paysage telle une vigie. Au moment de la défloration (quel mot élégant j'ai trouvé, du temps de Mathusalem !) un coup de tonnerre éclata, un cyclone se déchaîna, de ceux qui durent une semaine, et il se mit à pleuvoir sans désemparer. Le pays tout entier s'arrêta, comme d'habitude en période d'ouragan. (On dirait que nous en avons un, depuis des décennies.) Il a plu comme jamais depuis des années, avec des éclairs, des pans de nuages, des tourbillons de terre. Il a plu en traître, ce fut la croix et la bannière ! Vous savez, ici, quand la pluie s'y met, on n'en voit pas la fin et pour ce qui est de la baise… pareil. C'est justement ce qu'ils ont fait, eux, ils ont baisé sans désemparer pendant une semaine. Dans toutes les positions possibles et imaginables : dessus, dessous, d'un côté, de l'autre, debout, en appui sur les mains (ça s'appelle faire la brouette), assis, adossés à la fenêtre, sur le lavabo, sur la cuvette des W.-C., sur l'évier de la cuisine, sur le petit rocking-chair, sur le canapé en U, à même le sol de granit nu. N'allez pas croire, Cuquita a été un peu écœurée de tout ce foutre qui lui faisait floc floc dans la zézette, mais la nature est comme elle est, pas comme on voudrait. Au bout d'une semaine, elle repartit dans sa chambre sur la terrasse, elle pesait cinq kilos de moins (le régime le plus efficace c'est le gourdin, beaucoup de gourdin, figurez-vous que les Français se tringlent pour perdre du poids). Personne ne s'était aperçu de son absence, car aucun commerce n'avait ouvert depuis lors, à part la boutique où l'on débitait des clous, des marteaux, des planches et tout ce qu'il fallait pour consolider portes et fenêtres. Concha, l'Asturienne, était très inquiète, car la Mechunga et la Puchunga n'étaient pas rentrées non plus. Elles étaient sûrement hébergées dans une belle demeure, à se la couler douce, parce que les drames, quand ils se produisent, on le sait tout de suite. En voyant arriver Cuquita si amaigrie, elle la gronda :

— Ma petite, comme tu as mauvaise mine, ah, caramba, toi tu es passée à la casserole et qu'est-ce que je vais lui dire, à ta marraine, maintenant ?! Qui c'est, cet enfant de salaud, on peut savoir ?

Elle prit son mouchoir d'homme avec de l'argent noué aux quatre coins, tamponna la sueur sur son front, son gros nez, son cou, ses dessous de bras, et renoua le faux porte-monnaie à la bretelle grisâtre de son soutien-gorge.

— L'homme de ma vie, répondit Caruca au septième ciel.

— Hein, l'homme de ta vie, l'homme de ta vie ? C'est ce que j'ai dit la première fois et j'en suis au cinq cent cinquante-cinquième homme de ma vie. Tu parles si je les connais ! Allez, va te reposer et demain, au boulot !

Le lendemain, elle lui téléphona au bureau. Il brilla par son absence. Il avait dû partir d'urgence à Mexico en voyage d'affaires. Elle se dit qu'il avait peut-être une autre dent cariée, et que ses douleurs aux gencives lui faisaient un mal de chien. Cette fois, elle ne craignait pas de le perdre, elle savait où il habitait, au dixième étage de l'immeuble Somellán, et où il travaillait, au *Montmartre*. Il reviendrait toujours de ses voyages, car il lui avait juré soixante-neuf fois un amour éternel. Oui, soixante-neuf fois, elle ne se trompait pas, c'était bien le nombre d'orgasmes qu'ils avaient eus. A chaque coup, il jurait qu'il se mourait d'amour pour elle. Et pour sa ville. Comme si femme c'était synonyme de ville. Comme si la ville avait un utérus.

Les jours et les semaines passèrent, bientôt un an et demi, et ils étaient toujours ensemble. Ensemble sans l'être. C'est-à-dire rarement ensemble. Ils se voyaient trois jours de suite, baisaient comme des sauvages, puis il disparaissait. Elle plongeait dans ses cours, dans sa cafétéria, dans son travail de servante. Après plusieurs semaines interminables, il arrivait, klaxonnait, et elle lui faisait signe du haut de la terrasse de l'attendre dix minutes. Il lui fallait cinq minutes pour se laver, quatre pour se pomponner, et une pour dévaler les escaliers. Ils dansaient au *Montmartre*, puis ils rentraient chez lui, dans son appartement. C'était toujours pareil. De jouissance en jouissance. D'adieu en adieu.

Elle tomba enceinte deux fois et il paya une fortune pour les avortements clandestins dans le cabinet du Dr Banderas, rue San Lázaro. Après tant de dangers clinico-psychologicovariques, elle apprit à se poser un diaphragme. Quand il s'en allait, elle cherchait refuge dans les romans de Corín Tellado, qu'elle pouvait échanger à la quincaillerie, au coin des rues Cuba et Merced, ainsi que dans les feuilletons radiophoniques, ou alors dans la presse du cœur. Elle apprit ainsi qu'une autre Française célèbre visitait l'île. Cette romancière, presque une enfant, s'appelait Françoise Sagan et avait écrit un livre dont le titre la séduisit aussitôt, car il collait très bien avec son état d'âme : *Bonjour tristesse*. Elle le lirait certainement, la vérité de Verdi (véridique, je veux dire). A l'aéroport, la dernière Miss Cuba (réellement la dernière), Mlle Flora Lauten, accueillit la romancière avec un bouquet de gardénias.

Après avoir vécu un an et demi dans un tel désordre physique et sentimental, Cuquita fit une crise de jalousie. Elle ne supportait pas que leurs amis la traitent de cocue. Il en avait sûrement une autre à Mexico, ou à New York, sinon pourquoi faisait-il tant de voyages dans ces villes ? Il s'expliqua, jura ses grands dieux que non (à force d'expliquer, des durillons lui poussèrent dans la bouche, il dut prendre un purgatif), qu'elle ne devait pas mettre en doute une seconde sa fidélité. Ses absences étaient dues uniquement à son travail. Un travail, en outre, excessivement compliqué et dangereux. Elle pleura, méfiante pour la première fois, et ce ne fut pas la dernière. En vérité, elle ne savait même pas en quoi ça consistait, cette combine, ce job de relations publiques. Un boulot d'esclave qui vous liait les mains, dit-il la voix tremblante, il s'agissait de représenter les artistes à l'étranger, et d'amener des artistes... étrangers, de procéder à des échanges culturels.

— Et pourquoi on ne se marie pas ?

Livide, il la regarda l'air craintif. Il scruta profondément ses grands yeux sombres en amande. Mais enfin, ça voulait dire quoi, de se marier si vite ? Vite, dix ans c'était vite ! Elle avait attendu dix ans ! Il était visiblement nerveux, ne lâchait pas sa valise. Il ne voulut pas se caler dans le fauteuil damassé, tout rapiécé.

— Voilà, tu ne veux même pas t'asseoir. Tu détestes ma chambre. On n'a jamais couché ici... toujours dans ton royaume, dans ton foutu appartement. Tu ne supportes pas cet endroit, tu ne me supportes pas, moi...

Il scella ses lèvres d'un baiser mouillé, la déshabilla d'une seule main, ôta sa chemise de la même main et ne lâcha même pas sa valise pour se préparer à tirer son coup. Il ouvrit sa braguette, sortit sa trique et non sans effort, il sortit aussi ses couilles. A la fin, tandis qu'elle suçait, il lui demanda un délai, il avait des histoires, il travaillait pour un personnage qui avait beaucoup de pouvoir, beaucoup d'argent. Elle devait bien planquer cette valise. Mais non, aïe mon bébé, c'est bon, vas-y, vas-y ! ce n'étaient pas des gens du gouvernement, mais très proches.

Des mafieux ? demanda-t-elle avec la bite comme un cure-dent dans sa bouche. Merde, comment osait-elle prononcer ce mot barbare ?! Ne te risque pas à prononcer ce gros mot, plus jamais ! Elle le promettait, n'est-ce pas ? Elle devait le jurer au nom de leur amour, qu'elle ne dirait plus jamais ce vocable cinématographique. D'accord, juré. Jamais plus. Un jet de foutre lui pocha l'œil, à Caruquita.

Il disparut pendant quinze jours. Il revint dans une voiture neuve. Une Dodge de 1958. Très décontracté, plus élégant, fleurant bon le talc de luxe, superbe. Il sortit plein d'argent de son portefeuille, elle n'avait jamais vu autant de billets réunis, c'est pourquoi elle détourna la tête, elle ne voulait pas toucher, même du regard, une somme aussi colossale.

Il insista pour qu'elle ramasse ses affaires, toutes, tous les biens de sa vie, qui constitueraient à l'avenir le coffre amer des souvenirs de pacotille.

— On se barre, tu habiteras dans un petit appartement du Vedado, en face du Front de mer, tout près de chez moi, assura-t-il, plus tentant que sûr de lui, feignant de tout avoir réglé.

— Mais pas avec toi, hein ? Nous ne vivrons jamais ensemble, n'est-ce pas ?

Elle posa la question le plus sèchement possible.

— Non, pas pour le moment.

Il offrit de l'argent à Concha, ainsi qu'à la Puchunga, à la Mechunga, et à la petite jeune fille qui la remplaça à plein temps. Après le déménagement, la première nuit, il lui demanda de garder sous son lit des caisses de médicaments. Le lendemain, un pote à lui vint les récupérer et les échangea contre une autre caisse contenant des paquets de brassards rouge et noir*. Quand il revint, elle lui lança en pleine figure :

— Je ne veux pas d'emmerdes politiques, la politique, ça ne m'a jamais intéressée.

— Ça va, calme-toi, il n'y a rien de grave, je donne un petit coup de main, c'est tout. Sois tranquille, personne ne te cherchera noise.

Le reste alla très vite. Comme un cauchemar horrible où l'on ne cesse de tomber, tomber, tomber. En six mois, il gagna encore plus d'argent. Le lendemain, il le perdit. Pour comble, la révolution triompha. Par-dessus le marché, elle tomba enceinte ; sans laisser de traces, il se volatilisa de nouveau, cette fois, pour une période plus longue. Le tout en six mois, d'un seul coup. Pour elle, c'en était trop, un poids terrible, insupportable. Un appartement voisin se libéra et elle fit venir ses deux amies, car l'éloignement lui pesait. La Mechu et la Puchu lui étaient très reconnaissantes d'un cadeau aussi démesuré, pris sur ses économies et à la sueur de son… elles allaient dire : front, mais elles s'abstinrent de préciser de quelle partie il s'agissait. Entre-temps, son père était mort subitement. Non, pas subitement, mais tuberculeux. María Andrea était décédée à son tour, victime d'un étrange empoisonnement au chlore. Quant à sa mère, elle avait acquis une petite maison avec ses autres enfants, grâce à la sueur déjà mentionnée, celle de son travail, et du *travail d'envoûtement* fait au Ouane. Trois autres mois s'écoulèrent. Après le triomphe révolutionnaire, on vint la voir pour demander

* Couleurs du Mouvement du 26 juillet, clandestin, fondé et dirigé par Fidel Castro. *(N.d.T.)*

où il était. C'étaient deux barbus en uniforme rebelle. Plus tard, deux types en costard se pointèrent, chacun tenait une valise énorme à la main. Ils se présentèrent comme policiers, lui conseillèrent de les avertir par téléphone dès qu'elle saurait où il se trouvait, et ils lui tendirent une carte de visite. Ils lui recommandèrent d'être prudente avec ce type, de ne pas lui révéler qu'on le recherchait. Car son amant (ils dirent comme ça : son amant) était hautement dangereux, un poseur de bombes, un terroriste, et de nombreux êtres humains étaient en danger permanent tant que ce fils de pute serait lâché dans la nature. Elle n'en crut pas un traître mot.

Il revint, déguisé, c'était drôle et plutôt inquiétant de le voir avec cette grosse moustache, des lunettes noires, en uniforme de milicien ! Il lui donna un baiser aussi tendre que d'habitude, mais plus profond et plus long, c'est-à-dire lourd de pressentiment, comme s'il ne voulait pas se détacher d'elle. Jamais, jamais. Il caressa son ventre et tout bas, si bas qu'elle-même n'entendit pas, il chuchota des secrets à son fœtus chéri. Ensuite, il lui parla, très vite :

— Je dois partir. Cette nuit, je vais m'introduire dans une ambassade, j'ai tout prévu. Ne t'inquiète pas, je t'en supplie, cela ne va pas s'éterniser, ce gouvernement va tomber d'un jour à l'autre. Je reviens dans trois mois, pour nous marier, pour ton accouchement. Pour être auprès de toi quand tu vas accoucher. Je suis sans le sou, je ne peux rien te laisser, mais je viendrai comme avant, ou mieux qu'avant. Mais si, j'ai quelque chose, seulement ceci…

Alors il fourra la main dans la poche de son pantalon de milicien et en retira cette chose enroulée qu'il plaça dans sa main glacée, à elle.

— Garde-le comme le plus grand trésor que tu aies jamais possédé, comme si c'était moi. C'est très important ; si on le découvre sur moi, je peux tout perdre, même la vie… Ne pleure pas, je t'en supplie, cela ne durera pas longtemps. Tu verras, je te le promets, prends soin de toi, nourris-toi bien. Ne jette pas cela, c'est… tout dépend de cela… c'est notre destin.

Et il partit. Comme tous les hommes s'en vont toujours, en claquant une porte sur nos cœurs. Elle ouvrit la main. Dans sa jeune paume lisse reposait, soigneusement plié, un dollar de l'année 1935. Ainsi eut lieu son baptême avec un billet américain, auquel elle n'accorda pas tant d'importance. Après tout, il n'était pas si différent du peso national, ce n'était qu'un bout de papier dans une autre langue. Elle pensa qu'elle devait en tout cas le cacher en lieu sûr, et elle le planta dans un pot de philodendron. Il reviendrait, comme toujours, débordant d'argent, de fierté et d'amour. Et elle s'assit dans le rocking-chair. Pour attendre.

4

Finie la rigolade

Finie la rigolade,
le Commandant est venu,
et nous a mis au pas…

Chanson de VALERA-MIRANDA.
CARLOS PUEBLA a seulement remplacé
“caporal Valera” par “Commandant”.

Trois décennies et quelques assise dans un rocking-chair, à me poser tous les soirs la même question. Qu’est-ce que je ferai à manger demain ? La question à soixante milliards de pesos. Notre pain de ce jour : ne pas en avoir. Quant à Taille Super Extra, on l’appelle *l’oignon* : par sa faute les femmes cubaines pleurent à la cuisine. Elles réalisent certainement que Taille est tantôt Extra, tantôt Super Extra-Large ; tout dépend du volume, du poids, des mesures prises pour assumer ses responsabilités ou les événements en cours. Pour moi c’est la routine habituelle, tailler ou entailler la nourriture, voilà le problème qu’il me faut résoudre dans l’immédiat, rien à voir avec la politique baveuse. Qu’est-ce que je vais cuisiner, Sainte Vierge ? Et si je faisais un hachis au maïs ? On prend un paquet de maïs grillé, on commence par l’humecter, ensuite tu l’assaisonnes avec du vinaigre, car le citron a disparu de la circulation, du sel, du piment et de l'oignon, si jamais tu peux aller à Güines en acheter aux paysans, sinon eh ben, t'es baisée. Tu le fais revenir à la poêle et ça y est, la nouvelle recette immangeable de hachis havanais au maïs. Il faut prévoir plusieurs carafes d'eau fraîche parce que le maïs grillé donne une soif du feu de Dieu, ce n'est un secret pour personne.

Chaque fois que j'y réfléchis, j'enrage, idiote que je suis – pas idiote, conne – à scruter la mer comme un mousse sans expérience, pour attendre un bateau qui le ramènerait ou alors, la vue agrafée au ciel comme une broche, nuit après nuit, je défaille du désir de voir apparaître une petite lueur différente de celle des étoiles, qui trahirait un avion le ramenant auprès de moi. Rien de rien. Il n'est jamais revenu, il n'a même pas écrit. Il est rentré sous terre. Mais les mois passaient et je me balançais toujours dans mon rocking-chair, en répétant son nom : Juan Pérez, Juan Pérez, Juan Pérez, des fois que mon délire pourrait l'attirer, par magie ou par sorcellerie. J'ai essayé le tout pour le tout, j'ai écrit son nom sur un bout de papier d'emballage, je l'ai mis dans un pot de miel, avec quelques-uns de mes poils pubiens écrabouillés et des gouttes du second jour de la menstruation, après quoi j'ai récité la prière du Phallus Magique : *A la une je te nomme, à la deux je t'attire, à la trois je t'attache*... J'ai allumé un cierge rose, imitation fidèle d'un sexe masculin, c'est-à-dire une bite en cire. J'ai consulté un par un les sorciers, les envoûteurs ou autres machins étranges, et j'ai tenté l'impossible sur la terre comme au ciel... Sans résultats. Pas le moindre signe de lui : mon tourment adoré, le gars qui me mettait la tête à l'envers, le père de ma fille, avait filé sans espoir de retour, car dans ces cas de fuite pathétique et politique, il n'y avait pas de marche arrière. Plus jamais. En tout cas, à l'époque, c'était l'impression qu'on avait.

Chaque nuit de ma vie je rêvais d'un baiser de sa bouche. Au réveil, la mienne était tuméfiée à force de me mordiller les lèvres dans mon sommeil. Dans mes cauchemars, mes propres claquements de dents m'effrayaient, car la tension m'obligeait à serrer fort les mâchoires, et je passais les nuits à ressasser ma nostalgie. Il y avait des matins où j'avais la bouche suppurante, blessée, marquée par mes morsures. Pour protester de mon impuissance à obtenir que l'amour de ma vie revienne m'embrasser, et apeurée de mes auto-agressions à coups de bisous et de suçons, je suis allée chez le dentiste et lui ai ordonné de m'arracher les dents. Toutes, absolument toutes. En un jour. J'ai failli passer l'arme à gauche, car j'ai eu une hémorragie terrible. Mais avant cette extraction massive, d'autres événements se produisirent, la goutte d'eau a fait déborder la cruche, or tant va la cruche... A mes obsessions auto-agressives nocturnes, se sont ajoutés deux autres faits : premièrement, un picotement très curieux aux gencives, que j'ai aussitôt interprété comme un message divin. Si mon Ouane, mon joli petit voyou, était mort ? Hélas, comme j'ai pleuré, Christ de Limpias, je me suis retrouvée avec la peau sur les os ! Je vivais mon veuvage toute tremblante de fureur, d'angoisse, d'épouvante. Car si une mort est insupportable, c'est bien la mort imaginée, où l'on n'a pas vu le cadavre, ce qui rend impossible l'idée de la disparition physique. Jusqu'au jour où Ivo, le chauffeur, est venu nous voir dans sa décapotable aux aventures inoubliables, et nous a raconté qu'une personne de sa connaissance avait reçu des nouvelles du Ouane, lequel était passé d'Argentine à Miami. Ce fut le second événement, juste ces mots. Rien de plus. Pas de message. Furieuse, je me suis débarrassée à plus forte raison de ma denture naturelle, j'ai extirpé mon sourire Colgate. Après tout cette marque de dentifrice avait été officiellement excommuniée, elle aussi. Je ne voulais pas être belle, je ne voulais pas que l'on me trouve jolie. Quand mes gencives furent cicatrisées, je me suis dit, au moins il est vivant. Par la suite, je l'ai regretté, alors je me suis fait faire un râtelier où brillaient trois dents en or. Je ne l'ai porté qu'une semaine, je n'arrivais pas à m'y faire, ça m'a irrité les gencives et j'ai eu de ces cloques, il y avait de quoi se tordre de douleur. Par ailleurs, les dents en or ne jouissaient pas d'une très bonne réputation dans certains milieux, et les gens me prenaient pour une virago du quartier de Cayo Hueso, ou pour une Moscovite. Nous savons que *Moscou ne croit pas aux larmes*, le film où l'on voyait des filles traumatisées comme moi, est sorti beaucoup plus tard. J'ai décidé de m'accepter édentée. En définitive, c'est moi qui l'avais choisi.

Ma fille est née un 7 septembre, jour de Yemayá, la Vierge de Regla, la tempête soufflait, la mer démontée rugissait, les vagues recouvraient le parapet du front de mer et un vent sauvage sifflait contre les persiennes et les vitres. Quelques fenêtres furent violemment arrachées, avec leurs châssis, par l'agressivité farouche de l'ouragan caribéen ; les Européens l'imaginent comme la huitième merveille du monde et ils veulent vivre à tout prix l'expérience du cyclone tropical, comme s'il s'agissait d'un pique-nique sur les îles Fidji. Les vitres volaient comme des lames de couteau prêtes à décapiter tout passant aguerri. Quelques semaines avant d'accoucher, je suis retournée à Santa Clara, ma ville natale. Je voulais revoir ma famille mais dans le genre revêche, ma famille, on ne fait pas mieux, si bien que j'ai vite regretté d'être retournée à la cambrousse. J'ai fait baptiser ma fille d'un prénom simple : María Regla, en l'honneur de l'accouchement, qui fut très simple aussi. J'ai su plus tard, grâce au bulletin d'informations, que l'ouragan aussi on l'avait appelé Regla. C'était de mauvais augure et cela m'a fait peur.

Je suis entrée à l'hôpital à une heure de l'après-midi, à une heure cinq elle était déjà dehors, braillarde et sanguinolente. Très laide et en même temps, très jolie. Dès sa naissance, j'ai eu l'impression qu'elle serait tout à fait comme son père, une gamine chieuse, mal élevée et indépendante. Trop indépendante. Je n'oublierai jamais que le jour même, quand on m'a présenté la petite, lavée et pomponnée, je ne savais pas quoi en faire, où la poser... Alors, d'elle-même, elle m'a attrapé le sein avec sa menotte maladroite, a mis le mamelon dans sa bouche et a tété jusqu'à plus soif, ensuite elle a tourné la tête de l'autre côté et s'est endormie. Bientôt on est venu nous offrir, à toutes les deux, un bouquet de lys teints en bleu. Les lys roses, destinés aux filles, il n'en restait plus, car ce jour-là les filles étaient en majorité. Les femmes de l'avenir.

Je me suis vouée corps et âme à la radio. Oui, j'en ai fait une extension de mon corps ; je l'emportais partout où j'allais et la branchais sur la première prise qui me tombait sous la main. Je suis devenue une amie de la radio. La radio était ma fidèle compagne. J'étais sa confidente. Naturellement, la réciproque n'était pas vraie. J'entendais des discours, des communiqués héroïques, des interviews politiques, des hymnes, des informations. Radio Horloge nationale, bing, Radio Horloge donne l'heure, bang. On fêtait le premier anniversaire de l'entrée de Taille Extra-Large à La Havane. Partout régnaient l'effervescence, l'allégresse, la fête, les ennuis, la joie, le bordel. Oh, comme cette réalité s'est transformée depuis en sacrifices, en meurtres, en pénuries, en ébranle-bas ! Vous connaissez la dernière ? Comment dit-on "période spéciale" en français ? *Ça-manke.* Et en portugais ? *L'ébranle-bao national.* Et en chinois ? *T'as qu'à pas tiquer.* Et en japonais ? *On t'a tout piqué.* Et en arabe ? *Le Barbe barbote la bouffe.* Alors XXL est passé de commandant en chef à *comediante* en chef. Quand je me mets à réfléchir à tout ce que nous avons vécu, la stupeur et la pudeur me hérissent le poil, j'en ai la chair de poule, mon teint se plombe. Une fièvre pyrotechnique s'empara de la ville, des saboteurs avaient mis le feu à *El Encanto*, la Puchunga et la Mechunga se retrouvèrent au chômage, si bien qu'elles me proposèrent de me garder la môme. La Môme. Dès lors, plus personne ne m'appela la Môme, c'est elle qui hérita de ce surnom. A présent elle était la Môme Reglita et moi, Cuca tout court. Ou Caruquita. Ou Cuquita Martínez.

J'ai commencé dans un restaurant, comme serveuse. Ils se sont mis à tout nationaliser, lentement mais sûrement. Ce n'est pas pour rien qu'on nous assenait ce slogan : *Nous sommes comme l'éléphant, calmes, mais écrasants.* Je me suis enrôlée chez les travailleurs de la gastronomie, à l'INIT ; alors là, j'ai beau me creuser la tête, aujourd'hui encore je ne suis pas foutue de dire ce que signifie ce sigle : Institut national d'une connerie quelconque. Le plus marrant, c'est qu'un des nombreux ministres extrémistes de l'époque décida d'appeler sa fille Inrainit. A savoir, INIT, pour la gastronomie, et INRA, pour Institut national de la réforme agraire. Enfin quoi, c'est vrai ça, l'histoire des noms dans ce pays, ça n'a pas de nom, excusez la redondance. Il faut pas être un peu timbré pour appeler sa fille Granma, ou Usnavy, ou encore Patrie, comme mes voisins ont appelé leur gamine ? Cette dernière, encore heureux, elle a changé de nom vite fait, mais pour tomber de mal en pis, car elle a choisi de s'appeler Yocandra, et ce nom-là, personne n'y comprend grand-chose non plus. Elle m'a expliqué un peu, elle m'a dit que c'était une affaire entre Jocaste et Œdipe, avec en plus Cassandre, les Troyens et les Achéens, mais moi ces histoires anciennes, ma petite tête n'arrive pas à les retenir.

Les changements, on ne s'en rendait pas compte, ou on les acceptait sans broncher. Si jamais quelqu'un avait l'idée de broncher ou de protester, serait-ce "de manière constructive", c'était un contre-révolutionnaire, un traître à la patrie, un vendu. Ça fait que mon homme était tout cela à la fois : un traître à la patrie, une vermine. Mon homme, c'était l'ennemi. Ma fille est devenue fille de la patrie, côté paternel. Taille Extra était son parâtre, je veux dire, son papa. Car son père n'existait plus, il avait quitté le pays, ce qui revenait à ne pas exister, comme s'il avait quitté la mappemonde, pas nous deux, nous n'avions pas la moindre importance dans l'affaire, c'était la nouvelle société qui comptait. Je me souviens, quand María Regla était collégienne, elle me jetait à la figure qu'elle avait honte de sa famille : un père ennemi de la révolution, un oncle pédé, une grand-mère pute. A l'époque, je m'étais un peu acoquinée avec les Témoins de Jéhovah, ce n'est pas que je croyais en eux, mais ils ne me lâchaient pas d'une semelle pour me lire des passages du Nouveau Testament, quels pots de colle, pire que des morpions en chaussures à crampons, à force j'ai bien failli adhérer, mais j'ai dû y renoncer parce que ma fille, quand elle l'a su, elle s'est carrément fichu de moi et en plus de ça, je n'appréciais pas du tout leur interdiction des transfusions sanguines, sans compter que la police les persécutait beaucoup, et si on me chopait dans ce trafic biblique, on pouvait supprimer à Reglita ses tickets de jouets et m'expédier la tête la première dans un camp de travaux forcés. Au fil des ans, XXL, le fiancé de la patrie, s'est mué en père. Taille Extra, on nous l'a fourgué comme papa de tous les Cubains. En tout cas, moi on m'a endormie en me faisant avaler que nous étions en train d'édifier l'avenir de nos enfants et comme cette question-là, l'avenir de ma fille, c'était la seule chose qui m'intéressait, eh bien je me suis inscrite sur la liste.

J'ai participé à toutes les campagnes nées de leur imagination, celle d'alphabétisation, celle de formation des maîtres dans les écoles Makarenko, qui visaient uniquement à transformer en professeurs ces paysans qui étaient analphabètes six mois auparavant, bref, je ne laissais pas échapper une seule activité. Et j'ai combattu comme une tigresse pour un monde meilleur. J'ai été en permanence une travailleuse de choc, je n'ai manqué aucun travail volontaire productif. J'étais toujours au combat, oh oui je combattais, tournée vers les champs. Je suis devenue combatteuse d'avant-garde, ce n'est pas comme serveuse, bien que je l'aie été aussi, combatteuse, ça veut dire spécialiste en combats et en maladies nerveuses. C'est alors que je suis tombée malade des nerfs. (Par la suite, j'ai appris à me soulager à coups de comprimés et de rhum et j'ai décidé de passer la main question combat.) Je portais un pantalon corsaire et je trimballais un petit pliant accroché à ma ceinture pour bosser au Cordon de La Havane (le bruit court qu'ils vont faire redémarrer ce projet agricole), ça fait que je pouvais m'asseoir au bord du sillon pour planter ce qu'il y avait à planter, pour désherber, ou pour récolter de tout, des tomates, des pommes de terre, de la betterave, du café. Car n'oublions pas la lubie de XXL qui, à un moment donné, a fait planter du café Caturla sur tous les terrains fertiles de la province de La Havane. Il a donné l'ordre de déraciner tous les arbres forestiers et fruitiers qu'on trouverait sur notre chemin, et de semer à leur place des graines de Caturla, c'est-à-dire du café… de montagne. Résultat, ni arbres, ni caféiers. J'ai même travaillé aux fraises ! Parce qu'il a été atteint de la fièvre fraisière. Nous devions semer de la fraise dans des zones de microclimats. Nous deviendrions les premiers producteurs de fraises des tropiques. Je n'en ai jamais mangé une seule. Je ne connais même pas la saveur des fraises sauvages. Après, ce fut l'épisode de l'insémination artificielle des vaches, nous allions produire de l'or rouge, à savoir de la viande, puisque nous ne pouvions pas avoir d'or noir : du pétrole. On a construit des étables où on n'arrêtait pas d'introduire des éprouvettes de sperme provenant de toutes les variétés de taureaux, Taille Extra compris, dans les matrices bovines. On dit que Mamelle Blanche, la laitière extraordinaire, est la fille de XXL. Alors les vaches – pas folles du tout – sont devenues hyper sacrées, on leur avait installé l'air conditionné, on avait meublé les locaux, posé des petits rideaux de dentelle rose aux fenêtres ; au hit-parade de l'époque, on chantait : *Matilda va, Matilda vient, elle s'arrête en soupirant, meuh, meuh.* Ils ont filmé un vidéoclip avec Mamelle Blanche dans le rôle de la vache Matilda, qui a remporté le prix Tournesol du mensuel *Opina* ; en outre, Mamelle Blanche a été invitée au programme vedette du dimanche *Pour danser*, et elle a bel et bien dansé dans une farandole. J'en passe. Avec une expérience aussi inexperte, ils ont exterminé le bétail, alors notre *comediante* en chef bien-aimé a eu l'idée de récolter du riz dans l'eau salée. C'est alors que les Vietnamiens ont cessé de nous faire confiance, nous les avons terrorisés, ils nous ont considérés comme des schizophrènes inguérissables. Une autre fois, on a annoncé que nous avions découvert le remède contre le cancer : le tanin. Il suffisait de mixer des peaux de bananes et le tour était joué ! Je ne sais pas pourquoi ils ont oublié si vite l'exploitation internationale du brevet. Ensuite, ils ont détourné notre attention vers un super-projet agricole, la banane Microjet ; quant au système d'irrigation Voisin, il fut relégué tout en bas de l'échelle. Nous allions produire des bananes de la taille d'un être humain, elles pousseraient en moins de quinze jours. Ce fut l'avènement de la campagne de propagande pour nous gaver de bananes ; ils nous entraînaient à nous métamorphoser en singes, pour préparer la famine de la période spéciale. On a dû se taper des bananes à en crever, quand on chiait on devait se torcher à l'écorce de citron car seul le citron, c'est bien connu, peut effacer les taches de banane. Dans le domaine des patates, nous avions l'air de mages, tout à fait comme David Copperfield, les tubercules nous sortaient par les yeux. Enfin, voilà, c'est ma vie. *Toute une vie*... Une vie que j'ai donnée tout entière. Car il fallait défendre le rêve révolutionnaire, c'est ce que les gauchos occidentaux et les Latino-Américains exigeaient de nous : résistez, résistez. Alors nous, en vrais machos, ou en femmes femmes, eh bien on résistait, un, deux, trois, quatre, on bouffait de la merde, on usait nos semelles, on défilait dans les rangs des enthousiastes, la génération des gens heureux. On se cassait le cul rien que pour défendre l'illusion d'autrui, le rêve d'autrui. Je me demande pourquoi certains de ces touristes idéologiques si exigeants, qui étaient tellement satisfaits de ce processus et qui abandonnent maintenant le peuple cubain, pourquoi ils ne s'étaient pas réfugiés ici pour y vivre dans les mêmes conditions que nous ? Car c'est indéniable, beaucoup se sont installés dans notre ville, ils ont profité des quartiers résidentiels où aucun d'entre nous ne pouvait mettre les pieds, et ils s'approvisionnaient dans des techno-boutiques, sans être soumis à la carte de rationnement. Telle est l'histoire merdique de ce pays de merdeux, donner à celui qui vient du dehors, que de sacrifices pour les étrangers, mais à présent personne ne se sacrifie pour nous. Un Russe ou un Angolais avaient plus de droits qu'un Vieil-Havanais du Callejón del Chorro ; je me souviens d'un Africain avec plein de cicatrices sur le visage, ces scarifications qu'on leur fait dans les tribus à la naissance, qui m'a virée brutalement d'un taxi, sous le seul prétexte qu'il était angolais. Une autre fois, c'est un Rousski, pardon, un Soviétique, qui m'a flanquée par terre et piétinée pour prendre ma place dans la queue du Petit Marché de Línea, afin d'acheter du jambon synthétique, avec l'argument qu'il était un frère soviétique et un technicien étranger. Qu'est-ce que j'en ai à fiche ? Moi, l'Ouzbékistan, je ne savais même pas le montrer sur une carte. L'Afrique, c'était une autre paire de manches, mais je ne me suis jamais beaucoup intéressée non plus à sa situation géographique, ni à l'Afrique des films hollywoodiens où toutes les cinq secondes, tu te trouves nez à nez avec un lion, un troupeau d'éléphants, un gros serpent aussi long qu'un aqueduc central, et des centaines de petits Nègres tout nus dans des poses à moitié sauvages, chacun avec sa tresse au sommet du crâne attachée, au mieux, avec un os de poulet, au pire, avec un os humain ; sans être africanologue, je voyais très clairement qu'une bonne partie de ma culture et de ma religion descendait de ces contrées. Car ici, qui n'est pas congolais est karabali. N'empêche, ce n'était pas une raison pour qu'un boursier angolais vienne prendre sa revanche sur moi par la faute de l'esclavage de l'époque coloniale, en me volant ma place dans un taxi. Parfois il y avait un problème de fatalité linguistique stupide, jugez-en, avec tous ces noms compliqués, tous ces chefs de tribus devenus chefs d'Etat faisaient de notre mémoire un champ de bataille. Par exemple un jour, le Syndicat national des travailleurs nous a obligés à recevoir encore un type provenant de *Out of Africa*, et la fête s'est terminée en bagarre généralisée, car on s'est mis à improviser sur un air de rumba : *Nyerere, Nyerere, on vient te recevoir, mais ton nom est ignoré.* Pourtant, les rêves ce sont des rêves. Calderón de la Merde l'a déjà dit. Que la vie est une barque. Pardon, ce n'est pas l'inverse ?

Une nuit en rentrant à la maison, j'ai trouvé Reglita avec une boîte de lait concentré russe dans la main. Je lui ai demandé à quoi elle jouait, elle m'a répondu qu'elle préparait un cocktail Molotov pour me tuer. Elle avait sept ans et ne m'appelait pas *maman* ; j'étais *toi*, ou *Cuca*. Mechunga, elle, était Mamita, et Puchunga, Mimi. D'un peu, la foudre de Changó me frappait, ou bien l'infarctus. Je m'aperçus de mon aveuglement, je découvris à quel point j'avais été éloignée de ma fille. Elle chantait des hymnes atroces célébrant des bombardements, de sempiternelles victoires. C'était l'époque de la guerre du Viêtnam, et elle passait son temps à seriner :

Il court à travers la forêt, le petit Li,
la mitraille le poursuit, pan, pan, pan, pan.
Mais le petit Li, mais le petit Li,
à l'école arriva, à l'école arriva...

A voir les changements qui se sont produits dans ce pays frère asiatique, je me demande ce que peut bien faire le petit Li à l'heure actuelle ; il est peut-être le manager efficace d'une société mixte américaine. Donc, pour en revenir à María

Regla, son caractère me préoccupait terriblement. A l'école je me suis renseignée sur sa conduite. On m'a répondu : *La petite camarade María Regla Martínez se conduisait de façon absolument normale : elle était combative, obéissante et intelligente.* Les deux dernières appréciations m'ont surprise davantage que la première, dont elle m'avait donné des preuves patentes. Combative pouvait signifier aussi avoir envie de tuer sa maman. Quand je lui ai demandé gentiment, d'une voix normale, pour quelle raison elle tenait à m'assassiner, elle m'a répondu, imperturbable :

— Parce que je n'ai pas de papa. C'est un ennemi. Et les ennemis de la nouvelle société ne peuvent pas avoir d'enfants révolutionnaires comme moi : l'homme nouveau. C'est de ta faute si tu m'as donné un père ennemi.

La Mechu et la Puchu m'ont regardée les yeux exorbités, rouges, débordants de larmes. Je me suis assise devant elle, j'ai pris ses mains tout doucement et je l'ai suppliée en sanglotant :

— Pardonne-moi, j'ai été très longtemps séparée de toi. Mais je veux t'expliquer quelque chose, ton papa n'est pas l'ennemi. Ton papa a dû partir bien loin, mais il viendra un jour pour te connaître… Qui t'a dit ça, ma petite fille, que ton père était un ennemi et que c'est pour ça que tu ne peux pas avoir de papa ?

Elle n'a pas bougé un muscle de sa petite figure si fine, elle n'a même pas cherché mes yeux. Ses mots ont claqué, secs, mécaniques, lourds de ressentiment :

— C'est l'opinion de la camarade cheftaine des pionniers.

J'ai quitté le restaurant et demandé ma mutation à la plage du *Náutico*, pour y tenir les guichets.

Je n'ai plus participé au moindre travail volontaire, par conséquent je n'ai jamais gagné le droit d'acheter un lave-linge Aurika, ni un réveille-matin Slava, ni un ventilateur Orbita, vendu avec les réfrigérateurs soviétiques pour les décongeler, ou vendu séparément pour apaiser l'été suffocant, ni un téléviseur Electrón, ou Rubín. Bref, j'ai perdu tous mes *mérites*, on ne m'a même pas donné de médaille. Moi, un blâme ou un hommage, ça m'était bien égal. L'important, c'était ma fille. Nous nous levions aux aurores, je l'emmenais à l'école, je partais au travail accrochée à un bus vingt-deux, j'allais la chercher à cinq heures. Les week-ends, elle venait avec moi. Tous les jours de vacances sans exception, elle est allée à la plage. Elle était fière que sa maman – du coup elle m'appelait de nouveau *mami* – travaille *en relation avec la mer*, comme elle disait, à tenir les guichets. Mais elle ne voulait rien savoir de son père, elle ne voulait pas en entendre parler, ni même que l'on y fasse allusion.

La nuit nous allions nous asseoir sur le parapet du Front de mer, nous comptions les étoiles, nous formulions des vœux. Une fois, nous avons vu tomber une étoile filante et nous avons prié de ne jamais nous séparer.

Cependant, La Havane grouillait d'uniformes rebelles, de miliciens, de boursiers, de paysans. Il était question de faire des *zafras** gigantesques, de donner jusqu'à la dernière goutte de notre sang, de nous noyer dans la mer, s'il le fallait. Les *zafras*, elles ont été perdues dans la vantardise, bien des hommes ont donné jusqu'à la dernière goutte de leur sang dans des guerres

* *Zafra* : récolte de la canne à sucre. *(N.d.T.)*

inutiles, d'autres en ont fait don aux requins, se sont noyés dans la mer en partant à la nage dans l'espoir d'un monde meilleur. Ce monde que nous n'avons pas été capables d'édifier parce qu'ils nous ont lié les mains et engourdi le cerveau, ce monde qu'ils ont ravagé avec les griffes de la démence, avec leur volonté de puissance et leur folie des grandeurs. Ils ont échangé des hommes contre des confitures, lors de la première défaite de l'impérialisme yankee à la baie des Cochons. La victoire avait pour nous un goût d'avenir, on croyait que gagner était un don qui nous avait été concédé gratuitement, non par les dieux, mais par les Soviétiques. Ils nous ont fait croire que nous étions immortels.

Les humiliations se sont succédé, de plus en plus manifestes. Un jour, Reglita, un peu plus grande, s'est assise sur le lit les coudes sur les genoux, la tête appuyée dans ses mains en forme de coupe. Elle refusait d'aller chez Mechunga et Puchunga. On lui avait raconté à l'école que ces deux femmes avaient été des prostituées professionnelles. Alors, elle m'a révélé deux vilains sobriquets : Pénisse et Phimosis, quelque chose comme la bite et sa maladie. O Vierge adorée, comment une fillette pouvait-elle lancer ces gros mots sur un ton aussi neutre ? Tous les élèves, à la sortie de l'école, hurlaient des injures à mes deux amies, des insultes inimaginables sur des lèvres enfantines. Reglita prenait ses jambes à son cou en évitant de saluer ses soi-disant tantes. Ça commençait à tourner mal, car les gens se sont mis à colporter des ragots sur leur compte, comme quoi elles étaient gouines, n'avaient jamais eu d'enfants, aimaient coucher avec des richards, millionnaires de préférence, comme quoi c'étaient des putes embourgeoisées... Ça sentait le roussi ; par chance, ou par malheur, dans ces embrouilles, on créa les comités de défense de la révolution et plus tard, la Fédération des femmes cubaines... Les réunions commencèrent, mais aussi les procès populaires et j'ai eu peur que les choses n'aillent plus loin..., alors j'ai levé la main :

— Je demande la parole, chère camarade, je crois que nous devons donner à nos deux camarades, Mechunga et Puchunga, l'opportunité de s'intégrer dans notre nouvelle société. Je propose qu'elles occupent les postes de surveillance et de santé publique, respectivement du comité et de la fédération.

Silence plus absolu que l'absolu. Un type s'est levé et a crié en brandissant le poing :

— Merde alors, ne venez pas me dire que la révolution va se pervertir avec des putes et des gouines, et pourquoi pas des pédés, tant qu'on y est ?! Comptez pas sur moi, bordel !

Alors, la Puchunga a bondi comme une tigresse, en faisant encore plus de grabuge :

— Qu'il sorte sa queue ici même, il a un tatouage sur la queue, qu'il la sorte ! Faut pas qu'il nous la joue innocent, parce que la Mechu et moi on l'a vu, complètement à poil, partouzer dans une orgie, oui, en pleine partouze, et il faisait l'enculeur ! Vous entendez, qu'on se le dise, l'en-cu-leur ! Putain, qu'il le sorte, son zob, ou je le crève comme un chien !

C'était vrai. Le camarade secrétaire général du Parti, on avait tatoué, dans ses jeunes années, tout au long de son membre, le sexuel pas le politique, sur son prépuce, quoi, ce texte-là : *Sounople.* C'était un travail d'artiste, car la phrase ne pouvait se lire que quand sa verge enflait : *Souvenirs de Constantinople.* Depuis lors, les mariolles du bloc d'abord, puis du quartier, enfin de l'île entière, car ici les ragots circulent vite, chantaient toujours sur son passage :

Sur un tronc d'arbre une fillette
grava son nom, remplie de plaisir
et l'arbre ému dans son sein (celui du Parti),
sur la fillette laissa tomber une fleur...

La réunion s'étira, elle prit des jours, une procédure d'une enverge-dure formidable. On nomma une commission d'experts en tatouages, paléographie, érections et branlettes, pour examiner le sexe du secrétaire général. Ils allèrent jusqu'à inviter un scientifique soviétique du KGB, spécialiste en pénis microphones. Après vérification du fait révélé par la Puchunga, le malheureux fut dépouillé de sa carte du Parti et mes amies furent nommées aux postes de surveillance et de santé publique du cédère*, et de la Fédération papayocratique cubaine. Note infra-paginale à l'intention des lecteurs étrangers, à Cuba la papaye c'est la *frutabomba* et le sexe féminin, mais *frutabomba*, ce n'est que le fruit ; si on dit que la petite une telle est une *papayée*, cela ne veut pas dire qu'elle est très *frutabomba*, mais que ses parties jouissent de dimensions respectables, et qu'elle est vaillante, bref qu'elle a des couilles au cul. L'origine de ce substantif adjectivé est extrêmement douloureuse, car elle fut sans doute d'abord économique et peut-être aussi amoureuse ; j'ai lu

* Cédère, pour CDR : comité de défense de la révolution. *(N.d.T.)*

qu'à l'époque coloniale, les Négresses évitaient de tomber enceintes en raison de leur condition d'esclaves et qu'elles préparaient des potions à base de sève et de feuilles du papayer, dotées de propriétés abortives infaillibles. C'était un procédé si répandu dans les plantations que la vulve finit par prendre le nom de papaye. La Fédération papayocratique cubaine, encore de nos jours, conserve cette propriété abortive car elle essaie constamment de cureter le futur de la Cubaine, en œuvrant contre elle. Mais ceci est une autre histoire. Résultat, mes amies ont commencé une phase de servilité sociale très caractéristique des exigences politiques fédératives. Bien que l'on ait continué de les appeler, maintenant avec respect, la camarade Pénisse et la camarade Phimosis, Reglita n'a plus jamais été honteuse de les avoir pour tantes. Au lieu de s'en moquer en répétant qu'elles étaient la bite et sa maladie, les gens argumentèrent que ces sobriquets, par leur phonétique, pouvaient très bien provenir de Rio de Janeiro ou de Lisbonne. La vie reprit son cours, revint à cette normalité qui n'est pas faite pour des gens comme nous, si idéalistes, c'est-à-dire si anormaux en définitive.

Moi je pensais à lui sans cesse. Je ne l'ai pas oublié une seule seconde de ma vie. Des hommes, j'en ai eu d'autres, beaucoup d'autres, et il leur était égal que je sois édentée, mais je n'ai jamais osé offrir d'espérances à aucun. Je savais qu'il était toujours là et la dernière chose que l'on perd, serait-ce par inertie, c'est l'espérance de revoir quelqu'un en vie. Ivo lui-même m'a proposé le mariage. Il a juré ses grands dieux qu'il serait un bon époux et un excellent père pour Reglita. Pour lui, j'ai vraiment réfléchi ; il ne me plaisait pas plus que ça, mais les transports en commun se dégradaient, et il prenait soin de sa Chevrolet comme d'un trésor, elle avait l'air flambant neuve, pareil à un pendentif d'émeraude de Liz Taylor, alors je me suis dit que si je me mariais, ce serait une solution, ainsi je n'arriverais pas en retard à mon travail. Il m'a fait sa déclaration dans le drive-in *Novia del Mediodía*, à la dernière séance ; après quoi, ce cinéma a été démantelé. L'endroit est resté à l'abandon et l'herbe a tellement poussé que l'on ne voit même plus le grand écran où des films mémorables avaient été projetés. Eh bien oui, mesdames et messieurs, c'est comme je vous le dis, il m'a avoué qu'il était complètement morgane de moi, qu'il était prêt à me conduire – comme une voiture, à croire que j'avais un volant en guise de chatte – au Palais des Mariages, ou au collectif des avocats, à moi d'en décider. Pas devant l'autel, car ça faisait mauvais effet de mettre les pieds dans une église, la haute religiosité était punie par la loi. Il a même osé me voler un baiser, mais il m'a lâchée bien vite car Reglita, assise sur le siège arrière, lui a filé une de ces chiquenaudes, ou pichenettes comme elle disait, qui l'a paralysé de douleur. Ça m'a donné le fou rire, moins deux je pissais sur moi, j'ai même laissé échapper quelques gouttes. Mais tout de même, l'idée de me marier et d'avoir ainsi une voiture m'a emballée. Ensuite j'ai réfléchi et je me suis demandé : et si l'autre revenait ? Le seul bien qui me restait, c'était de lui prouver que j'avais résisté comme une pouliche, comme une taurillonne, que j'avais tenu parole, que j'étais restée fidèle. Je ne pouvais pas flanquer ma dignité par terre, la piétiner comme ça tout bonnement. Alors j'ai refusé la proposition d'Ivo. Moyennant quoi n'allez pas vous figurer que j'ai été bête au point de ne pas coucher avec lui de temps à autre, car le corps c'est le corps, et le mien était en pleine forme. Parce que faut dire, pour ce qui est du corps, je craignais personne et du sentiment, j'en avais à revendre. Avec ça, une bouille de cinéma, mais édentée bien sûr. Pour moi c'était seulement une fonction physiologique. N'empêche que j'ai drôlement joui, et comment, je ne dirai pas le contraire. Au moins, j'ai débouché mon trou ; enfin, on va pas en faire un fromage. Tiens, à propos, Charles de Gaulle en aurait été fier. Lui qui adorait évoquer le nombre de fromages en France : trois cent soixante-cinq variétés, autant que de jours dans l'année. Eh bien cette fois-là, j'ai joui comme quand on chie après une semaine de constipation. On se sent drôlement soulagé !

Cependant, le fantôme du Ouane me poursuivait partout. Parfois, accrochée au marchepied du bus, je devais m'élancer avant l'arrêt parce que j'avais cru le voir tourner tout à coup au coin d'une rue. Je me suis mise à arpenter La Havane dans tous les sens pour le chercher dans la foule. La ville m'a donné un je-ne-sais-quoi, un chatouillis, comme si je la vivais aussi pour lui et son souvenir. Le temps passait très vite, beaucoup d'immeubles s'écroulaient, d'autres subissaient des changements considérables dans leur architecture car les habitants, quand leur famille grandissait, devaient fabriquer des mezzanines. Les arbres étaient souvent étêtés, et finalement abattus. Pourtant, il y avait encore de la gaieté dans l'air. Par tradition. On ne trouvait rien à manger, pour changer, mais *nous avions de la dignité*, et surtout, *un avenir*. A part ça, nous étions nombreux (surtout ceux qui avaient des enfants en pleine croissance) à savoir parfaitement que la dignité ne se mange pas et que l'avenir, comme assaisonnement présent et futur, c'est limité. Moi je parcourais toujours La Havane, à marche forcée, au soleil ou sous la tempête, et j'aboutissais toujours au front de mer, devant mon océan bleu. Cette masse gigantesque, salée ou douceâtre et douloureuse, rugissante et amoureuse, cette masse de couleur indigo, tantôt bienfaisante, tantôt cruelle. Si semblable à une mère.

J'essayais d'emmener María Regla au moins une fois par semaine au restaurant, pour qu'elle les connaisse tous, avant leur disparition. Son préféré c'était *Le Monseigneur*, où elle a pu voir encore, une fois ou deux, Bola de Nieve, qui nous chantait toujours cette chanson en anglais *Be Careful, it's My Heart*... Nous pleurions comme deux gamines. Enfin, elle, c'en était une.

Le Montmartre cessa d'être *Le Montmartre* pour s'appeler *Le Moscou*, ce qu'il devint en fait. Au lieu de champagne, de la vodka, au lieu de *foie gras*, de la soupe *solianka*. A la radio, ce n'était plus Edith Piaf qui passait, mais Edita Pieja, une imitatrice originaire des pays *amis* de l'Est, ainsi que Karel Got, Klary Katona et une Italienne cinglée très connue, surtout chez elle à l'heure des repas ; cette femme brillait de mille feux, se barbouillait de couches de fard, et personne ne sait par quel miracle Lucía Altieri avait débarqué à Cuba. Pour avoir le droit de déjeuner ou de dîner au restaurant, il fallait être ouvrier émérite et réserver par téléphone une semaine à l'avance. Ayant acquis dernièrement assez de mérites pour faire une réservation, j'avais pourtant décidé de ne pas retourner dans ce lieu. Là où j'avais donné mon premier baiser d'amour.

Mais par une nuit de ronde, rien à voir avec la chanson, c'était mon tour de garde au comité, la nostalgie m'a envahie et j'ai été prise d'une envie si forte d'y retourner, ça m'a démangée à tel point que, le lendemain matin, j'ai commencé les démarches et j'en ai profité pour inviter toute la bande : la Mechu, la Puchu, sans oublier, bien entendu, d'y joindre María Regla. Après avoir montré ma carte du Syndicat national des travailleurs, mes cent diplômes d'ouvrière émérite, mes timbres de cotisation et mon carnet de santé à jour, nous sommes entrées, surexcitées. On y voyait à peine, non parce que les lumières étaient volontairement tamisées, mais parce qu'il ne restait plus que deux ampoules. Au bout d'une heure, comme dans un ralenti, la camarade employée est venue, elle a pris un bout de crayon derrière son oreille, et on a senti une puanteur terrible de porcherie. Avant de nous annoncer le menu, elle a poussé un soupir d'outre-tombe pour nous déclarer, sur un ton de plus en plus familier :

— Oh là là, ma petite, sur la vie de ta mère, mes cors aux pieds, qu'est-ce qu'ils me font mal ! Ça veut dire qu'il va pleuvoir, sûr et certain, y a pas à tortiller, il va pleuvoir… Bon, ben, ne vous faites pas d'illusions, car celui qui vit d'illusions meurt de déceptions, aujourd'hui j'ai de la soupe *solianka* aux petits oignons, de la soupe *solianka* à la purée Vita Nuova, de la soupe *solianka* aux pommes de terre râpées à l'eau, de la patate douce confite et de la flotte. Le pain et le café sont inclus. Rappelez-vous que nous avons envoyé une partie de notre ravitaillement à nos frères chiliens. Pour couronner le tout nous avons de la tisane… médicinale. Pas mauvaise, d'ailleurs, mais elle est médicinale.

L'odeur répugnante de cage à rhinocéros persistait. Sur sa lancée elle a pris un chiffon moisi, visqueux, couleur de boue, et avec ça elle a fait semblant de nettoyer les sets de table en toile cirée, mais elle n'a réussi qu'à étaler la crasse.

Nous avons mangé avec une faim ancestrale, mais aussi avec dégoût ; les assiettes étaient immondes, couvertes d'une croûte de plusieurs mois car le *fab*, c'est-à-dire le détergent, se faisait rare. Nous n'avons pas pu liquider la soupe comme nous aurions terminé un plat de *congrí**. J'ai eu envie de faire quelque chose dont je mourais d'envie depuis des années, je me suis déchaussée et j'ai posé les pieds par terre. Là où je m'attendais à trouver le tapis duveteux et moelleux, j'ai trouvé la rugosité du ciment brut, râpeux comme les rochers pointus de la grève de Cojímar.

— Qu'est-ce qu'il est devenu, le tapis rouge ? ai-je demandé, déconcertée.

— Dans quelle orbite céleste tu vis, mon trésor ? Tu retardes vachement. Le tapis, ils l'ont emmené à l'ambassade *rousskaïa*, celle des Rousskis, des sovietunions, quoi, pour tailler des manteaux aux boursiers qui partent pour la Sibérie. Ça m'a bien fait plaisir parce que ce tapis, il était dégueulasse, plein de poussière, et il puait la pisse. La femme de ménage est tombée malade, on l'a mise en arrêt de travail et celle qui la remplace, mon amour, elle est pas

* *Congrí* : riz aux haricots noirs. *(N.d.T.)*

née pour travailler à quatre pattes, pas question, ma jolie. Dans notre pays, on a éliminé l'esclavage et le capitalisme. Nous sommes le premier territoire libre d'Amérique, et nous som-mes so-cia-lis-tes, t'entends ça. Nous sommes socialistes et en avant, pif ! paf ! pif ! celui qui aime pas ça, qu'il prenne un laxatif !

Elle s'est éloignée sur un rythme de conga. Les grosses larmes de mes deux amies sont tombées dans leur assiette sur les restes de soupe grasse. J'ai avalé ma salive, la gorge nouée. María Regla, pas dans le coup, essuyait les rebords et le fond de son assiette :

— Eh ben, vous ne mangez plus ? Celle qui n'en veut pas, qu'elle me passe son assiette, je crève de faim.

Les trois adultes, on s'est regardées, puis on a observé l'employée qui dissimulait une bouteille d'huile sous sa jupe, en l'attachant à sa jambe avec une jarretelle. Nous avons regardé la petite qui, de son côté, dévorait goulûment des yeux nos *soliankas.* Je lui donnai la mienne. Elle fit un bruit très grossier à chaque cuillerée.

— Enfin, Reglita, apprends à manger ta soupe.

Les trois les adultes, on a échangé un regard. Ça nous a rappelé ce fameux soir où j'avais bu ma soupe de la même façon malpolie, et on s'est tenu les côtes. Reglita ne nous regardait même pas. On a payé avec des bons et on est parties. J'avais perdu la notion de l'argent, des gros billets, on en voyait à peine, j'avais oublié la valeur de l'argent, la loi de l'offre et de la demande.

Dehors, la brise nocturne qui descendait de l'océan par la rue O humecta nos visages. La Havane sentait comme toujours, l'herbe décomposée, le maïs tendre, le gaz, le pet genre éteignoir, façon œuf pourri. Les bus laissaient planer dans l'atmosphère les émanations noires de leurs vapeurs brûlantes. Les aisselles et les courbes des jambes dégoulinaient de sueur. L'éclairage déficient nous empêchait de découvrir les figures et les corps des passants, mais nous permettait de nous enchanter d'une immense lune ronde, avec toutes les constellations réunies pour fêter l'aurore. Des jeunes gens remontaient la Rampa, du Front de mer au *Coppelia*, armés de boîtes de conserve dont ils avaient fait des tambours liturgiques *batá*, et ils chantaient à mi-voix, désinvoltes et rieurs :

Maintenant que nous sommes communistes,
et que nous avons la liberté,
Nikita nous prend notre sucre,
et nous envoie son pétrole par ici.

Il s'agissait de Nikita Khrouchtchev. Quelque temps après, il y eut un sabotage au *Moscou*. C'est-à-dire que les contre-révo ont accompli ce que la révo elle-même avait commencé depuis des années : une lente destruction implacable. Ils y ont mis le feu pour en finir au plus vite, et l'établissement fut fermé pour réparation, des années interminables, jusqu'à la saint-glinglin, selon les bonnes habitudes. Le bruit court qu'ils envisagent de le rouvrir, car des Français l'ont racheté à moitié prix et on pourra y aller, à condition de payer en dolluches dollarissimes, *of course*. La boîte reprendrait peut-être son nom d'origine, tout dépend de ces acheteurs français. Si ça se trouve, c'est un *Quick* qu'ils vont inaugurer.

Eh oui, j'ai marché comme une dingue, comme une fêlée du ciboulot, j'ai presque usé mes seules sandales en plastique, c'était la mode à l'époque. Les miennes, c'était le modèle le plus moche, elles donnaient vachement chaud, on les appelait les Cocottes-Minute parce qu'elles vous ramollissaient les cors. Elles étaient blanches, mais à l'usage elles prenaient une coloration jaunâtre, comme si on les avait passées à la poêle à frire, ou fait bouillir dans de l'eau citronnée ; elles avaient beau être percées de petits trous, vos pieds en sueur ne s'aéraient pas, et il se formait une couche boueuse entre la semelle et la plante. Ça schlinguait le panard à vous faire tomber à la renverse, ça donnait des champignons de taille record. Les miens étaient dignes des forêts françaises. J'avais des ongles incarnés et je puais affreusement des pieds, je ne pouvais pas m'en débarrasser même avec le Micocilén, un talc pharmaceutique pour lequel il fallait faire la queue cinq nuits d'affilée. Elles étaient comme ça mes chaussures, les sans équivoques, les chaussures de marche, les chaussures de ville. Quand je voulais les mettre, je n'avais qu'à siffler, elles s'approchaient en haletant, dociles comme des chiots de cirque, et elles me moulaient les pieds. Quand elles ont vieilli, j'ai découpé les talons à la lame de rasoir Astra (soviétique) et je les ai teintes en noir à l'encre de Chine En ce temps-là, le cirage était introuvable. Après, le cirage a reparu, mais c'est l'encre de Chine et les rubans de machine à écrire qui sont devenus introuvables, de sorte que nous avons dû teindre les vieux rubans usagés au cirage dont on se servait pour astiquer les bottes des coupeurs de canne. A l'époque, le cirage a aussi résolu le problème des fards, comme nous ne pouvions pas trouver de rimmel, eh bien on noircissait nos cils avec du cirage en boîte. C est pour ça, je crois, que je suis si bigleuse, que ma vue est foutue. Bref, si on est en vie, c'est par miracle. C'était la période où presque tout était contre-révo, comme dit Fax (est-il indispensable d'ajouter *lution* – ou *lotion* – pour me faire comprendre ?) et ils ont même interdit de faire pousser des philodendrons ; mais oui, un beau matin, tandis que j'écoutais à la radio les Cinco Latinos, après ça il y avait l'émission de Vicentico Valdés, un technicien s'est présenté pour la fumigation, il a éteint la radio et m'a débité en tournant le doigt comme un pendule, dans le sens inverse des aiguilles d'une montre : *Des philodendrons dans l'eau, non, non et non.* C'était le début de la campagne contre les moustiques. Moins deux, on me confisquait mon enviable plante grimpante, heureusement que j'avais conservé le certificat de premier prix pour le philodendron le plus combatif et le plus enthousiaste, décerné par la Fédération papayocratique cubaine, un concours qui prouvait le très haut niveau d'initiative des camarades fédérées. Ma plante a été sauvée, mais moi j'ai bien failli me tuer en essayant de l'accrocher après les poutres du plafond, car il fallait la garder sur les hauteurs, d'ailleurs elle avait déjà de très longues lianes qui m'ont servi à camoufler les pieux qui étayaient le logement ; en effet, en raison du manque d'entretien et par la faute de la surpopulation, par conséquent de la construction de mezzanines, le plafond avait commencé à s'incurver et nous vivions dans l'attente angoissée d'un effondrement, d'une seconde à l'autre Interdire les plantes grimpantes, au moins c'était sain, mais les Beatles ! ça pour le coup, c'était un crime. Ils essayaient de poignarder notre jeunesse, mais on écoutait quand même enfermées, assises sur le siège des vécés, ou dans la chambre, barricadées derrière nos fenêtres. Nous passions des heures à essayer de capter la *doblequiou ème ème*, une chaîne américaine qui passait de tout. Autrement, on allait avec notre transistor russe nous asseoir sur le parapet du Front de mer, et face à la nuit noire, on se tapait l'émission *Nocturno* d'un bout à l'autre, qui diffusait tout Formules Cinq, ou tout Mustang, ou tout Juan et Junior, bref le meilleur de ce qui échappait à la censure. Aujourd'hui, j'écoute des chansons comme *Anduriña*, ou *Ballons rouges*, ou *Une lettre*, ou *La Prof d'anglais*, et j'en ai la chair de poule. Ils ont voulu aussi nous infliger ces tristes quenas et ces flûtes de la musique latino-américaine, le dernier des musiciens de métro en poncho devenait une star de la télé. Moi, je regrette beaucoup, mais dès le deuxième air, je ronflais, quel rapport entre cette agonie andine et notre sensualité capricieuse ? Quel rapport entre notre culture musicale et le lamento bolivien ou chilien ? Pourquoi cette obstination à répandre la tristesse plutôt que la joie ? La volonté malsaine de nous convaincre à toute force que nous étions plus près des Quilapayún que des Beatles a échoué, au détriment des premiers, évidemment, qui appartenaient à une culture si respectable. Mon Dieu, c'est si vrai, on n'a qu'une jeunesse et il faut en profiter ! La mienne, elle s'envolait déjà vite, trop vite, et comme une chienne je poursuivais toujours un amour impossible. Agrippée à mes illusions, je me décomposais de désespérance.

Un jour ma mère est revenue, en quête d'affection. Je lui ai présenté sa petite-fille, au premier coup d'œil, elles se sont admirées et adorées. Mais elle a prétendu réordonner mon ordre, me chaotiser et cotiser mon chaos, se mêler de chaque recoin de ma vie. Elle n'appréciait pas du tout, mais alors, pas du tout, que j'aie une flasque de rhum planquée dans mon armoire, et que j'en tâte sans arrêt. Depuis quelque temps, je buvais un petit coup à tout moment. Je commençai par le rhum. Intoxiquée, faute de rhum, je buvais même de la *guafarina*, c'est-à-dire de l'alcool à 90° sucré et citronné. Certains me surnommèrent *Guafa*, alors je décidai de me contrôler un peu, pas trop. Les tranquillisants et l'alcool me relaxaient, mais je n'arrivais pas à oublier. Au travail, on nous a appris la gymnastique laborieuse ; cela consistait en une pause de dix à quinze minutes, pendant laquelle nous faisions des exercices. Dès que nous avions fini, on nous recommandait de prendre un Valium ou autre diazépam. Les comprimés et l'alcool me donnaient une forme éblouissante, je devenais douce et fraîche, je retrouvais ma santé, j'étais au septième ciel. Je n'ai jamais été tentée de fumer et je m'en réjouis, vu que les cigarettes sont devenues si chères. Dans les périodes de pénurie très sévère, Photocopieuse se mit à fumer la Bible entière, le papier est excellent pour rouler ses propres cigarettes. Une nuit j'ai frappé chez elle, elle a ouvert, son appartement était envahi de fumée, elle m'a rassurée en me disant qu'il ne se passait rien de grave, sauf qu'elle fumait *Le Cantique des cantiques*. Ma mère trouvait à redire à tout, sans appel. Son argument c'était qu'elle avait beaucoup d'expérience, ce dont personne ne doutait, mais elle aurait mieux fait de gérer sa propre vie avant de venir me demander des comptes. En revanche, j'avais eu à subir son abandon, son absence, tous ses gigolos imberbes. Elle ne pouvait pas encaisser mes copines, la Mechunga et la Puchunga. Elle les traitait de baiseuses communistes ; moi elle m'a crié après en me traitant de baiseuse syndicaliste, qui avait une enfant de père inconnu. Heureusement, Reglita n'a pas compris le sens du gros mot, grâce à la nouvelle mode de ces sacs à main que l'on appelait des baise-en-ville. Ma mère et moi on a eu une grosse bagarre, enfin en réalité, c'était elle qui gueulait, moi je n'ai jamais élevé la voix contre ma mère, jamais. Après m'avoir balancé mes quatre vérités, qu'elle disait, elle s'est évaporée par où elle était venue, pour aller vivre auprès de ma sœur malade. Dans l'escalier, je l'ai entendue me maudire : je pouvais oublier son existence.

J'ai continué à les entretenir, j'ai décidé d'effacer les malentendus, de tirer un trait ; avec un calme olympien j'ai envoyé chier la dispute que nous avions eue à la maison et je leur ai rendu visite chaque jour à heure fixe. Après tout, c'était ma mère, et on n'a qu'une mère. Mon frère atteint de poliomyélite s'était marié et sa femme lui avait donné deux fillettes ravissantes, rousses mais brunes de peau, aux yeux bleus comme ceux de ma mère. Mon autre frère, l'asthmatique et catholique chronique, était définitivement enfant de chœur à l'église, et il devint l'assistant principal du curé du village. J'ai vu une photo d'identité de lui, c'était un pur Chinois qui ressemblait beaucoup à mon père ; il était triste comme lui, maigre à faire peur, et tout aussi malheureux, avec ce karma asiatique qui fonctionne si bien, quand cela convient, dans cette petite île, reine du métissage. Le métissage : notre salut. Enfin, quand il n'est pas manipulé, en tant qu'emblème national, dans le moindre discours d'un ministre folkloriste.

Ma fille m'a glissé entre les doigts. Elle a grandi, son foulard de pionnière au nœud impeccable autour du cou, boudinée dans son uniforme amidonné et repassé – qu'elle enlevait quatre heures avant d'aller se coucher. Nous avions pour devise la solidarité avec n'importe qui, sauf entre nous. Comme l'ensemble de la population, nous avons expédié du sucre et du café au Chili, des vêtements et des jouets au Pérou après le tremblement de terre, des chaussures au Viêtnam, des instituteurs et des médecins au Nicaragua, des fiancés, des maris, des frères, enfin quoi, des guerriers, en Afrique. Le café, le sucre, les vêtements, les chaussures, les jouets, faisaient cruellement défaut chez nous. C'est entre autres pour cette raison que les hommes décidaient de s'enrôler dans les guerres, afin de changer d'air. Ma fille se faisait bien voir rien qu'en manifestant son accord avec n'importe quelle tâche absurde. Notre terrain d'entente était la nuit. Nous dormions côte à côte sur un divan, non parce que nous le désirions, mais parce que les lits s'étaient volatilisés comme des tapis volants. (Vas-y avec ton lyrisme ringard.) En un mot, ils s'étaient évaporés des magasins. Quant aux matelas on aurait dit encore une invention de l'impérialisme, qu'il fallait combattre et exterminer. Quand elle sombrait dans le sommeil, j'en profitais pour l'embrasser doucement sur le front et la serrer contre moi, je voulais la sauver.

María Regla se livrait en permanence à des activités scolaires diverses et variées, l'atelier d'éducation par le travail, les épreuves d'éducation physique au Ponton, les meetings de solidarité, les hymnes, les drapeaux, les études dirigées, les stages de lutte contre les incendies… Maintenant, c'était mon tour de la voir à peine à la maison. A onze ans, elle est sortie des toilettes avec sa culotte à la main, souillée d'une tache très familière, cette bave terreuse, couleur café, des premières règles.

— Ça y est, je suis enfin jeune fille ! dit-elle pour tout commentaire.

Je voulus lui expliquer comment on plaçait les serviettes, mais elle était déjà au courant. Elle n'avait pas encore de poitrine, ce qui la mettait hors d'elle. Cependant, on remarquait ses petits bouts de seins gonflés sous le tee-shirt de sport qu'elle portait à l'école. Je lui ai acheté au marché noir un petit caraco mais elle m'a lancé qu'elle préférait mourir que de porter ce truc ridicule.

— *Mamita*, ce que je veux, c'est un jean Caribou, ou bien un Lee.

Il ne s'agissait pas du petit Vietnamien de l'hymne patriotique, mais du jean texan, ça se lit Li.

J'ai travaillé comme une malade pour faire des économies, un jean, au marché noir, ça coûtait cent cinquante pesos, or mon salaire était de cent trente-huit. Ces temps-ci, un jean coûte dans les mille pesos. Abrégeons, j'ai fait des sacrifices, je me suis serré la ceinture à me faire péter le ventre, pour lui offrir un jean Caribou, alors elle devenait affectueuse comme jamais et me couvrait de bises.

Nous avons subi notre première séparation, notre premier adieu véritable. L'école aux champs pour quarante-cinq jours. J'ai fait fabriquer une valise en bois, celles en vinyle ne valaient rien, car on pouvait les lacérer au rasoir et les vider. Par miracle, j'ai dégoté un cadenas avec clé. J'ai rapiécé de vieux habits à m'en faire des ampoules pour qu'elle ne manque pas de vêtements de travail en bon état, car les habits de rechange qu'ils fournissaient n'y suffisaient pas. Je l'ai accompagnée à leur point de ralliement, dans le Parc des Amoureux. J'avais la gorge nouée de terreur, une panique à m'évanouir, et s'il lui arrivait quelque chose, à mon trésor ? J'avais entendu parler d'accidents, de carrioles renversées, de vies en fleur tragiquement brisées. Elle, tout le contraire, elle était furieuse parce que ma présence lui faisait honte, ça faisait nunuche, elle se trouvait grotesque. Quand nous sommes arrivées sur les lieux, nous avons vu tous les gosses accompagnés de leurs parents, mais elle me suppliait de disparaître au plus vite, elle ne voulait plus me voir traîner dans les parages. En revanche, son visage s'illuminait de bonheur quand elle tombait sur l'une de ses copines. Soudain, elle m'a embrassée sur la joue et a détalé vers une rangée de gamines bruyantes qui s'engouffraient dans un bus. Les cars scolaires ont démarré et je suis restée comme un zombie à regarder mon bébé s'éloigner, en martelant cette chanson :

Oui, je vais aux champs et ne reviens plus,
oui, je vais aux champs et ne reviens plus…

Un dimanche après l'autre, je lui rendais visite dans son foyer. La première fois, il n'y avait que des filles au campement, la seconde c'était mixte. Dès cinq heures du matin j'étais là, la première au but comme une championne, avec un sac de nourriture dans chaque main. La nourriture qu'on leur donnait, c'était vraiment de la cochonnerie. J'accaparais de tout pendant la semaine pour apporter à ma fille et à ses amies ce que cette génération, la génération de la croquette, adorait, je le savais bien. Je trimballais donc les meilleures friandises, les plus délicieuses que je pouvais trouver : des croquettes, ça va de soi, des sablés, des pizzas, du pain, des quatre-quarts, du soda, du lait concentré (que l'on faisait caraméliser), des tablettes de chocolat, et tout ce que je me procurais d'autre au marché noir. Plus d'une fois, j'ai même trouvé des escalopes de tortue panées. A voir ma petite si tannée par le soleil, ses mains calleuses, ses pieds tout aussi maltraités, car il n'y avait pas de chaussures de travail à sa pointure, ses cheveux roussis et surtout, à la voir très amaigrie, je souffrais affreusement. Je m'étais tellement échinée pour qu'une pharmacienne me fournisse cinq boîtes de Ciproectadine pour grossir, et trois flacons de Bicomplex pour ouvrir l'appétit ! Quoique son appétit, il était plus qu'ouvert, ce qu'il fallait ouvrir et augmenter, c'était la ration alimentaire misérable de ces campements. Pourtant elle tenait absolument à y rester, surtout que d'après le règlement, l'élève qui ne participerait pas à ces écoles aux champs serait jugé apathique face aux tâches de la révolution, et n'aurait pas le droit d'entrer à l'université, même si par ailleurs il avait d'excellentes notes et un dossier brillant. Les enfants qui ne tenaient plus le coup et qui décidaient de rentrer chez eux, on les accablait d'obscénités, d'insultes vexatoires pour leurs familles, on leur lançait même des pierres ; et cela non pas avec le consentement, mais sous les ordres des professeurs et des chefs de foyers. On les appelait avec mépris les *dégonflés*. Les dégonflés pouvaient être les plus calés du monde, des super-cracks, personne ne pouvait effacer cette tache de leur dossier scolaire. María Regla ne s'est jamais dégonflée. Ou plutôt, elle s'est débinée, mais de la maison. Elle a voulu partir très tôt, comme son père, et elle l'a fait. A quatorze ans, elle a obtenu une bourse pour Turibacoa II, une école non pas *dans les* champs, mais *aux* champs. Telles sont les subtilités du langage cubain actuel ; une préposition changée peut dévier un destin.

Cette seconde absence me tuait. Malgré le fait que Reglita, si elle se conduisait bien et n'était pas collée, puisse avoir une permission pour le week-end, je passais les autres jours de la semaine dans un état d'imbécillité absolue, à tisser mon ennui. Finalement, j'ai découvert une façon géniale de meubler mon temps, en dehors du travail, bien sûr. Je me suis mise à accumuler des étoffes, du fil, des vieilles chaussures, je gagnais ainsi de l'argent à vendre n'importe quelle camelote dans le but de réaliser mon rêve. Un grand rêve. Celui que je n'ai pas accompli pour moi-même : fêter les quinze ans de ma fille.

Comme de juste, j'ai d'abord consulté sur mes plans la Mechunga et la Puchunga. Ça les a emballées comme s'il s'agissait de leur propre fille, elles en étaient toutes retournées et se sont mises à farfouiller dans leurs vieilles robes, leurs souliers, leurs coupons de tissus achetés à *El Encanto* autrefois jadis. Elles ont dépoussiéré leurs carnets d'adresses et retrouvé des noms d'amis, de potes quoi, qui géraient des restaurants de luxe ; grâce à eux, elles pouvaient nous procurer la bière, le pain de mie, le gâteau d'anniversaire, les jus de fruits Son, et de nombreux autres articles. Elles se sont souvenues qu'elles avaient passé une semaine dans une maison de Guanabo avec le chef de maintenance du complexe culturel des plages de Santa Fé. Je le connaissais, moi aussi, du temps où j'étais employée aux guichets du *Náutico*. Nous avons dit d'une seule voix :

— Le *Casino espagnol*, dis donc, ce que c'est chic ! Fêtons l'événement au *Casino espagnol* !

J'ai fermé les yeux et imaginé Reglita en robe longue de tulle bleu, en train de danser une valse dans le salon rose dallé de marbre, et j'ai failli mourir d'apoplexie. Mais alors, qui allait danser avec Reglita ? Normalement, pour leur quinzième anniversaire, les jeunes filles dansent avec leur papa. Je n'avais plus qu'une idée, trouver un père suppléant !

— Je connais un chorégraphe spécialisé en anniversaires de quinze ans. Il est très célèbre et figure-toi qu'on l'appelle Cuquito le Chorégraphe, quel hasard, hein ? Il ne prend pas cher, rassure-toi, mais écoute, ma chérie, il fait de ces chorégraphies style *Cera virgen*, mieux que dans le film de la Carmen Sevilla, c'est tout dire. Ce film-là, je l'ai vu quarante-cinq fois, mon chou, au cinéma *Jigüe*, en stéréo, et je ne m'en lasse pas, parce que moi, si on avait le droit de voyager, enfin si je pouvais, j'adorerais aller en Espagne ; ces gens, tu sais, ils parlent d'une drôle de façon, en zézayant, mais là-bas, mon vieux, on trouve de tout : du cidre, des olives, du chorizo, du nougat, du cassoulet asturien, des omelettes de deux mètres de haut... Eh bien oui, Cuquito le Chorégraphe, bon c'est vrai, des fois il pousse, et il demande trop de changements de costumes, parce que c'est un vrai pro, tu sais. . Oh, ma petite, ne fais pas cette tête d'agneau égorgé, le père ça pourrait être Ivo, justement, il adore ça, toute cette ambiance sentimentale ! La Mechunga délirait. Il faudra filmer la scène et je suppose, Cuca, que tu prendras des tas de photos d'elle, car ça n'arrive qu'une fois dans la vie... Mieux, c'est moi qui vais lui offrir les photos, disons que c'est mon cadeau !

Je ne savais pas comment remercier mes amies d'apporter un appui aussi sublime à mon idée, et une telle ardeur pour la mettre à exécution. Elles avaient raison, Ivo serait une excellente solution. Je me suis inquiétée de ce que dirait le Ouane s'il apprenait qu'il avait une fille très belle qui fêterait ses quinze ans en grande pompe. J'ai réfléchi à ce que tout le monde penserait. Mais je n'ai pas réfléchi à l'essentiel, quel serait son avis, à elle, la fille de quinze ans.

— Quoi, plutôt mourir, c'est bon pour les bourgeois. Je n'en veux pas, de tes innovations, ni de tes fêtes, ni de ces satanés trucs où tu te complais si bien, dans l'ambiance merdique où tu évolues. Mieux, je resterai dans mon foyer de boursière. Il n'y a pas de quoi fouetter un chat pour si peu, maman. Et c'est quoi au juste, cette histoire de chorégraphie style *Cera virgen* ? Sûr et certain que pour tante Mechu, c'est le début de la ménopause. Vous feriez mieux de vous demander : est-ce qu'elle est encore vierge ?

J'ai lâché ce que j'étais en train de faire, plier des serviettes de toilette neuves que j'avais mises de côté pendant des années pour le jour où la Môme se marierait. Nous nous sommes regardées droit dans les yeux. Les miens se sont remplis de larmes. Je désirais passionnément qu'elle arrive jeune fille au mariage, puisque moi je n'avais pas pu, ayant laissé passer l'occasion. Je me suis enfermée dans la salle de bains pour pleurer, comme Joan Crawford dans *Le Supplice d'une mère*. Elle a fait quelques pas, puis s'est arrêtée devant la porte :

— Ne sois pas bête, je prends la pilule de Médrone, il n'arrivera rien.

Nous avons dîné en silence, je voulais lui demander comment ça s'était passé, qui était le jeune homme, s'ils s'aimaient... Mais je n'avais pas osé ; à mon époque, je n'avais pu compter sur personne, moi non plus, ni raconter mon histoire. Mais moi je n'avais eu personne, tandis qu'elle, elle m'avait, moi. J'ai cherché sur son visage un signe qui révélerait qu'elle aimait, qu'elle se sentait heureuse, ou qu'elle souffrait. Rien. Elle dévorait son repas comme toujours, comme on mange dans les foyers de boursiers, en vitesse, en craignant de rater le second service et qu'il ne reste plus de rab dans les marmites, avec la honte et l'angoisse d'arriver en retard en classe ou aux champs. Je n'ai jamais su comment c'était arrivé. *Je ne sais pas te dire comment ça s'est produit, je ne sais pas t'expliquer ce qui s'est passé...* En tout cas, elle n'était pas amoureuse. C'est arrivé parce que ça devait arriver, j'ai imaginé que c'était peut-être par une nuit étoilée, sur la terre humide d'un sillon de tabac, bercés par le chant des cigales, à la lueur des lucioles, tout en écoutant l'émission de radio *Nocturno*. J'ai imaginé que c'était un brave gars, qu'il l'aimait, et qu'un beau jour il viendrait me demander sa main. Mon Dieu, mais elle avait à peine quatorze ans !

On célébra la fête exactement comme tout le monde l'avait souhaité, sauf la principale intéressée, au *Casino espagnol*, avec chorégraphie style *Cera virgen*. Elle était superbe dans sa robe de tulle bleu, avec les chaussures blanches de Primor (c'étaient les souliers auxquels les filles avaient droit pour leurs quinze ans, on les achetait avec la carte de rationnement chez un chausseur spécial, ils coûtaient cher, c'est pourquoi j'ai pu racheter les bons d'autres jeunes filles, vu que leurs parents n'avaient pas les moyens de les acquérir). Eh bien oui, ma fille a eu quatre paires de chaussures Primor, sa maxijupe fendue sur le côté, des bas fins, dix autres robes, dont trois nuisettes genre *baby doll*. Elle s'est fait maquiller chez Kou Yam, le maquillage aussi se faisait sur réservation, avec présentation de la carte de rationnement et de la carte d'identité. Elle était très belle, mais elle n'en a pas profité. Elle s'est endormie sur une table à neuf heures du soir, après avoir dansé *La Valse pour un million* avec Ivo. Ses copains, par contre, se sont amusés comme des petits fous. La fête, en soi, a été magnifique, un vrai bijou. Il y a eu trois cent cinquante-deux invités. J'ai dépensé une fortune, mais ça valait la peine. Je me suis sentie pleinement réalisée, comme si c'était moi qui fêtais mes quinze ans. Oui, parce que ces choses-là il faut les faire comme il faut sinon, autant s'abstenir. Tenez par exemple, les quinze ans d'une camarade de classe de Reglita, rue Lamparilla : en plein milieu de la chorégraphie du *Beau Danube bleu*, voilà que la baraque s'écroule, et les quinze couples, le gâteau, et tout le tralala ont dégringolé au premier étage. Le bâtiment était classé inhabitable, n'empêche que la mère de la gamine s'était mis dans la tête de fêter l'événement, mais elle ne pouvait pas, elle, louer une salle, faute d'argent. Par-dessus le marché, ce soir-là, des gens qui n'étaient pas invités se sont faufilés ; tout ce poids et la danse avec ont fait crouler la bâtisse. Il fallait voir la panique, car il y a eu des blessés, même qu'une femme enceinte est restée suspendue à une poutre. C'est un miracle qu'elle n'ait pas accouché. Les pompiers ont dû intervenir, un spectacle terrible. Inoubliable, et pas seulement pour la fille de quinze ans.

Trois jours après la célébration de son quinzième anniversaire, María Regla est sortie de très bonne heure et n'est rentrée que la nuit, avec une copine. Elle avait les yeux cernés, elle était pâle, et à la saignée du coude, il y avait un bleu. J'ai compris alors pourquoi elle s'était endormie. Elle avait été enceinte, et on venait de lui faire son premier curetage. Elle s'est jetée à mon cou, défaillante :

— Aïe, *mamita*, ma maman !

Elle a pleuré dans mon giron jusqu'à épuisement. Je me sentais comme la dernière des dernières, où est-ce que mon éducation avait failli ? Pourquoi ne m'avait-elle pas parlé, pourquoi est-ce qu'elle m'isolait, m'écartait de sa vie ? Il en a toujours été ainsi. Elle s'en va, s'en va. C'est ma faute, je n'ai pas su la retenir.

Elle a fait des études de journalisme. Je n'ai jamais rien su des résultats de ses examens, de ses contretemps – je sais qu'elle en a eu. Ici, étudier le journalisme, c'est une manière de sceller un pacte avec Méphisto, à trente-huit degrés à l'ombre, on peut écrire n'importe quelle absurdité sur le contrat. Elle, c'était une grande gueule, insolente, et on l'a fait taire de mille façons, entre autres la promesse de diriger une émission culturelle à la télévision, ou une séquence vedette aux infos du PNTV (le *Personne Ne Te Voit*, c'est-à-dire le programme national de télévision).

Elle est tout à fait comme lui, son père. Les deux grands amours de ma vie m'ont plaquée comme un chien galeux. Encore heureux si je peux compter sur la Puchunga et la Mechunga, elles alors, on peut dire qu'elles sont fidèles. Encore heureux si je vis avec Valentina, ma petite blatte chérie, et que le Mickey Pérez fait la queue à ma place à l'éventaire et à l'épicerie. C'est une veine que Fax et Yocandrita s'occupent de moi et m'offrent des petites boîtes d'aspirine et de Valium ; que Photocopieuse elle-même se soucie de ma santé, cette mauvaise langue ! mais au fond, elle a un cœur d'or. Au moins je les ai, elles, car pour ce qui est de Reglita, elle ne me téléphone même plus pour prendre de mes nouvelles, pour savoir si mon taux de sucre a baissé, si j'ai toujours mes migraines, si j'ai pris ma tension ou si je me suis fait faire mon test cytologique. Eh bien non, je ne lui dirai rien de ma grosseur au sein. Tant pis pour elle !

Valentina Ousquonsenva est en train de repasser une saharienne de son mari, le Mickey Pérez, quand le téléphone sonne. Je vais pour répondre mais, étant plus près de l'appareil, elle prend les devants et décroche le combiné avec plus d'habileté que moi. Elle salue tendrement et je réalise tout de suite qu'elle parle à ma fille. Elle me passe le lourd appareil Kellog noir ; à peine ai-je dit, *allô, mon cœur*, qu'elle se met à me débiter à la vitesse d'une mitrailleuse :

— Maman, j'ai un travail fou, ça va ? Un de ces jours peut-être, je vais te faire une petite surprise... Si tout se passe bien, tu me verras à la télé, sur la six. Mais non voyons, la deux, c'est celle du sport et des discours. Oui, je t'expliquerai, mais non, enfin, je n'ai couché avec personne ! Sois raisonnable, une grosse bise, ciao.

Je n'arrête pas de me creuser les méninges en me demandant, pourquoi tant d'agitation ? Pourquoi se donner tant de mal ? Voyez comment ma mère est morte, bouchée par un godemiché que lui a envoyé de Manille, par DHL, son ex-belle-sœur, une prostituée. Je ne peux pas poursuivre cette rengaine de la souffrance, de la souffrance amère, de la douce souffrance. A vrai dire, la seule chose qui suffit à mon bonheur c'est : *pain, amour et cha-cha-cha.* Mais... Je ne peux pas être heureuse. Dire que ça a l'air si facile.

5

Un Cubain à New York

Il faut t'endurcir, Cubain,
tu es à New York.
Je suis arrivé dans ce pays,
quand j'ai quitté ma Cuba bien-aimée,
et je me suis vite amouraché
d'une jeune fille qui passait.
Elle m'a dit : I don't know
speak to you, Cubano.

Chanson de J. APARICIO et M. SÁNCHEZ,
interprétée par le TRIO ORIENTAL.

Elle, je ne l'ai jamais revue, je ne lui ai même pas écrit. Je sais que j'ai une fille ravissante, mais elle est coco jusqu'à la moelle. Je suis le père d'une bâtarde rouge qui a honte de moi parce qu'on lui a rapporté que j'étais un traître à la patrie. Ça doit venir de l'éducation que lui a donnée sa mère, c'est sûrement sa faute à elle. C'est sa vengeance, évidemment. Pourquoi une vengeance, la pauvre ? Puisqu'elle m'a si peu connu. Je ne l'ai même pas présentée à sa belle-mère, ma maman, qu'elle repose en paix. Ma *pauv' vieille*, dire qu'elle m'avait tellement supplié dans ses lettres de lui confirmer les potins qui circulaient dans le quartier, comme quoi j'avais mis une jeune fille enceinte. Je lui ai toujours répondu la même chose : M'enfin, p'tite maman, c'est des ragots de ces canailles du quartier, pour m'enfoncer davantage et pour vous mettre en colère. Elle a fait son enquête, mieux que Holmes et Watson, Lestrade, Poirot, Jessica, Derrick, Colombo, le Vieux et Navarro réunis, mais heureusement elle n'a jamais découvert l'adresse de La Havane, parce que ma mère a été obligée de déménager à Matanzas en échangeant son logement. Bien sûr, après mon départ, il a bien fallu qu'elle change de maison, de quartier, de province. On lui a empoisonné la vie avec l'histoire de son fils traître à la patrie, et blablabla.

Maman, ma sainte mère, qu'elle repose en paix, a clamsé le jour même, je crois, des cinq ans de ma fille. C'est dire qu'elle n'a pas tenu longtemps, elle s'est volatilisée comme une meringue à la porte d'une école. Elle n'a pas pu supporter mon absence. Des amis qui viennent de là-bas – au compte-gouttes, car ce sont tous des prisonniers politiques et on ne leur accorde pas la liberté aussi facilement – racontent qu'elle a souffert le martyre de se séparer de moi. Moi, son fils unique, élevé dans des écoles privées mais en fin de compte, une tête brûlée, un noceur. Quand papa a été hospitalisé, mon intuition, quelque chose ici, une amertume au creux de ma poitrine me soufflaient qu'il ne sortirait de là que les pieds devant. En effet, c'est ce qui arriva. Sitôt après l'enterrement, je me suis dit, à moi de jouer, avocat, moi, des clous, c'est bon pour sa grand-mère, ne comptez pas sur moi. J'ai plaqué tout ce que papa avait gagné à la sueur de son front pour assurer mon avenir, en réalité ce n'était pas grand-chose, et je me suis jeté à corps perdu dans la direction opposée, pour faire ce qui me plaisait, à moi : d'abord le gangstérisme, les affaires louches, enfin la mafia. C'est ainsi que j'ai survécu, je n'ai pas à me plaindre. Je suis content de moi. Je suis de ces Cubains qui sont venus et ont triomphé. Ici même, à La Mecque du triomphe. Ça n'a pas été de la tarte, j'ai dû travailler comme une brute, mais le Cubain aime travailler, à condition d'être payé, forcément. Si le Cubain ne travaille pas, c'est là-bas et maintenant, en réalité le Cubain a toujours été très actif, il s'est toujours donné beaucoup de mal. Il ne faut pas oublier que Miami, c'est nous qui l'avons faite, pardon, je veux dire le Cubain plein d'abnégation et de courage, car jadis il n'y avait là que des marécages, mais en courbant l'échine nous avons érigé ce miroir prétentieux qu'est Miami, la capitale des ragots, n'en déplaise aux présents et aux absents.

Dès que j'ai mis le pied dans ce pays, je me suis branché au quart de tour. Forcément, j'avais d'excellentes recommandations de mes ex-associés du *Capri*. D'ailleurs, mon chef de là-bas avait réussi à partir avant moi. C'est un vieux très bizarre, il est encore en vie, il a plus de mille ans et une santé de fer. Un vieux aussi têtu que lui, il n'y en a que deux. Mais heureusement, l'autre est à quatre-vingt-dix milles de chez moi. Le vieux d'ici, il assure qu'il ne mourra pas tant que je ne lui aurai pas rendu ce fichu petit billet. Qu'est-ce qui m'a pris de lui demander, à elle, de me le garder, comment se fait-il que je ne l'aie pas emporté avec moi ? Je les avais à zéro, s'ils me chopaient avec un seul billet, ils me soupçonneraient davantage que s'ils me surprenaient avec une valise bourrée de billets de cent. Et puis j'ai cru, comme tout le monde, que ça ne durerait pas et que je reviendrais auprès d'elle, et du billet naturellement.

Alors ce crétin de Vieux fout mon existence en l'air pendant trente-six ans, me harcèle avec ce maudit billet et me fait chanter, j'en ai ma claque. A cause de cette connerie, je n'ai pas pu m'élever plus haut, briller davantage en affaires, avoir encore plus de succès, tout ça par la faute de ce vieux salopard, qui met toujours ma loyauté en doute devant les autres membres du club, qui les monte contre moi, tout ça parce qu'il y a trente-six ans, je lui ai paumé un dollar. Tant d'embrouilles pour une saleté de dollar. Il est vrai que de l'instant où il me l'a mis entre les mains, il m'a prévenu, en tétant son bout de cigare :

— *Prends-en soin comme si c'était de l'or. Notre avenir en dépend.*

A peu de chose près, je lui ai répété les mêmes mots, à elle, qu'elle en prenne soin comme ce qu'il était : de l'or, car de cela dépendait notre destin. Je le lui ai remis parce que j'avais les jetons, j'étais terrorisé ; s'ils me coinçaient avec un billet d'un dollar, ils allaient se figurer qu'il s'agissait d'un code, que je faisais sortir une quelconque information militaire ou économique marquée dessus. C'est pourquoi je le lui ai confié, persuadé que cela ne durerait pas longtemps. Quand j'ai débarqué dans ce pays, sans un sou, le premier qui m'a repéré – j'ai appris par la suite qu'il y en avait plein qui me recherchaient à cause de ce fameux billet –, donc le premier qui m'a mis la main dessus, c'est le Vieux. Il a toujours été le meilleur, le plus parfait, le rapide, l'express de sept heures et demie. Bien sûr, il ne m'a pas demandé comment j'allais, si j'avais fait bon voyage, ou si j'avais faim, il m'a seulement lâché à brûle-pourpoint :

— *Et le billet ?*

Si j'avais prévu que ma réponse allait lui faire cet effet-là, je n'aurais pas moufté, ou j'aurais inventé une histoire à son intention, du genre on me l'a confisqué à l'aéroport, que sais-je, n'importe quelle réponse, de celles qui t'assurent dix secondes de visage intact :

— Quel billet ?

A vrai dire, mon périple avait été si aventureux que je l'avais quasiment oublié.

Pan et pan ! Son secrétaire m'a foutu une paire de gnons qui m'ont laissé dans le même état que Gros Minet quand il veut avaler Titi et que la mémé à lunettes l'attrape au vol ; je me suis retrouvé avec les yeux au beurre noir, j'en ai vu trente-six chandelles. L'interrogatoire de routine est venu après, il a duré des semaines et des semaines, jusqu'au moment où ils se sont déclaré vaincus, mais nullement convaincus, que le billet était resté là-bas, au Vedado, chez mon ex-fiancée, ou maîtresse, ou femme. Ma femme, oui, car elle m'a donné une fille. Ma femme, oui, car c'est la seule, je crois, avec qui j'ai pu rester enfermé une semaine, à baiser comme des animaux blessés, comme des singes. Non, à baiser comme des humains, ou plutôt comme des Cubains. Je crois l'avoir aimée. Je crois, non, je l'ai aimée. C'est sûr, j'ai été amoureux comme une bête. Je ne sais toujours pas pourquoi je l'ai tant adorée. Je mourrai sans savoir pourquoi j'ai tant aimé cette femme. C'était une belle fille, excitante, sensuelle. Je l'ai sautée la deuxième fois que je l'ai vue. A vrai dire, entre les deux fois, huit ans s'étaient écoulés, et elle n'avait plus les seize printemps de notre première rencontre, mais elle était jeune fille, ça oui, personne ne lui était monté dessus. Elle n'avait jamais servi. J'ai été le premier.

Elle ne m'a jamais expliqué pourquoi elle n'avait pas donné sa virginité à un autre plutôt qu'à moi. Elle ne me l'a jamais dit, mais il faut avouer que je ne le lui ai jamais demandé.

J'ai eu beau lui expliquer, à ce vieil abruti, plus de cinq cent mille fois, qui garde ce billet et où, monsieur n'a pas la moindre envie de me croire. Il soupçonne que quelqu'un d'autre l'a devancé en me tabassant encore plus fort que lui, et qu'il m'a arraché le dollar tout en me versant une somme considérable pour que je n'avoue pas. Il devait s'agir d'une très grosse quantité pour que je supporte tant de coups, de chantages, et de saloperies dans ma vie privée.

Bref, le Vieux m'a donné rendez-vous aujourd'hui pour échanger nos impressions et sûrement pour remuer le fumier de son obsession. Je donne ma tête à couper d'un seul coup de lame Gillette que nous aborderons notre sujet de conversation favori : le dollar.

D'habitude, nous nous donnons rendez-vous à Central Park, près de la statue du milieu, celle de José Martí, le plus important des grands hommes d'Amérique. C'est une statue équestre comme une autre, mais du diable si je sais pourquoi je me sens si ému quand je m'assois là, juché sur ce socle glacial, les pieds dans le vide, le fait est que mes larmes coulent sur le cuir luxueux de mes chaussures anglaises. Je respire un grand coup et la puanteur de pisse et d'excréments, mêlée à des bouffées hivernales, me débouche les narines. Je me remémore l'épisode des marines américains, profanant de leur jet d'urine la statue de Martí dans le Parc Central, là-bas à La Havane, tout le grabuge qui en a résulté, les protestations diplomatiques, le scandale national et inter, tout ça pour deux marines fumeurs de marijuana qui ne savaient certainement pas, à ce stade de leur cuite, qui était ce putain de *mister* de la statue. Ici, le marbre souillé et surtout la pestilence d'étrons et de pisse révèlent que tous ceux qui s'arrêtent pour se secouer, non pas la poussière du chemin, mais le zizi, je ne parle pas seulement des chiens, lèvent la patte et déchargent leurs jets profanateurs, leurs crottes sataniques. Pas dans l'intention de maculer quoi que ce soit, mais simplement faute de pissotières publiques dans les parages. Ce n'est pas commode de demander au groom du *Plaza* la permission d'entrer faire ses besoins dans leurs toilettes de luxe. Moi je suis planté là avec la vessie comme une montgolfière, à attendre ce vieux maniaque, et je me sens triste pour ce Martí tellement équestre, tellement crotté par les moineaux, tellement compissé que c'est à faire pitié, tellement grave, tellement poète, tellement héroïque, tellement digne avec son front haut et cet air, on lui donnerait le bon Dieu sans confession, alors qu'il faisait les quatre cents coups, cet amateur de gin, coureur de jupons comme pas deux, qui avait même fumé du haschisch à pleins poumons, vu que ce poème il ne l'a pas écrit en coupant la canne, vous n'avez qu'à lire le vers final : *Haschisch de ma douleur, viens à ma bouche !* Que d'histoires, et ce n'est pas tout : le petit-fils de Martí, César Romero, fut acteur à Hollywood. Dans le *Batman* première version, il faisait le Joker et je suis certain que l'apôtre aurait été très fier de lui. Sans parler de son fils, Ismaelillo, qui chantait sous la douche là-bas à La Havane : *Papa, vous n'auriez pas dû mourir, hélas, mourir.* Le héros national, cette anecdote l'aurait fait se tordre de rire, et que personne ne vienne me contredire. C'est que les héros, merde, avant tout ce sont des hommes.

Il fait un froid de canard, et ce Vieux s'entête à me donner rendez-vous dans cet endroit infect, battu par les intempéries, soi-disant que c'est le lieu idéal à cause de la sécurité. Il se croit encore dans la mafia des années quarante. Au lieu de m'inviter au *Victor's Café* ; ma parole, il les lâche avec un élastique, il doit avoir des ampoules, pire qu'un banquier de Wall Street ! Ce mec-là, j'en ai plein le cul. Il vient pas, merde, et je suis frigorifié, je vais me retrouver comme ce pauvre Martí, rigide, mais sans cheval. Tout le monde viendra me pisser dessus. *Dring, dring, dring.* Mon portable. C'est le Vieux, il m'ordonne de le rappeler, de *le rappeler en arrière*, traduction littérale de l'anglais. Je compose son numéro, il est en retard, il arrivera dans une dizaine de minutes, parce qu'il vient de rencontrer une mioche jolie à croquer. Une autre boulimique, pas de doute. Les fillettes boulimiques, c'est son malheur, sa perdition. Ma femme et ma fille sont boulimiques, elles aussi. C'est la maladie féminine à la mode, la maladie *chic*, comme la tuberculose dans le temps. Pouvez-vous imaginer Marguerite Gautier boulimique ? Bizarre, n'est-ce pas ? Si tu es une femme et que tu ne fais pas dans le boulimique, tu es ringarde. Tu n'es pas acceptée. Ça dure depuis que Jane Fonda a eu l'idée d'avouer qu'elle était boulimique, belle pub pour CNN. Enfin, je vis avec deux monstres, deux squelettes en jupons qui n'arrêtent pas de bouffer et de vomir. J'ai fait construire une salle de bains séparée comportant des cabines et une variante de lavabo avec un trou approprié au volume des vomissements. Ça permet d'éviter l'engorgement ; j'ai fait fixer sur la porte une affichette avec ce mot : Vomitorium. C'est-à-dire exclusivement réservé aux vomissements. Si les vomissements étaient recyclables, je pourrais monter un restaurant de deux cents couverts. Les amies de ma femme et de ma fille en ont verdi de jalousie, et chacune a fait construire son vomitorium privé à côté de la piscine. C'est l'ère des vomissements. Qui ne vomira pas est un gros lard immonde et répugnant, par conséquent, il lui est interdit de rêver au triomphe, surtout pas à Hollywood, tant que les films compatissants et les oscars en faveur de la cause obèse, sans racisme envers aucune sorte de graisse ou d'huile, qui offenserait les marques, ne seront pas à la mode. Bien que ce pays soit plein d'obèses difformes, aucun pourtant n'a exigé ses droits, ni ses revers. Enfin, je ne crois pas que ce sujet mérite que je lui consacre un seul instant de ma vie. Ce qui m'inquiète, c'est le degré de psychose. Ma femme et ma fille sont affligées l'une et l'autre de graves dépressions, elles ont pour devise d'avoir de sérieux problèmes d'identité, ce que le psychanalyste a détecté en elles, après moi, bien sûr : elles refusent d'être elles-mêmes. Elles veulent être n'importe qui, sauf ce qu'elles sont. Je ne sais pas moi, Pamela Anderson, Sharon Stone, Madonna… Elles meurent d'envie d'adhérer à une secte, celle des mormons, ou celle de scientologie, elles n'arrêtent pas de lire des prospectus édifiants qui ouvriront des voies nouvelles vers la connaissance de soi et le succès. Ma femme aussi est cubaine, mais personne ne le sait. Elle se fait passer pour une Américaine née aux Etats-Unis. Elle ne veut rien savoir de là-bas. Rien, ce qui s'appelle rien. Je ne l'avais jamais vue avant, je veux dire à Cuba. Pourtant, ça aurait pu, car j'ai connu son frère.

Là-bas, les derniers temps, son frère et moi on a été de vrais potes. Franchement, ce type, c'était un régal, un dur de dur, un mec sans embrouilles. On me l'a présenté une nuit au *Montmartre* ; il était fou de désespoir, parce qu'il avait un cousin au poste, qui s'était fait arrêter comme politique pour avoir foutu le bordel. Il est venu me trouver, recommandé par un ami commun qui m'avait rendu service. Il m'a demandé de l'aider d'urgence, il fallait faire sortir son cousin de là avant qu'ils le fassent disparaître et qu'on le retrouve un beau matin jeté dans un fossé, étouffé avec ses propres couilles. Il connaissait mes contacts avec la police, dû à mon boulot de relations publiques, entre guillemets, au cabaret. J'ai fait libérer le gars, ils lui avaient démoli le portrait à coups de poing, et ils lui ont rendu ses ongles des mains et des pieds dans un sachet. Je l'ai fait sortir et je ne le regrette pas : j'avais pris cette décision parce que le type m'avait paru sincère, je l'avais trouvé sympa, cool. Mais je n'ai jamais perdu le nord : ce jeune cousin était un de ces révolutionnaires qui la jouaient très pur mais qui à la longue s'avéraient eux aussi des drôles de pistolets, des agités qui faisaient les intéressants, peut-être même en toute bonne foi.

Luis, le frère de ma femme – je ne savais pas encore qu'il l'était –, est venu me voir à plusieurs reprises, on s'est faits copains. Copains de cabaret. On n'a plus reparlé de l'affaire du poste de police. Un soir, il m'a avoué qu'il devait planquer des médicaments pour quelques jours, le temps de trouver celui qui les acheminerait dans la Sierra, alors je les lui ai planqués dans l'appartement de Caruca. Après ça, y a eu l'affaire des brassards, et là encore j'ai marché. Voilà comment j'ai continué à soutenir une cause qui ne me regardait ni de près ni de loin. Enfin, si, elle me regardait, dans la mesure où elle faisait du tort aux gens comme moi, qui vivaient exclusivement pour l'amour du fric, mais j'ai continué quand même, je ne sais pas pourquoi. Mais si, je le sais, c'est par amitié, car la seule chose de bien en moi, c'est que je suis fidèle en amitié. Et aussi parce que j'avais du flair : j'ai senti très vite que la thune les fascinait, *the money*.

Un jour à l'aube, on se baladait Luis et moi sous les arcades de la Manzana de Gómez. Nous sortions de la maison de passe de Tejadillo, où nous venions d'éreinter deux putes fabuleuses, qui avaient l'air de Tibétaines, nous les avions dévorées de suçons et de morsures avec un appétit d'ogre. Parfumées au patchouli et à la vanille, elles faisaient brûler de l'encens, portaient des kimonos en crêpe de Chine, leurs coiffures étaient asiatiques, et elles alternaient des massages prostatiques paradisiaques et d'excellentes démonstrations d'incroyables talents plurisexuels. Elles se disaient geishas et avaient quitté le théâtre *Shanghai* pour se mettre à leur compte, avec un professionnalisme hors pair. En longeant la pharmacie où un aquarium gigantesque était exhibé en vitrine, on a entendu grincer les pneus d'une voiture qui tournait à toute blinde. Tout s'est passé très vite ; la bagnole a freiné à notre hauteur, une main armée d'une mitraillette a tiré deux rafales. Au premier coup de feu, je me suis jeté à terre, en feignant d'être mort ou grièvement blessé. Toutes les balles ont touché Luis, qui marchait au bord du trottoir. Son cerveau écrabouillé m'a éclaboussé les yeux, la bouche. Une autre rafale a fait voler l'aquarium en éclats, l'eau a rincé le sang sur ma peau, les poissons ont sauté sur mon corps, en essayant de nager. Ma chair brûlait, les débris de verre s'étaient fichés dans ma figure, mes bras, mon dos, mes jambes…

Conséquence, comme je faisais un boulot aussi douteux depuis toujours, j'ai dû me tailler vite fait sans demander mon reste, en abandonnant le cadavre de Luis. Ce qui ne m'a pas empêché de mener mon enquête. Manifestement, ce n'était pas la police qui l'avait assassiné, rien ne paraissait indiquer que la mafia ait trempé là-dedans, donc ça n'avait rien à voir avec moi. On n'a jamais su clairement qui avait perpétré le crime. Sa sœur – ma femme – soupçonne ses propres copains qui, en le voyant si lié à moi, c'est-à-dire à la mafia, en ont conclu qu'il n'était plus fiable… Je n'en sais rien, je ne crois pas, mais c'est un bon argument pour me donner un poids sur la conscience toute ma vie. En définitive, c'est le but qu'elle vise, car il y a belle lurette que son frère mort ne l'intéresse plus. Cependant, quand je n'ai plus eu d'autre alternative que la fuite, le cousin que j'avais sauvé de la torture m'a procuré l'uniforme de milicien. Comme la vie est rocambolesque. Apparemment, lui non plus ne savait pas trop qui avait tué Luis, ou il ne voulait pas le savoir, afin de ne pas se casser la gueule et se compromettre doublement.

J'ai été témoin de centaines de meurtres effroyables exécutés froidement, à bout portant, mais qui se justifiaient. Ils ont tous mis en jeu des sommes d'argent si astronomiques que je ne peux même pas me les répéter à moi-même. Dans mon esprit, avec la vie que je menais, ces crimes avaient leur logique. En revanche, l'assassinat de Luis n'avait pour moi ni queue ni tête. N'est-ce pas pour cette raison que je me suis mis à poser des bombes, à faire du terrorisme ? Qui sait ? A la fin des fins, faire sauter un cinéma ou l'incendier, c'était un jeu d'enfants. Un jeu imbécile et dangereux. Le soupçon ne m'a jamais quitté, c'est eux qui l'ont criblé de balles, Luis. Eux-mêmes.

Ma femme, je l'ai rencontrée peu de temps après son arrivée à New York. Deux mois après, elle arpentait déjà la 5e Avenue comme si elle y avait passé sa vie. Mais ces tétons et cette croupe qui se tortillaient, cette chair mouvante en pleine rue, ce n'était pas d'ici, pas de ces parages. Je l'ai repérée dans une foule de centaines de personnes qui avaient l'air d'un troupeau de moutons fous, attendant de traverser la rue, fascinés et hypnotisés. J'ai succombé au fameux *ni pour toi, ni pour moi, ni pour tous ceux qui sont ici* qui se déchaîne quand une paire de fesses et de nichons savent se trémousser pour exciter, sur un rythme de rumba, le traumatisme œdipien masculin. Quel cul déjà, quelle envie d'éjaculer, au souvenir de ma sainte *mamita* complètement à poil en train de danser un mambo devant le miroir de sa coiffeuse. Et une maman c'est une maman ! Un cul cubain c'est un cul cubain n'importe où, même si les bousculades de la multitude provoquées par des centaines de feux verts et de signaux lumineux de *walk* ou *don't walk* s'efforcent de le dissimuler. Comme je baragouinais à peine l'anglais, j'ai décidé de l'aborder en espagnol, juste à l'entrée de l'Empire.

— Dis donc toi, tu es cubaine, ne me dis pas le contraire.

— *I don't know speak to you*, Cubain.

Elle a riposté avec une haine passagère dans le regard. Le temps de nous présenter, et nous avons éclaté de rire. Nous nous sommes revus soir après soir, je l'invitais toujours à prendre une glace au Village. A cette époque on riait encore, car elle me racontait avec une profusion de détails comment la coiffeuse, entre la 23e et la 8e Rue, au Vedado, lui avait fait un chignon postiche d'un bon mètre de haut, pour qu'elle puisse faire sortir du pays tous ses bijoux de famille. Elle parlait encore de son frère comme s'il était vivant et de son cousin resté à La Havane, qui était haut placé au gouvernement.

Quand, finalement, elle a évoqué la mort tragique de son frère, mon cœur m'a dit qu'elle parlait de Luis. En effet. Aussitôt j'ai voulu l'épouser, en pensant devoir quelque chose à mon ami, alors en prenant sa sœur en mariage je faisais une bonne action. Pour quelque raison mystérieuse, Dieu avait placé cette jeune fille sur mon chemin. D'ailleurs, elle me plaisait terriblement. Sa démarche du genre *moi je coupe pas la canne, que le vent la coupe, que Lola la coupe avec son déhanchement* me mettait dans tous mes états, un coup à aller se faire soigner. Cela ne veut pas dire du tout que j'avais oublié Cuquita. Mais le temps passait, il s'était écoulé non pas trois mois mais bien trois ans, et cette chose, le nouveau processus socialo-communiste, ne faisait pas mine de tomber. A cause de nos saloperies d'affaires, on m'avait conseillé d'envoyer le moins de courrier possible au pays. J'écrivais à ma mère de loin en loin en changeant à chaque fois de nom et d'adresse, et à intervalles très irréguliers. Je n'étais pas certain que Caruquita aurait pu comprendre cette identité multiple. D'ailleurs j'ai toujours été peu bavard, surtout par écrit. Et puis je n'aime pas nourrir des espérances. Ce qui est passé est passé, et au diable ! Il ne faut pas creuser dans la plaie. Mais Cuca Martínez est une épine dans mon cœur, tout comme ma fille, inconnue et mal embouchée. Je ne crois pas pouvoir guérir aussi facilement de ces blessures. Je n'y tiens pas d'ailleurs.

Le Vieux ne donnait toujours pas signe de vie. Mais pourquoi ai-je besoin qu'il en donne ? Au contraire. Ça me ferait plaisir, autant qu'un verre de whisky, si je lisais son nom dans la rubrique nécrologique de la presse du matin, ou sur le tableau d'une entreprise de pompes funèbres. Je vais tomber malade, à peine je sors d'une grippe que j'en attrape une autre. A chacune de mes convalescences, le Vieux téléphone pour me donner rendez-vous à l'endroit habituel. Voilà encore Madonna qui se pointe, flanquée de ses gorilles, il paraît qu'elle se les tape. Eh bien nous, on eu notre Madonna, la Rosalia Abreu, qui s'envoyait les chimpanzés de la "Villa aux Singes". Elle existe toujours, la villa où elle habitait, elle s'appelle encore pareil. Un Sicilien voulant investir à Cuba a été visiter cette immense propriété pour voir s'il pouvait y installer ses bureaux ; il m'a appris qu'ils s'en servaient comme décor de cinéma et la louaient en dollars à des chaînes de télévision espagnoles et françaises pour des films d'époque, d'époque erronée, je veux dire, genre

Terre indigo qu'ils tournent en ce moment. Ça se passe en plein dans les années vingt à Cuba et on y voit des Indiens parlant le yorouba, une langue africaine, rien que ça, avec un grand perroquet en plastique agrippé à l'épaule. Ces films soi-disant écolos, ils les projettent sur les vols internationaux afin qu'au moment du décollage ou de l'atterrissage, les gens, en bâillant, se décompressent les oreilles. Bref, Rosalia Abreu, elle collectionnait pour de bon des singes vivants et d'après les mauvaises langues, elle vivait avec eux. Au fait, c'était la tante de Rosalía, la Lilita, l'étrangère du poème de Saint-John Perse. Je ne suis pas cultivé, je suis bien informé. C'est au moins son dixième tour, à Madonna, à moitié à poil, pour faire sa gymnastique par ce froid à couper au couteau. Si je raconte à ma fille que j'ai croisé Madonna, elle est capable de m'empoisonner parce que je ne la lui ai pas achetée.

Enfin l'énorme limousine du Vieux fait son apparition. Mettez la scène en musique et ne vous cassez pas le ciboulot, Coppola l'a déjà fait mieux que nous. Mais insistez pour l'accompagnement musical style *Le Parrain* :

Nous sommes le miracle de l'amour, tralala, lala, lala...

N'allez pas vous imaginer une seconde que le Vieux va descendre de voiture pour venir à ma rencontre. Ce n'est pas son genre. C'est moi qui suis dans l'obligation – question de hiérarchie – de jouer des guibolles, comme deux stalagmites muées en colonnes du palais d'Hiver, et de courir plus vite que Carl Lewis, non, pas Carl Lewis, il paraît que c'est une tantouze plutôt Michael Johnson, éventuel médaillé d'Atlanta, donc je me dirige vers la portière entrouverte. Je me glisse à l'intérieur, j'effleure légèrement de mes lèvres sa main maigre toute ridée et déjà son secrétaire lui passe un tampon d'alcool à l'endroit où j'ai dû déposer les miasmes de ma bouche dégoûtante. De son point de vue exagéré et tatillon. J'allonge les jambes et je heurte involontairement la petite pute boulimique qui bave, vomit une écume violacée, et frétille comme un poulet dont on a tordu le cou à la pince.

— Ne t'en fais pas, ce n'est rien, on s'est trompé de sachet, laisse tomber le Vieux.

De sachet de coke, voulait-il dire. Puis, sans préambules, il explique à la vitesse gutturale d'une mitrailleuse :

— Tout est prêt. Nous avons étudié le cas avec d'infinies précautions. C'est le moment. C'est *eux* qui ont téléphoné, ils ont besoin de nous. Tu pars par le prochain avion. Voici ton passeport. Tes documents d'autorisation. Tes affaires sont super blanchies. Avec nous et avec eux.

— Qui, eux, où m'envoyez-vous ?

— Récupérer le billet. *Eux* c'est *eux*. Ceux de *là-bas*. Ils t'attendent, tu seras bien reçu. La condition est de leur donner un pourcentage, mais je m'en charge moi-même. Avec *eux*.

— Toujours la même rengaine, ce dollar de merde.

— Ne fais pas l'imbécile. Son numéro de série correspond à notre plus gros compte en Suisse. Nous n'avons pas pu y toucher en trente-six ans, parce que ce billet contient dans sa texture neuf filets d'or, chacun d'un carat différent. C'est le code qu'ils exigent de nous pour toucher l'argent. Je n'ai pas à t'expliquer pourquoi c'est toi que nous avons élu, démocratiquement, pour cette mission. Ou tu reviens avec ce billet ou, conseil d'ami, tu as intérêt à ne pas revenir. Ta famille ne manquera de rien... il partit d'un rire moqueur – tu sais bien que les tombes, il y en a à revendre. J'ai pris des contacts importantissimes... Ils t'attendent, *eux*.

— Qui ça, *eux*?

Alors il se tourne vers moi, fou furieux, je n'arrive pas à discerner s'il me frappe, ou si la nervosité de ses mains agitées exprime la rage mal contenue que sa maladie de Parkinson met en évidence :

— Près de cinquante ans dans notre famille, et tu n'as pas encore remarqué qu'il y a certains *eux* que l'on ne mentionne jamais pour raisons de sécurité ! Je vais te taper sur la gueule, tas de merde sans cervelle ! Pour nous, la moindre des choses c'est la discrétion, bordel, surtout si nous voulons récupérer ce dollar ! Et c'est justement ça qui m'intéresse. Nous avons besoin d'argent pour nous moderniser. Nous ne pouvons pas traîner nos tronches de la mafia des années quarante. Ou bien nous entrons dans Internet, pareil que le sous-commandant Marcos, même lui, il est dans Internet et dans le CD-ROM, Régis Debray en personne, en toute bonne foi, a fait don du matériel, ou bien nous crevons comme des vieilles lunes ; or, pour les réseaux de l'information, il faut de l'argent, nom de Dieu ! Aïe, aïe, j'ai mal au cœur, je deviens sentimental.

Une douleur à la poitrine, cela ne constitue pas pour lui le moindre signe qu'il puisse mourir demain d'un infarctus, il a rayé de son esprit l'éventualité de sa disparition physique. S'il se sent mal, s'il éprouve une douleur, c'est à cause de ses bons sentiments, de son âme généreuse, prétexte pour serrer les poings et devenir encore plus salaud. Non, c'est moi qui vous le dis, à côté de lui Dieu pèche par excès de mortalité. Mais à qui voudra-t-il faire avaler que le gâtisme s'est entiché d'informatique ? Il mijote quelque chose. En tout cas, je n'ai pas le choix. Ma famille est déjà prévenue que j'ai dû partir au Kenya en mission humanitaire urgente. Avec les nouvelles techniques de la chirurgie plastique, ils vont transformer mon visage en quinze minutes. Cinq minutes pour cicatriser. Les progrès de la médecine me bouleversent. Ils mettent une mallette scellée dans mes bagages. Je voyage accompagné d'un gorille jusqu'à Miami. Pendant les quatre heures de vol, il me révèle les mille et une manières dont le Cubain actuel a rebaptisé le dollar : *dracula, fula, juanikiki*. Quatre heures d'apprentissage pour que je puisse m'introduire de nouveau, trente-cinq ans après, dans les bas-fonds havanais. Avec autorisation, heureusement. On ne sait jamais.

Le même énergumène se charge de me faire monter dans l'avion pour La Havane. Je n'ai pas encore eu le temps de réfléchir. J'ouvre la mallette. J'étudie les documents. D'après leur contenu, je reviens en visite à Cuba pour tenter en quelque sorte de monter une fabrique de rhum. Je dois feindre de rentrer avec le regret d'en être parti. Ce qui est peut-être vrai. Je n'y vois pas clair. Ni flou d'ailleurs. Mais je me fie à mon intuition. Comme j'ai passé toute ma vie ou presque dans la situation soumise d'un soldat, parfois pire, eh bien je dois m'habituer, en deux temps trois mouvements, à mon nouveau statut. Je pousse un profond soupir et j'appuie ma tête sur la petite serviette du dossier de mon fauteuil. Mais les bombes, le sabotage ?

Les auraient-ils oubliés ? J'en doute. Une fois installé, je dois me relever de mon siège à toute vitesse. Ça me reprend, c'est nerveux, j'ai envie de pisser et de chier. Je déteste me soulager en avion. Assis sur la cuvette, je pense à ma mère. La première chose que je ferai, c'est d'aller sur sa tombe. Non, je n'aime pas chier en avion, ça me fout de mauvais poil, de plus je n'ai pas la moindre idée du pays où tomberont mes excréments, sur la tête de quel citoyen, ou crétin, du monde. Ensuite j'irai les voir, elles : ma femme et ma fille. Pour essayer de résoudre, une fois pour toutes, l'affaire de ce foutu dollar ! Je veux dire : dolluche.

6

Lamento cubain

Oh Cuba, mon beau pays séducteur,
pourquoi aujourd'hui tant de malheurs.
Oh, ma patrie, qui penserait
que ton ciel bleu, de larmes se voilerait.

Chanson d'ELISEO GRENET,
interprétée par GUILLERMO PORTABALES.

Ce n'est pas moi la romancière. Je l'ai annoncé depuis le début. Moi, c'est le cadavre. Je suis celle qui a dicté à cette vivante, et qui le fera encore, ce qu'elle doit écrire. Pas d'affolement. Je me complais dans le rôle de l'esprit moqueur. De mon vivant, j'ai toujours été une squelette frondeuse, à plus forte raison maintenant. Inutile par conséquent de se faire du mouron ou de crever de tristesse. Je voulais simplement signaler ce détail infime, mais intéressant. La vérité m'appartient, l'imagination est du ressort de la personne qui transcrit mes sentiments. Tandis que j'ai voulu raconter des faits réels, elle ne descend pas de la mezzanine exiguë et humide qu'elle a édifiée sur la lune. Par conséquent, si on n'y a compris goutte, c'est par la faute de l'accueil réservé à ce que j'ai dicté, mon style n'y est pour rien. J'ai placé ma confiance dans celle que j'ai choisie. Mais pas tout entière, je ne suis guère portée à me fier aux vivants à ce stade de ma mort. Moi je ne possède plus de conscience. Mais elle, en revanche, elle en a deux : l'authentique et la fausse. Voyons cela.

Non mais, je vous jure, ils vont me forcer à devenir écrivaine. Les gens me racontent des histoires alors je ne peux pas me tenir tranquille, ça me démange et je n'arrête pas de me gratter jusqu'à tant que j'écrive. Surtout si c'est une âme en peine qui m'embauche, je ne peux pas y renoncer, en effet qui m'assure que si je refusais, elle ne viendrait pas la nuit me tirer par les pieds pour me précipiter dans l'autre monde. Dont on sait, en tout cas jusqu'à maintenant, que ce n'est pas un monde, que ce n'est rien, d'ailleurs. Elle me susurre à l'oreille que tout s'est déroulé à peu près de la façon suivante, plus ou moins gnangnan :

Une femme célibataire habitant sur une île musicale et prétentieuse, plus seule qu'un solo et mille fois plus pauvre que Cendrillon, ce qu'il lui faut, c'est un boléro du tonnerre pour la faire rêver. Rêver au prince charmant, flanqué de son inévitable escarcelle pleine de pièces d'or. Pardon, Jane Austen, pour cette nouvelle version. Merci, Guillermo Cabrera Infante, de m'avoir livré, dans l'un de vos livres, la piste du roman *Orgueil et Préjugé*, que je dois me procurer illico presto, pour ne pas sombrer dans le péché d'ignorance en citant à tort et à travers. Je ne fermerai pas l'œil tant que je ne l'aurai pas lu.

Il faut dire que je n'ai pas la moindre idée de la façon d'être fidèle à cette foutue vérité, peut-être qu'il vaudrait mieux me lancer dans la dramaturgie comme le faisaient les ex-Soviétiques dans leurs contes pour enfants, sans queue ni tête, mais qui finissaient toujours par une moralité bien édifiante. Ou alors il vaudrait mieux assumer l'histoire comme un film porno, dont les personnages n'ont pas besoin d'avoir des idées, mais seulement des pines et des cons, et une seule morale, baiser. En définitive, ce pays est comme une *pelure* enregistrée d'après des milliers de générations de cassettes, qu'un marin grec a introduite à ses risques et périls à l'issue d'un de ses longs périples. Une pelure, en bon havanais, c'est une vidéo porno si usée qu'elle en est à moitié effacée. De toutes les façons, ça revient au même, les deux commencent toujours pareil : il était une fois une femme passionnément amoureuse, patiente comme on n'en voit plus, malheureuse comme on n'en fait plus. Fascinée par la mer, les palmiers, les rues, l'ombre sous les arcades, le doux soleil permanent sans vacances, et tout ce tralala de la cubanité, qui ressemble tant à une maladie vénérienne : en baisant avec un tel j'ai attrapé une de ces *cubanités*, même la pénicilline ne peut en venir à bout. C'est vrai ou pas ?

Eh bien oui, c'est ça, elle accordait trop d'importance au cœur, elle lui tendait trop l'oreille. Ecouter et aimer de trop, c'est exactement ce qui lui est arrivé, à l'héroïne… non, pardon, pas à l'*héroïne*, oh non, jamais de la vie, vu que des héroïnes et des héros, on en a ras le bobol et plein le cul. Protagoniste. Voilà ce qu'elle est, la protagoniste, et tant pis si ça fait davantage article de magazine que critique structuraliste. Mais mon ami, grosso modo, la vérité, elle est là, pas ailleurs. Parce que c'est ici qu'il faut être, et pas dans la queue pour le pain.

(Dis donc, me la joue pas littéraire, c'est d'abord et surtout dans la queue pour le pain qu'il faut être, laisse tomber les romans-feuilletons et les poèmes, les paperasses intellectuelles ça ne donne pas à manger et ça n'apporte que des problèmes...)

Des problèmes politiques.

(Ça c'est toi qui l'as dit, ne viens pas me nuire. Non, voyons, car je suis ta conscience, ta Géminette Criquette, et j'ai pas la moindre envie qu'on me foute au gnouf, mon trésor ! A mon âge, vous me voyez en train de râper, de brouter du gazon au Nuevo Amanecer* ? Un nom suggestif pour une prison de femmes. Essaie d'écrire comme il faut, je veux pas d'emmerdes avec les poulets. Rappelle-toi qu'ils peuvent te fermer toutes les portes, toutes, absolument toutes, y compris celles du pays.)

Celles-là avant tout. Oui, je sais, mais jamais celles du cœur.

(Aïe, ma petite, on dirait un boléro, reviens sur terre, *descends de ton nuage et viens ici dans la réalité* ! Ne te berce pas d'illusions, car le pouvoir ne croit pas aux chansonnettes.)

Mais justement, il s'agit de chansons, marraine...

(Tais-toi, bécasse, je ne suis pas ta marraine, tu sais bien que pour tout le monde je suis ta conscience révolutionnaire, nullement ta marraine... ! Vous n'allez pas me faire croire que du jour au lendemain ils ont accepté les *santeros***. Malgré tous les rapports que je dois leur écrire. Oui, car ils m'obligent à pondre un rapport bien gratiné sur tous ceux qui viennent en consultation... Non mais, je vous jure, ils vont me forcer à devenir écrivaine de force.)

* Nuevo Amanecer : Nouvelle Aurore. *(N.d.T.)*

** *Santero* : prêtre de la religion afro-cubaine. *(N.d.T.)*

Cette phrase, elle est de moi. File-moi le copyright.

(Non mais des fois, est-ce que je ne suis pas ta conscience ? Avec les tas de rapports qu'ils exigent, ils sont pas fichus de me faire cadeau d'un bout de crayon, ne serait-ce que pour rétribuer mes services désintéressés… Ils vont tirer sur la corde, tirer, tirer, et moi je vais rédiger rapports sur rapports au sujet des patients, euh, des clients, euh, des croyants… C'est avec cette même corde qu'ils me pendront. A propos, sache qu'ils m'ont même donné l'autorisation d'encaisser en dollars quand je tire les coquillages, histoire d'extorquer aux touristes aussi une photocopie en paroles de leur itinéraire, histoire de ne pas les lâcher d'une semelle. Il paraît qu'un beau jour ils me colleront une médaille… ou un coup de pied au cul… Qui a bien pu vous dire que les médailles, ça se mangeait ? Je préférerais qu'on agrafe à mon revers un morceau de viande de porc ou une marmite de haricots noirs. Je t'en foutrai, des médailles ! La médaille en or que j'ai héritée de mon parrain, qu'il repose en paix, j'ai été la déposer au sanctuaire de la Vierge du Cuivre, là où ce vieux pêcheur américain, le Emingouais, il a fait don de la médaille de son prix Nobel. Il savait ce qu'il faisait, lui. Oui, le prix qu'il a gagné pour avoir raconté tout ce qu'il avait vu de par le monde, à Paris, dans la guerre civile espagnole, dans les pêcheries et dans les bordels. Dis donc, s'ils découvrent tout ce qu'elle a vu et entendu, Photocopieuse – surnom emprunté au roman *Trastorno de clima* d'Osvaldo Sánchez – ils doivent lui filer au moins dix p'tits Nobel. Et moi alors, tout ce dont j'ai été témoin, si je me mettais à faire des livres, elle pourrait s'aligner, la Tellado ! Mais moi, tu vois, motus et bouche cousue, le silence est d'or. Voilà pourquoi je te conseille de te tenir à carreau.)

Mais moi, tout ce que j'essaie de faire, c'est de raconter une histoire innocente, innocentissime, de ces histoires simples, aux dialogues durassiens, où les personnages tournent et tournent mais ne disent rien, où il ne se passe rien, où le début est tout à fait pareil à la fin ; ce qui permet de faire un film qui ne coûtera pas trop cher, et le peu qu'il coûtera sera dilapidé, parce qu'il n'aura que deux spectateurs, moi et Rufo Caballero, le seul critique de cinéma encore présent sur l'île. D'ailleurs on ne paiera pas notre place ni l'un ni l'autre, parce que nous aurons notre carte de journaliste. Ce que je me propose, c'est un jeu innocent.

(Brrrr, d'un peu le saint Elegguá* descendait en moi pour me posséder, j'étais à deux doigts d'entrer en transes, alors, fillette, t'as envie de te transbahuter en taule ou quoi ? Des histoires innocentes, il n'y en a pas, faut pas croire.)

Moi je te dis que si, la mienne, elle l'est. C'est l'histoire d'une femme…

(Oh, bonne mère, tu remets ça, avec une autre histoire de femme intrépide, ma parole, quelle tête de mule, t'es pas encore échaudée !)

C'est une femme pacifique, plus tranquille que saint Tranquillin, une sainte, quoi, et toutes les fois qu'elle écoutait une chanson, ça lui bouleversait la vie. Autrement dit, c'étaient les chansons

* Elegguá : divinité de la religion yorouba. Toutes les cérémonies de la *santería* commencent et finissent par une invocation à Elegguá, qui ouvre les chemins et protège des esprits maléfiques. *(N.d.T.)*

qui régissaient sa vie, quoi. Son destin dépendait de la radio, des chanteurs, de la télévision, des cabarets, de…

(Mais c'est effrayant ! Peut-on savoir quel genre de chansons elle écoutait, la malheureuse, pauvre victime d'un sort funeste ?)

Elle, c'était surtout des boléros qu'elle écoutait, au lieu de les chanter…

(L'infortunée ! Où l'a-t-on enterrée, y a-t-il encore de la place au cimetière de Colomb ? Car je parie tout ce que vous voudrez, j'en donnerais ma tête à couper, qu'elle s'est immolée par le feu.)

Eh bien non, justement, tu vas en être jalouse, elle est vivante et elle pète de santé. C'est l'histoire, comme je disais précédemment, de la protagoniste, et je fais exprès de souligner *protagoniste*…

(Ce que t'es nunuche, bien sûr que c'est l'histoire de la protagoniste, de qui veux-tu que ça soit ?)

Bon, allons droit au but, c'est le mélodrame d'une femme amoureuse d'un seul homme, ce n'est pas comme si elle était amoureuse d'un homme seul, hum… Elle a passé toute sa vie à l'attendre, suspendue, sans même le savoir, aux boléros… Et aussi aux *guarachas*, aux *sones*, aux *feelings*, bref à la musique dansante et romantique. Car ce qu'elle écoutait, c'étaient des airs d'un romantisme échevelé – sur lesquels elle dansait quand même – oui, son dada c'était d'écouter des boléros et des *sones* pervers, rien d'autre. Car je vous le répète, c'est une protagoniste havanaise. Elle n'est ni hollandaise, ni finlandaise, ni suédoise, ni danoise. Sauf qu'ici, dans ce pays, à Cubita la belle, ou à Cubota, culotta, il faut faire l'autruche pour survivre, c'est-à-dire qu'il faut jouer au con, faire le mort pour voir comment on va t'enterrer. C'est pour cela, *quizás, quizás, quizás*, que j'ai un rêve récurrent. Je rêve toujours que j'ai inventé une petite pilule qui lorsqu'on l'avale, abracadabra, tête de cobra, vous transforme en Danoise, ou en Finlandaise, bref en habitante d'un de ces pays où personne ne pleure en écoutant des boléros, et qui se réjouit plutôt à la perspective de vivre bien loin de l'endroit indiqué sur leur acte de naissance. Mais ceci est une autre histoire, plus en rapport avec les *apocalyptiques* et les *intégrés*, et je ne l'écrirai sans doute jamais, précisément parce que je passe ma vie à chialer en écoutant des boléros. Tout à fait comme la protagoniste de ce livre. Car il s'agit, mesdames et messieurs, sans le moindre complexe, d'une littérature pour adultes, débiles, autistes, mongoliens, et ménagères… Non, pas pour *ménagères*, il faudra parler comme les Français qui appellent les sourds des *malentendants*. Donc, les ménagères, ce sont les demandeuses d'emplois à leur compte, les à-leur-compte du foyer, qu'elle est élégante, ma trouvaille, et solidaire avec ça ! A ce train-là, ils vont m'envoyer dans un congrès d'organisations non gouvernementales, si jamais Taille Extra s'y intéresse et m'accorde le visa de sortie. Je disais donc, il s'agit d'un de ces mélos à la guimauve, à se pendre aux rideaux, à grimper aux murs, comme dans la *Lucía* d'Humberto Solás, ou mieux, comme dans *Libia* ou *Senso* de Luchino Visconti. Voilà ce que j'ai dit, ni plus ni moins, je le répéterai tout haut, dressez l'oreille, chers radiolecteurs, connectez-vous, branchez-vous, abrutissez-vous…

(Tant que tu voudras, mais ce bavardage minable n'est pas fait pour s'évader, plutôt pour se crever que c'en est humiliant, pour réduire son âme en bouillie, pour faciliter la tâche aux camarades ou aux lèche-culs.)

Tais-toi, Géminette Criquette, on t'a pas sonnée, hein, *sais-tu ce que c'est, de vivre avec des illusions* ? C'est un roman-feuilleton rempli de nausées et de vomissements. En tout cas je voudrais quelque chose de ce genre. Le dernier mot, nous savons qui le prononce : le critique.

(Non, ma mignonne, ne vis pas d'illusions, le dernier mot, le tout dernier, c'est le gardien de l'immigration qui l'a, et il ne te laissera pas quitter le pays, ni y entrer, selon le côté de la frontière où tu seras postée.)

Quoi qu'il en soit, c'est un roman-feuilleton, je n'ai pas pu empêcher cela. Parce que c'est comme ça, comme ça, et comme ça, quoi, qu'est-ce qui te prend ? Pour faire chier le monde. Mais surtout, parce que ma maman adore les romans-feuilletons.

Cuca Martínez tendit l'oreille, depuis peu elle souffrait de crises de surdité continuelles ou au contraire, elle n'entendait que ce qui l'arrangeait, en d'autres termes, elle convoquait des apparitions sonores et elle effaçait les bruits réels, les conversations réelles, les discours réels. Mais en l'occurrence, elle voulait entendre pour de bon, alors elle s'introduisit le petit doigt dans l'oreille, fouilla, se gratta le tympan. Oui, elle avait bien entendu, c'était une fois de plus, un boléro très triste et très beau de María Teresa Vera :

Que t'importe que je t'aime
puisque tu ne m'aimes plus
l'amour qui est déjà passé
on ne peut s'en souvenir.

Je fus l'illusion de ta vie
un jour déjà lointain,
aujourd'hui je représente le passé,
je ne peux m'y résigner.

Cuca Martínez écoute comme on écoute les boléros à son âge, comme à tout âge, comme la première fois, tandis qu'elle s'apprête à faire la tâche quotidienne qu'elle réalise avec de plus en plus d'amour et aussi d'intérêt économique : vider les ordures. Pour elle, vider les ordures c'est comme une réception à l'ambassade espagnole. Non, pas à l'espagnole, ils sont si pingres, ils ne vous disent même pas merci d'être venus et au passage, d'avoir pris le risque de perdre toute *confiabilité*. Plutôt comme une réception à l'ambassade française devant laquelle, le 14 Juillet, il y a des queues de vingt kilomètres pour recevoir, en guise de collation, les *croissants* fourrés au jambon et au fromage, et pour fêter leur bouleversement national, plein de l'idéal *liberté, égalité, fraternité*, à la manière de cette reine guillotinée, qui répondit quand on l'informa que le peuple n'avait pas de pain : *Ils n'ont pas de pain ? Qu'ils mangent des brioches !* Mais la meilleure, c'est celle de son mari, plus paumé que Louis XVI il faudrait l'inventer, la prise de la Bastille était à son apogée, mais le soir du 14 juillet 1789, il nota sur son journal : *Rien*.

Pour Cuca Martínez, descendre vider les ordures c'est un peu gagner à la loterie. Elle ne jette que de la crotte et revient toujours avec quelque chose de mieux. Ça, c'est grâce aux innombrables habitants de son quartier qui peuvent s'approvisionner au marché noir ou qui ont des relations avec des étrangers, alors ils se débarrassent de leurs restes de luxe, des boîtes de conserve multicolores, des emballages de confiserie fine, des petites boîtes de lait vides très utiles pour y ranger ses bobines de fil. Elle n'a pas accès à de telles facilités. Je veux dire la facilité d'acheter indépendamment de la carte de rationnement. Elle vit d'une retraite de quatre-vingts pesos par mois. L'endroit où elle peut se procurer des babioles, enfin, sa boutique d'approvisionnement, c'est la poubelle. Sa voisine, Photocopieuse, appelle la poubelle *l'échange de cadeaux*, car on arrive avec une merde, et on repart avec une autre, parfois un peu plus avantageuse. Il y a des quartiers dont les poubelles sont de meilleure qualité qu'ailleurs, par exemple à Miramar, la zone des diplo-boutiques. C'est pour ça que depuis un mois, on voit des queues interminables autour des poubelles de la 5e Rue à la hauteur de la 42, ou de la 70, parce que les cochonneries y sont plus présentables ; il paraît même qu'elles sont étiquetées. Le gouvernement révolutionnaire, avec accord préalable du ministère des Relations extérieures, des organes de la Sûreté de l'Etat, ouf, laissez-moi reprendre mon souffle, et du syndicat des travailleurs de Cayo Cruz (Cayo Cruz, c'est le cimetière de la merde), décida donc, afin d'éviter de perturber l'ordre public, de remettre à chaque citoyen, à travers son comité de défense de la révolution, des prétickets et des tickets, pour que les gens ne fassent pas de grabuge dans les files d'attente, et que tout le monde touche une part égale d'excréments, puisque nous vivons, non, pardon, nous appartenons, à une société sans privilèges. Socialiste ? Communiste ? Non ? Ah, bon.

Heureusement, du côté de chez Cuca il n'y a pas tant de rixes car dans son bloc, les diplo-boutiques n'existent pas. Mais elle dégote toujours quelque chose. Aujourd'hui elle a trouvé un bout d'élastique. Elle se dépêche de s'en emparer avant qu'on ne le lui arrache. Elle pense que ça ira drôlement bien pour sa culotte, qu'elle retient avec des épingles de nourrice datant de l'époque où sa fille était bébé. A cette pensée elle s'écrie, affligée :

— Dire que je le mettais sur un piédestal !

Une bande de femmes espionnes lui tombe dessus à coups de bâton et de pierre, pour l'obliger à cracher le morceau, qui c'est qu'elle mettait sur un piédestal, qui c'est qu'elle a fait descendre d'un coup sans en informer personne, aussi sec.

— Qui c'est que tu mettais sur un piédestal, et que tu ne mets plus ?

— *Qui tu sais*... personne... c'est une blague.

— C'est ça, une blague, hein ? Dis donc, vieille salope, déchet, rat d'égout, t'as intérêt à tenir ta langue de vipère, si tu ne veux pas qu'on te la coupe.

Elle fait l'idiote, la crétine intégrale. Les autres femmes lui fichent la paix quand elles l'entendent siffloter *L'Internationale*. Elles lui permettent enfin de jeter ses excréments. Parce que ici il faut demander la permission et être catalogué positivement, même pour chier. Puis elle récupère son sac plastique Cubalse, dont elle se sert depuis un an pour y mettre ses détritus. Tous les jours, après avoir vidé ses ordures, elle le lave soigneusement. Dans ce pays tout est récupérable, les capsules, les bouteilles en plastique, les pochettes en papier, même les cercueils... Combien de fois n'avait-elle pas rêvé de trouver l'un de ces superbes récipients en plastique pour détergents afin d'y verser l'eau bouillie et de le poser comme ornement dans le réfrigérateur, ou au milieu de la table à l'heure des repas ? Mais chaque fois qu'elle en repérait un de loin dans une poubelle, quelqu'un la devançait et mettait la main dessus. En outre, sa fille passait sa chienne de vie à lui conseiller de ne pas boire de l'eau gardée dans ces récipients, cela pouvait être dangereux pour la santé, c'était hautement toxique.

La vieille dame traverse la rue en évitant maladroitement les flaques couvertes d'une pourriture vert olive. Parfois ses socques en bois jouent des castagnettes dans cette crème épaisse et des zébrures de gadoue se collent sur ses tibias secs. Indifférente, en sifflotant encore l'hymne désaccordé, elle gagne le trottoir d'en face. Dans les fissures du ciment, des mauvaises herbes ont poussé. Le rugissement de la mer amène soudain un coup de vent qui soulève de gros nuages de poussière. Toute la crasse du siècle jaillit du bitume. Les bonnes femmes espionnes se ruent vers les escaliers les plus proches, hurlent, conchient la mère de Dieu, la mère du socialisme, né lui aussi au forceps, au forcing, sur cette île diabolique. Elles maudissent Taille Extra et tous les dieux de l'Olympide et de l'Olymtrouble. Cuca Martínez ne bronche pas. Plus rien ne la surprend. Son corps se dandine comme du papier en bagasse de canne, le sable l'aveugle, ses cheveux sont aussi gras qu'un cornet de *tostones** dégoulinants de graisse. Elle a perdu son sac en plastique Cubalse, le vent l'a arraché à ses mains tout écorchées, mais elle trottine toujours, en regardant droit devant elle, ou

* *Tostones* : beignets de banane plantain. *(N.d.T.)*

à l'intérieur de son souvenir. Elle essaie de se rappeler ce qu'elle a mangé hier. Non, elle n'a pas mangé. Elle a ingurgité une tranche d'air et une friture de vent. Aujourd'hui elle se fera peut-être un petit bifteck avec la vieille serpillière qui marine depuis quinze jours. Il se peut qu'elle n'ingurgite rien, elle a perdu l'appétit. Il lui arrive même de sourire. Bien sûr, ses varices, ses oignons et ses cors aux pieds, ses ongles incarnés, ses abcès à l'aisselle la font souffrir, sans compter que depuis un certain temps elle a quelque chose qui la gêne à la rendre folle, une petite boule au sein. Ou plutôt une boule au petit sein. C'est peut-être un cancer, elle s'en contrefiche éperdument. N'allez pas vous imaginer une seconde qu'à ce stade de sa vie tourmentée, un cancer pourrait la traumatiser. Un de ces jours, elle ira à l'hôpital Hermanos Ameijeiras et si jamais il y a de quoi anesthésier, on va lui extirper sa tumeur et adieu, petite boule. "J'ai une petite boule qui monte qui monte, aïe, aïe, qui descend, aïe qui descend." Tout à fait comme dans la chanson. Cuca Martínez sait que la révolution a fait au moins quelque chose de bien : des hôpitaux pour abuser le peuple. On n'y trouve peut-être pas d'aspirines, ni d'aérosols pour les asthmatiques, ni d'ampoules électriques, ni d'assiettes, ni de draps, ni de coton, ni d'alcool, mais question hôpitaux, il y en a en pagaille. Il est leur est même arrivé de faire don d'un hôpital au Viêtnam. Il paraît que les camarades vietnamiens se servaient des instruments de stérilisation pour traiter la levure. Bref, ils ont monté une brasserie. Mais ça c'est la faute à personne, ou alors à l'impérialisme yankee. Qu'on a toujours sous la main pour lui attribuer tous les péchés. Pourtant, si on y regarde de près, dans les cliniques réservées au tourisme médical, on peut dire qu'ils ne manquent de rien, il manquerait plus que ça ! C'est là que pour de vrai, le dollar soulage littéralement la douleur. Alors le nouveau syndrome apparaît : la douleur du dollar.

C'est l'angle des rues M et Calzada, devant les fantomatiques bureaux des intérêts des Etats-Unis, le bâtiment le plus anodin, le plus moche et le plus inutile de l'univers, mais aussi le plus surveillé par la police, le plus convoité et assailli par les Cubains, car décrocher un rendez-vous consulaire, c'est un peu gagner à la loterie, en fait il existe une loterie pour obtenir un visa, ce *oui* fatidique, une autorisation de voyage chez la *U*rsula *S*ánchez *A*breu (un nom de code pour quand on parle au téléphone), bref décrocher ce rendez-vous, c'est comme dans la chanson *Tu es la gloire*. Aussi difficile à obtenir que la libération d'Angela Davies, que nous avons tellement réclamée dans les séances d'éducation civique du matin à l'école primaire. La mer se déchaîne, furieuse. Je ne me lasse pas de pronostiquer que Yemayá* va percevoir cette année, une fois de plus, son lourd tribut de sang, elle viendra à terre laver ses parties honteuses, se nettoyer. Les vagues se diluent dans le paysage, elles sont comme des voiles qui recouvrent la lumière tristounette. L'air salin imprègne la ville, c'est la faute d'un vent violent, d'un vent si mauvais… œil. Des persiennes s'écroulent, voire des fenêtres entières, les antennes de télévision

* Yemayá : divinité des eaux salées dans le culte afro-cubain. *(N.d.T.)*

s'envolent au firmament, blessant les nuages de leurs piques rouillées. La parabole, comme une fleur nationale démodée, tente de résister, impavide, mais elle part à son tour à la dérive, comme la révolution de 1930*, et comme l'autre aussi, ou ce qui en restera. Si jamais il en reste quelque chose.

Soudain, Cuca Martínez se fige, on dirait qu'elle marche à reculons sur un tapis roulant, comme dans le petit ballet de Michael Jackson. Elle croit avancer, mais ses jambes font du surplace. Le vent et elle se lancent dans une polémique, un face à face, un bras de fer. La vieille persiste à avancer, *je persisterai, même si le monde me dénie toute raison*... Mais ce vent perfide et parjure l'arrête et concentre toute sa putain de fureur sur son corps fragile et voûté. La vieille dame puise des forces dans ses réserves de vitamines d'il y a quarante ans. Celui qui a été bien nourri dans son enfance, on ne peut pas lui remplir la tête d'histoires de prises de judo, de coups de karaté, ni de période spéciale. Un bon bifteck et une compote Gerber, c'est comme si on avait décroché la ceinture noire d'arts martiaux dans la première année de sa vie. Quelque chose vole vers elle, est-ce une feuille, une fleur, un papillon mort, ou simplement du papier hygiénique conchié ? L'objet – sophistication bancaire de l'invention de Gutenberg – adhère à sa figure, juste sur ses paupières. Cuca Martínez cligne des yeux, la chose reste collée aux rides de ses pommettes. Elle n'arrive même pas à lever ses maigres bras pour s'en débarrasser, le tourbillon

* Allusion à un livre de Raúl Roa, *La revolución del 30 se fue a bolina* (1969). *(N.d.T.)*

lui tord les coudes. Cuca Martínez écarquille les yeux, comme une poule ou un *alien*. L'ouragan s'arrête net, la température de la mer, on dirait de la soupe chaude. Le soleil brille comme une capsule de bière Hatuey fichée dans le bitume. Vous réalisez combien de fois on l'a brûlé, cet Indien hatuey, chaque fois qu'un poivrot a incrusté une capsule dans le macadam. Elle porte toujours *cette chose* en guise de lunettes. Cuca Martínez s'aperçoit que c'est un papier bizarre et elle parvient à lire à contre-jour, écrit en grandes lettres harmonieuses, centrées, et ornées d'autres signes qui empêchent de comprendre le mot issu de cette langue : ONE.

Bien sûr elle est vieille, mais pas tant que ça, bien qu'elle se sente comme Mathusalem, n'empêche qu'elle a oublié d'être bête. Elle jette un regard rapide autour d'elle et à toute vitesse elle fourre le billet vert d'un dollar dans son décolleté osseux, jadis la vallée entre ses seins. Un dollar ! Doux Jésus ! Mon vieux saint Lazare miraculeux, que va-t-elle s'acheter, que va-t-elle s'acheter ?!

— Ah, je sais, une sucette, non, non et non, un Coca-Cola, alors là, sûrement pas, que dirait de moi XXL, il dirait que je raffole de la boisson de l'ennemi ! Et si je m'achetais un petit paquet de beurre, hein ? Ou peut-être, peut-être… Oui, pourquoi pas une boîte de poudre de riz, ou carrément, un poudrier ? Depuis le temps que je ne me maquille pas…

Les escaliers de l'immeuble sont interminables pour son âge. Fax les dévale à toute allure. Fax c'est une jeune fille de vingt ans, toujours fourrée à l'hôtel *Nacional*. Ce n'est pas une pute. Seulement elle est devenue folle à cause de deux morts, l'une physique, l'autre mentale, j'expliquerai cela plus tard dans un autre chapitre. Elle est devenue encore plus cinglée quand on lui a raconté que dans les hôtels, on avait installé des petites machines qui communiquaient par lettre, en quelques secondes, avec le bout du monde. Elle rétorque que cela n'a rien d'une prouesse, qu'on lui a volé son idée, que c'est elle la championne, la super-vedette des communications. Elle peut faxer avec n'importe quel esprit, en un crachat. Pardon, en un clin d'œil. Elle est porteuse de messages de Lénine, de Marx, d'Engels, de Rosa Luxemburg… Etrangement, tous ses fantômes sont communistes. C'est la faute des électrochocs qu'on lui a infligés dans la maison de repos réservée à ceux qui déménagent – pas de chez eux – mais de la réalité. Elle navigue d'hôtel en hôtel à la recherche d'un millionnaire qui veuille lui breveter son projet, car elle estime que dans un avenir pas trop éloigné, chaque être vivant sera un fax médium. Nous pourrons correspondre avec le Christ, Cervantes, Sor Juana Inés de la Cruz, Napoléon, Pascal, Goethe, Nijinski, Marylin Monroe, JFK, Saint-John Perse et Lilita, le Che, James Dean, John Lennon, Marlène Dietrich… et tous ces mythes qui ont enrichi ou entubé notre existence. D'après Fax, l'avenir du monde sera un système social flambant neuf, qui ne s'appellera pas communisme, bien entendu, mais sera un mélange, le meilleur du commu et le plus chouette du capi, une sorte de capicommu. Ça, c'est Marxy et Rosita Lux qui le lui ont dicté, on croirait deux marques de savon. Cuca Martínez s'arrête à peine pour saluer la jeune fille. Cependant, l'autre la prend par l'épaule et l'embrasse, au comble de la félicité :

— Cuca, je viens de faxer à Engels... Le capitalisme est au bord du précipice !

— C'est ça, il suffit de voir comment le musée du Socialisme se casse la gueule ! vocifère de l'étage au-dessus Photocopieuse, qui est la médisance faite femme. Celle-là, on lui a jeté un sort, on l'a ensorcelée, c'est la seule môme de ce foutu pays à parler de communisme, à part Taille Extra, mais lui, on le sait, c'est un cas pathologique ou putologique !

Photocopieuse glisse le long de la rampe d'escalier, l'imprégnant d'une puanteur humide de poisson pourri ; une raie de flux blanchâtre marque la trace de son con suant et nauséabond. Outre qu'elle est médisante, elle ne porte jamais de culotte. Elle peut se le permettre, elle n'a jamais eu de règles. Petite fille, elle était allée à l'hôpital pour se faire extirper les amygdales, mais l'infirmière se trompa de dossier et on lui extirpa les ovaires. D'ailleurs les culottes, comme les serviettes hygiéniques, ce sont des objets de plus en plus anachroniques ou archéologiques.

— Caruquita, ne te laisse pas influencer par l'ennemi, ma vieille. Il ne reste pas d'autre option... que l'option zéro. Option zéro en temps de paix. Nous passerons prochainement par une longue étape de capitalisme et alors, nous trouverons enfin le communisme. Ensuite, nous en aurons marre du communisme et c'est alors que nous confectionnerons le capi-commu. C'est la loi du cycle. Dans les cycles des cycles, amen.

— Mais a-t-on jamais vu ça, elle se figure qu'elle va durer toute l'éternité, celle-là ! s'écrie Photocopieuse au comble du paroxysme.

— Je ne suis pas la seule immortelle. La *révolotion* nous a rendus éternels ! gronde Fax parfaitement sûre d'elle.

Entre-temps, Cuca Martínez se sent piégée entre les deux femmes, son regard passe de l'une à l'autre, comme une spectatrice de Roland-Garros, en pleine partie entre Steffi Graf et Monica Seles. Toujours les mêmes discours après trente et quelques années. Toujours les querelles obligatoires, les mesquineries. Les gens ne vivaient pas leur réalité. Les gens survivaient dans l'immortalité. Même Photocopieuse, si pessimiste, parlait sur un ton docte, à coups de maxime. Ils avaient tellement envie de décider, tous tant qu'ils étaient ! Quelle volonté de puissance ! A la longue, l'aspiration maximale de chaque Cubain, c'est de ressembler à XXL. Voici l'origine de nos malheurs, l'obsession de nous conformer au rêve de Martí. Si on est foutus, c'est par la faute de notre fixation sur Taille Super Extra, de l'influence hypnotique si malfaisante qu'il exerce encore sur la population ; c'est que du lever au coucher nous parlons de lui.

— T'entends pareil que moi, Cuquita, tu sais ce que ça veut dire de souffrir si longtemps, toute une sacrée vie, pour retomber dans le communisme ?! Merde alors, pourvu que l'étape du capitalisme qui arrive soit très longue ! Que Dieu nous encule après la confession de nos péchés, si je dois me farcir le communisme encore une fois !

— Avec la permission de la compagnie, la conversation est des plus agréables, mais *d'autres régions du monde réclament le concours de mes modestes efforts*... Cuca cite la dernière lettre du Che, s'il faut en croire Taille Super Extra.

Elle appelle à la rescousse sa double morale, se fraie un passage de ses mains couvertes de tendons et de grains de beauté rougeâtres. Elle gravit lentement les marches et arrive enfin devant sa porte. Cette porte qu'elle a si souvent ouverte et fermée durant trente et quelques années, si on l'examine bien, elle a besoin d'un petit coup de peinture à l'huile. Elle prend sa clé dans son soutien-gorge et en profite pour caresser le solide bout de papier. Sa clé tremblote dans la serrure. La voix de la Photocopieuse parvient à ses oreilles :

— Pauvre vieille, elle vient de vider ses ordures, elle l'a échappé belle, moins deux on la transformait en hachis de soja, pour avoir dit du mal de XXL, elle a failli se faire tuer… mais elle n'a même pas dit ouf ! Tu n'as pas remarqué, Fax, qu'elle a une grosseur au milieu de sa poitrine flasque ? Ou le cancer la dévore, ou elle cache quelque chose dans son soutien-gorge dégueulasse qu'elle ne lave jamais, parce que c'est le seul qui lui reste et qu'elle ne va pas l'user, d'ailleurs elle n'a même pas de quoi s'acheter un bout de savon.

La porte de son petit logement finit par céder, et la lumière du jour éblouit la dame. A cette heure, tout le soleil de l'univers s'accumule dans le salon exigu. Cuca Martínez va d'abord à la cuisine, ouvre le réfrigérateur rouillé et paupérisé, qui lui tient lieu d'armoire. Couchée dans son lit-tasse à café, Valentina Ousquonsenva, la blatte russe, dort. C'est une blonde aux yeux bleus, et la chaleur écrasante de l'irréparable General Electric de l'année cinquante-six l'a conservée albinos. La vieille dame évoque avec nostalgie les verres d'eau glacée qu'elle pouvait boire naguère. Pourtant elle donnerait son bras à couper que cet appareil aurait survécu quarante et quelques années dures*, seulement voilà, il a fait une attaque et là, question froid : zéro. Car le réfrigérateur soviétique offert par Reglita n'a marché que cinq ans, après ça il a échoué la tête la première dans l'atelier de réparations, unité de soins intensifs. Quant à l'histoire de l'amitié de la vieille avec l'insecte, elle est compliquée et prouve que la haine peut se muer en amour : à la fin des années quatre-vingt, La Havane fut en proie au fléau des cafards volants. Cuca éteignait les lumières, se couchait, mais bientôt elle avait soif, elle allait à la cuisine, rallumait, elle trouvait le placard sous l'évier et les frigos tapissés d'une couche vivante de cafards. Cuca Martínez utilisa des poisons de toutes sortes, elle lutta aux niveaux technologique, idéologique, voire psychologique, mais c'était toujours eux qui l'emportaient. Jusqu'au moment où elle se persuada qu'ils étaient les plus forts, qu'ils étaient au pouvoir et que, vu son impuissance à les écraser et à les exterminer, il ne restait plus qu'à les aimer. Les années quatre-vingt-dix arrivèrent et le fléau disparut, mais il resta une blatte, coincée dans le beurrier. La vieille dame la lava soigneusement et la baptisa de ce nom si sonore et si extravagant en hommage à la première cosmonaute qui s'était envoyée en l'air dans le cosmos**. Des années après, le premier Latino-Américain monta dans l'au-delà étoilé et il fallait que ce soit un Cubain ! C'était un mulâtre de type indien. Il s'agissait de péter

* Allusion à un recueil de nouvelles de Jesús Díaz, *Los Años duros*, 1966. *(N.d.T.)*

** Il s'agit de la Soviétique Valentina Terescova. *(N.d.T.)*

plus haut que son cul, de faire une révo plus grande que celle de Gulliver à Lilliput. Aguinaldo Tayuyo partagea la une du *Granma*, l'organe officiel du Parti (sans laisser d'adresse), avec la vache – pas folle du tout – Mamelle Blanche, un phénomène bovin inventé par XXL, maître incestueux, père hyper amoureux, qui érigea un monument en son honneur. Tayuyo, lui, n'y eut pas droit ; d'après les blagueurs, il descendit du cosmos les mains couvertes de bleus, car à chaque fois qu'il allait appuyer sur un bouton, le Soviétique Youri Romanenko lui donnait une tape : "Caca, pas touche."

La nationalité russe, c'est Valentina Ousquonsenva elle-même qui l'a choisie. Dans les années quatre-vingt-dix, il y eut une invasion de souris et l'histoire se répéta, Cuca fut à deux doigts de l'infarctus, ou de se faire greffer un stimulateur cardiaque recyclé, à force de s'énerver à cavaler après les souris, armée d'une batte de base-ball. Seulement voilà, embrouillamini des espèces ! Valentina Ousquonsenva tomba follement amoureuse d'un souriceau émacié, un Noir éthiopien, qui le lui rendit au centuple. Cuca Martínez ne put faire autrement que d'accepter la demande en mariage. Le souriceau fut baptisé, le jour même des fiançailles, sous le nom de Juan Pérez, en mémoire de l'ancien amour unique de la douce hôtesse. Ils se marièrent en grand tralala et naturellement, c'est leur témoin, Cuca, qui finança la noce. Valentina Ousquonsenva se rendit dare-dare à l'hôpital González Coro – anciennement le Sacré-Cœur – et se fit poser un contraceptif, la situation ne se prêtait guère à faire des enfants trop vite. Ainsi, ils vivent très heureux tous les trois. Encore que les premiers temps, tout ne fût pas couleur de rose. Le comité de défense de la révo et la Fédération papayocratique cubaine firent la guerre à Cuca parce qu'elle hébergeait des étrangers sous son toit. Néanmoins il s'agissait d'étrangers autorisés, de nos frères soviétiques et éthiopiens, Cuca fut à deux doigts de se faire torturer par la Sûreté de l'Etat, elle frôla la chambre froide de Villamarista. Mais sur ces entrefaites, la possession de dollars fut autorisée, et on vit d'un meilleur œil les relations avec les touristes. La situation devint si critique que même les organisations de massues (massues à la place de masses, ce n'est pas une coquille, c'est mis exprès) fermèrent les yeux. Et tout revint à cette normalité si anormale dont nous avons l'habitude.

— Valentina Ousquonsenva, tu es là ? C'est moi, Cuca. Et Pérez, il est sorti ?

— Il est allé pointer pour moi à la queue de l'éventaire. Il y a eu un arrivage de choux. Moi je me repose, j'ai les jambes en compote après la queue à la pizzeria. Le reste de la pizza c'est pour toi, nous on a déjeuné.

Valentina Ousquonsenva enlève le disque rayé de Karel Got, et elle insiste :

— Il faut te nourrir, Cuquita, tu es d'une maigreur, on croirait que tu souffres d'une tumeur maligne.

Encore une veine que le Mickey Pérez soit allé se farcir la queue, pourtant elle a le tampon du *plan filet* (à provisions), ce qui n'est pas pareil que le plan enfilé. Le premier plan, c'est encore une astuce du gouvernement révo pour que les travailleuses ne fassent pas la queue, mais parfois les queues sont plus longues dans le plan filet que dans le plan des camarades sans emploi à leur compte, cela ne veut pas dire que le nombre de travailleuses ait augmenté ; c'est parce que rien n'est plus facile que de se dégoter une attestation comme quoi on travaille dans tel ou tel bureau, et… l'affaire est dans le sac. Le deuxième, le plan enfilé, consiste à se mettre au régime de la drague, à draguer des petites, ou des petits, des mignonnes ou des mignons, en quantités industrielles.

Cuca n'a pas faim, récemment elle a perdu l'appétit. Elle va vers la radio soviétique d'un rouge métallique et l'allume :

— *La Passion de Silvia Eugenia*, annonce d'une voix de ténor de quatrième ordre le speaker de Radio Ennemie, la plus écoutée en long en large et en travers de l'île. Sur-le-champ, l'actrice éclate en sanglots. Ses larmes se prolongent, entre balbutiements et cris, cinq bonnes minutes. Cuca se solidarise, par inertie, en geignant près de son poste. Non seulement les gens applaudissent par inertie, mais ils font aussi tout le reste, et survivent, par inertie. Sans cesser de jérémier, elle glisse ses doigts noueux entre ses os, jadis ses seins, et sort le billet. Un dollar, tout ce qu'il y a de vert. Authentique.

— Je crois vraiment que je vais m'acheter un poudrier.

Le miroir constellé de chiures de mouches reflète son visage, sillonné de grosses larmes terreuses ; ses sourcils, ses cils, ses cheveux, ses vêtements sont poussiéreux à cause du sable que la bourrasque avait soulevé tout à l'heure.

— Mon Dieu, comme j'ai vieilli ; mes grains de beauté se sont transformés en verrues rouges, et le pire est que je m'y suis habituée, je ne m'en rends même plus compte ! J'ai les soixante-deux ans les plus moches du monde…

Dans son salon s'entassent des meubles de styles disparates. Des chaises Art déco avec des fauteuils en vinyle années cinquante. Le miroir est Art nuvó (enfin, ma petite, ça ne s'écrit pas comme ça). Si ça m'amuse, moi, de l'écrire comme ça me chante. Sur le buffet créole, il y a un vase de verre bleu en forme de poisson, la bouche c'est l'ouverture, d'où émerge un bouquet d'immenses tournesols en plastique. Au mur est accroché à la place d'honneur, un superbe autel dédié à Obbatalá, la Vierge des Mercis. Avec un respect infini, elle soulève la cape blanche brodée de perles et dissimule le billet entre les jambes de la déesse. Immédiatement, elle se recoiffe. Elle remarque un tableau posé à l'envers sur un coin du buffet, elle le prend scrupuleusement, nettoie le verre avec son avant-bras. Portrait à astiquer la mauvaise conscience, c'est le filtre ou tamis de la double morale, pour sauver les apparences. Il s'agit d'un portrait, colorié à la main, datant des jeunes années de XXL, Taille Extra, *Qui tu sais, Ruth*, la sœur méchante du téléfilm brésilien, Garçon Ténèbre, Cette Fille, ou encore María Cristina, à cause de la chanson de Nico Saquito et de son refrain :

María Cristina veut me commander,
et moi j'abonde dans son sens, j'abonde,
car je ne veux pas que les gens racontent,
que María Cristina veut me commander…

En résumé tous les sobriquets que personne n'ignore et qui n'ont pas pu le renverser. La vieille dame lui parle tout bas, timidement, cependant elle le prend à partie en agitant un doigt menaçant :

— Je ne vais pas te pardonner, fils de p…, n'y compte pas. Je veux mettre les choses au clair, si tu es encore ici dans un cadre doré, c'est pour éviter que les langues de vipère ne s'acharnent sur moi. Aujourd'hui, pour la septantième fois, le pain n'est pas arrivé à l'épicerie. Le lait a tourné pendant le transport. L'aile de poulet réservée aux gens soumis à un régime brille par son absence… Ce n'est pas comme ça que l'on pourra continuer à te faire une révo plus grande que nous-mêmes… Chut, chut, chut… Je te replace sur l'autel pour ne pas souiller mon dossier. Enfin quoi, vas-tu enfin apprendre… Mais non, tu n'apprendras jamais rien, fils de p… ! Non, détrompe-toi, ce n'est pas fils de pure, c'est fils de p… J'ai une de ces envies de te cracher à la figure, de te flageller le dos, de te jeter aux ordures ! C'est vache, la vie, car c'est toi qui passeras dans l'histoire pour l'homme plein de bonté. Moi, grande connasse en somme, je passerai pour la méchante du film, la tyranne, comme chante la Lupe, *chacun en ce bas monde raconte le conte à sa manière, et le fait voir à sa façon dans l'esprit de chacun…*

Cuca Martínez sourit, fière de s'être souvenue si parfaitement et avec tant d'amour de la Lupe, et de sa voix rocailleuse de traînée. Aussitôt, une larme coule sur sa joue et l'inonde, alors, rageuse, elle envoie un crachat en forme de compote verte sur le sous-verre, en plein sur le mignon visage de XXL. Sa figure se décompose en une grimace de terreur, elle prend le coin d'un mouchoir, l'humecte d'alcool à brûler et nettoie la photo, dans un *simulacre étudié*, en feignant le respect. En toile de fond, à la radio, Silvia Eugenia devra épouser l'homme qu'elle n'aime pas.

SECONDE PARTIE

LA SOLITUDE FÉMININE

Enfin le thème principal du film
La Flor de mi secreto *arriva, et aussi*
celui du film que j'aurais bâti
avec les mots de ma mère : la solitude.

PEDRO ALMODÓVAR

7

Un rendez-vous d'amour

Comme il est loin ce rendez-vous
qui nous a réunis pour la première fois,
on dirait une violette déjà fanée
dans le livre du souvenir du passé.

Chanson de GABRIEL RUIZ,
interprétée par la FREDDY.

— Une patate douce, messieurs dames, rien que d'y penser, j'en ai l'eau à la bouche ! Qu'est-ce que je vais faire à manger aujourd'hui, nom de Dieu ? Si ça se trouve j'ai un coup de pot, et en sortant dans la rue je tombe pile sur Chicho, le marchand de tubercules clandestin. S'il lui restait ne serait-ce qu'une banane plantain ou même qui sait, avec du bol, une patate douce ! S'il se pointait ce serait divin, car je ne tiens plus debout. Mes boyaux m'empêchent même de penser… Mais qu'est-ce que j'ai besoin de penser ? Chicho, ses prix sont abordables, enfin, des fois, il me fait une réduction, à moi, parce qu'il sait bien que je ne peux pas payer le prix fort du marché libre paysan. Une petite livre de porc, ça coûte la moitié de ma retraite. Que Dieu m'en garde, surtout pas ! Je vais faire un tour pour dénicher un peu de bouffe, ou en tout cas pour me balader, pour me distraire, des fois que j'oublierais ma faim.

Valentina Ousquonsenva, la blatte russe tendre et serviable qui vit avec moi, et son mari, l'Ethiopien Mickey Pérez, ils dorment comme des bienheureux. C'est bien connu, ces bestioles, la nourriture leur tient au corps, elles ont la digestion lente, d'ailleurs, elles avalent n'importe quoi, mais moi vraiment j'y arrive pas, tout ce qu'on achète avec la carte de rationnement, ça me débecte, pouah, plutôt crever ! Seulement je dois me nourrir, je suis dans un état, j'y vois double, je suis moulue. Je n'ai rien à me mettre sur le dos, j'ai tellement maigri, plus aucune robe ne me va. Je ne me reconnais plus, je suis désarticulée, je n'ai plus que la peau sur les os, je ne me reconnais plus dans mon corps et me trouve ridicule à tanguer comme une barque.

En un tournemain, Cuca Martínez enfile une guenille, se débarbouille la figure et les parties avec un bout de savon de ménage, coiffe sa tignasse blanche en arrière, s'humecte d'une goutte d'eau de violette derrière l'oreille. Elle se rappelle que, dans le temps, une amie l'avait mise en garde contre l'eau de Cologne à la violette qui, paraît-il, éloignait les hommes. Elle pense que son homme ne peut pas être plus loin, aucun autre homme d'ailleurs. Elle prend son filet à provisions, qui était accroché au loquet de la porte. Avant de sortir, elle griffonne un mot pour ses amis les animaux. Elle ne veut pas qu'ils s'inquiètent pour elle, ils sont si généreux, si braves, si solidaires. Il y a quelques jours, elle envisageait de faire un testament en leur faveur, ainsi, le jour de son décès, ils hériteraient de son petit appartement, et la réforme urbaine ne pourrait pas les déloger plus tard. Après tout, sa vraie famille c'étaient eux. Oh non, comment pouvait-elle oublier Pénisse et Phimosis, oh pardon, je veux dire la Mechu et la Puchu ! Les vraies confidentes de ses larmes. Et puis la Môme, bien sûr.

La bâtisse paraît à l'abandon, il y règne un silence sépulcral, chose étrange là où les radios et les téléviseurs sont le symptôme de vie essentiel, ils sont même le symptôme de l'explosion démographique. En un rien de temps, elle longe les couloirs, dévale les escaliers, et ne distingue aucune lueur – même pas celle d'une bougie – chez ses amies. Elle expose son corps las à la lumière de midi, et le soleil lui blesse les yeux. Le paysage scintille d'une blancheur intense. Elle cherche l'ombre, mais la plupart des arcades sont en ruine, et le soleil se glisse dans la brèche causée par un écroulement de colonnes inopiné. Elle descend la rue Línea en direction de l'océan et découvre une foule qui avance de l'hôtel *Nacional* vers le parapet du Front de mer. Ça ne doit pas être la manifestation du 1er Mai, parce que c'est dans deux mois. Les gens sont habillés d'une drôle de façon, comme pour tourner un film avec décors de la Riviera française, ou pour le festival de Cannes, avec des plumes, des voiles, des chapeaux de paille, des turbans, des médaillons sur les décolletés, des perruques. Cuca se frotte les yeux, elle se demande si ce n'est pas la faim qui lui fait voir des chimères. Sur la fausse pelouse, verte c'est verte que je te veux*, tant elle est artificielle, on a installé des tables couvertes de nappes blanches en dentelles, imitation des broderies compliquées de Bruges. Les assiettes resplendissent, intactes, de même que les serveurs

* Vers d'un poème de Federico García Lorca. *(N.d.T.)*

déguisés en smokings d'une blancheur tout aussi immaculée. La blancheur règne. Cuca attend le sang. Car la débauche de pureté attire la violence, il en est toujours ainsi. Mais non. Les riches, car il s'agit sans aucun doute de millionnaires, se pavanent et s'enivrent comme les Romains de l'Antiquité. Cuca a de la salive qui perle à la commissure de ses lèvres ; son estomac, plus vide qu'un stade sous la pluie gargouille, elle est prise d'un léger étourdissement. Des touristes riches et de riches membres du Parti prennent du bon temps avec leurs casquettes multicolores, leurs lycras excentriques, leurs *guayaberas* aux plis amidonnés et leurs chemises imprimées de cocotiers roses. Assis sur le parapet du Front de mer, sous le soleil ardent de l'éternel été, des milliers et des milliers de spectateurs semblables à Cuquita crament, à moitié évanouis de faim, de soif et de chaleur. Notre chaleur à nous, celle qui donne l'impression que les journées, ici, sont plus profondes, plus intenses, plus accablantes et sacrément tragiques. La femme marche à petits pas, de crainte de glisser et de se fracturer la hanche. Puis, à côté d'une autre dame hébétée devant tant de victuailles :

— Ça veut dire quoi, tout ça, ou alors j'ai des visions ?

— Des visions ? Pas du tout, des divisions. Moi aussi, ma pauvre, j'ai cru que je rêvais éveillée. Non. C'est des régates, un championnat du monde, pour des gens bourrés de fric… Moi, je suis venue rien que pour voir comment ils mangeaient, pour regarder le manger, sinon je risque d'oublier à quoi ça ressemble.

La vieille dame traîne la patte mais elle est tout de même coquette, genre poupée Barbie patineuse dans une pub. Sur l'avenue, effervescence impressionnante des richards. Même avant notre ère, cette ère qui avait accouché d'un cœur*, elle n'avait jamais vu tant de millionnaires réunis. La colline sur laquelle est érigé l'hôtel *Nacional* sert de tribune, avec vue sur le Front de mer. On y voit Taille Super Extra-Large, en uniforme vert pourri, prodiguer les sourires, faire des grimaces d'arriéré mental ou de mec complètement gaga à cause de l'artériosclérose. On l'apprécie, ou on le déprécie, au comble de la félicité, à deux doigts de l'éden ou du dédain, accompagné d'entrepreneurs étrangers, et de concurrents des Emirats arabes, qui gagnent la compétition. Caruca a des crampes d'estomac ; toutes ces cuisses de poulets rôtis qui défilent à la tribune la font loucher. Tout à coup, XXL file comme une flèche, applaudi et applaudissant lui-même, il monte dans sa Mercedes et parcourt ce qu'il appelle la *glorieuse zone triomphale du Front de mer* où, selon ses paroles rauques, le peuple, *nous*, quoi, nous avions une fois de plus fait la leçon à l'impérialisme yankee, en gagnant la bataille contre le *Lumpen*, contre la cinquième colonne (encore une expression des années soixante qu'il a piquée à sa petite sœur Rosa, la Chinoise), dans les troubles troublants du 5 août 1994. Moi, ça me fout en rogne ce *nous* si prolétarieux dans la bouche des politicards. Pour abréger, un millionnaire, de ceux qui ne peuvent pas sauter leur maîtresse sans avoir doublé Julio Iglesias dans un karaoké privé, brandit une canette de Coca-Cola et porte un toast au *Comediante* en Chef, euh, à María Cristina, euh, à Qui tu sais.

* Parodie d'une chanson célèbre de Silvio Rodríguez. *(N.d.T.)*

Les autographes s'envolent de la main de XXL vers le public attroupé. Il est fait don d'un chèque de vingt-cinq mille dollars pour les enfants cubains. Au cas où les dollars seraient répartis, cela ne reviendrait même pas à un demi-sou *per capita*. Moi, j'adore les millionnaires, leur munificence, c'est justement pour ça qu'ils sont millionnaires, parce qu'ils passent leur temps à rêver à leur tirelire. On entonne des vivats et des hymnes mal mémorisés à la mémoire du Che, et on voit bien qu'ils s'en souviennent mal. Sur ce, quelqu'un réclame la chanson lave-conscience des magouilleurs, n'attendez pas quelque chose de transcendant, un opéra, une sonate, alors, vous ne devinez pas ? *Elle reste ici la transparence claire et aimée de ta chère présence, commandant Che Guevara.* Je suis allergique à ce Carlos Puebla, question d'overdose. Pour conclure, comme il faut s'y attendre, Taille Extra se dispose, et prédispose le public, à faire un discours. Nul n'ignore sa réputation d'orateur captateur. Bientôt, il porte la main à sa poche droite en simulant un geste d'amour, des milliers de colombes blanches prennent leur envol populaire, alors il palpe sa poche gauche, mais cette fois il ne se passe rien. Il presse plus énergiquement, pour activer le stylo à bille qui aurait dû émettre un signal de haute fréquence – que seules les colombes perçoivent – vers le petit appareil connecté à la patte de l'une d'elles, ce qui aurait dû l'attirer vers lui, plus par technologie que par mystère, en lui imposant de se poser sur son épaule. Un subterfuge utilisé au début de la révo, et que le monde entier avait interprété comme un signal de l'au-delà, un indice que Taille Extra était l'élu, alors qu'en réalité c'était une invention du même individu qui, quelques années auparavant, avait fait enlever Fangio, le coureur automobile, sur ordre du Mouvement du 26 juillet. María Cristina, euh, XXL, farfouille dans sa poche avec insistance mais la colombe, au lieu de venir vers son épaule, se contente de pousser et de lui lâcher une crotte sur la tête, qui lui dégouline sur le front jusqu'à la barbe grise. Pas un rire. Car le seul domaine où la gouaille n'a pas cours chez nous, c'est dans nos interprétations magico-historiques. Mauvais augure, pense chacun des cerveaux, mais personne ne bronche. Le silence est absolu, écrasant. Seule sa voix s'époumone, impuissante – il n'y a pas que la voix –, parcourt les rues havanaises, de haut-parleur en haut-parleur, et fait pas mal de couacs. Tout d'abord, il énumère tous les chiffres économiques depuis la première année du triomphe jusqu'à cet instant, *la glorieuse période spéciale*, et il met en avant les sacrifices, en ces temps de crises et de réformes économiques, alors que l'ex-camp socialiste et blablabla, puis il se remet à déblatérer contre les Russes. Oui, ce peuple glorieux résistera, et même quand il n'y aura plus personne debout, il continuera de résister, et avec les os de nos morts nous ferons… Puis il cale. *Avec les os de nos morts nous ferons…* Il regarde autour de lui pour chercher de l'aide, rien à faire, il ne trouve pas ce que nous ferons de nos squelettes. La foule l'observe, suspendue à une cuticule, horrifiée devant la perspective tragique et la destinée incertaine de nos fémurs, tibias, péronés, coccyx ou croupions frétillants, cubitus, radius, crânes, colonnes vertébrales, bref soucieuse de notre avenir osseux. Enfin, il claque son pouce contre son majeur, signe qu'il a trouvé la solution : *Avec les os de nos morts nous ferons un marimba géant pour entonner les notes de notre glorieux hymne national.* Un soupir de soulagement collectif couvre le bruit des vagues qui se brisent contre le parapet. Encore heureux, nous serons un instrument de musique, car il aurait bien pu nous transformer en os internationalistes et faire don de nos personnes à un musée de biologie et de sciences naturelles, ou nous vendre comme hochets à un zoo européen pour amuser les lionceaux, ou encore nous transformer en boucles d'oreilles et nous exporter à une quelconque foire mondiale d'inventeurs. Il souligne le fait qu'il faudra reprendre le travail idéologique, renforcer la conscience révolutionnaire, fortifier l'esprit combatif pour liquider la corruption et les privilèges, pour détruire les babines sanguinolentes de l'ennemi impérialiste yankee, oui, nous devrions nous enorgueillir de vivre dans la période spéciale car cet acte héroïque nous rend plus révolutionnaires, plus libres, plus forts… Les richards n'y pigent que dalle et continuent de porter des toasts au dom pérignon. *Nous sommes plus forts*, répète-t-il, et là-dessus la foule s'agite, un type appelle au secours, au secours, vite, une civière, y a une vieille qui s'est évanouie.

La Puchu et la Mechu, baignées d'une sueur laiteuse à cause de la coquille d'œuf (eh oui, on ne peut pas perdre l'habitude de se saupoudrer le corps de coquille d'œuf en poudre, rapport au mauvais œil, qui désarme pas), tiennent une palme dans la main droite et regardent la foule de badauds s'agglutiner autour de la vieille, qui a tourné de l'œil. Près d'elles, en train de griller au soleil, Fax et

Photocopieuse. Cette dernière mâche un chewing-gum qu'un trafiquant a craché du haut de la tribune et qu'elle a intercepté au vol. Fax est affreusement bouleversée. Elle ne comprend pas un traître mot à la situation : ce jargon jargonnant n'a rien à voir avec le communisme nouveau tel que la momie de Vladimir Ilitch – excusez du peu – lui faxe en ce moment. Alors elle décide de faire mentalement, par télépathie, le numéro de Nikita Khrouchtchev, mais elle se goure d'indicatif et tombe pile sur le bureau purgatorial de JFK. John Kennedy, pas l'aéroport, mais l'ex-chef d'Etat, qui est loin d'être idiot, lui, sauf que sa mâchoire, vous avez remarqué, elle ressemble à celle de Clinton, bref il lui donne son avis et son information, que Fax écoute paisiblement ; elle est aux anges, car elle se croit en communication avec Nikita. En prenant congé, elle s'aperçoit qu'elle parlait avec le président des Etats-Unis sacrifié, elle tourne de l'œil et s'écroule raide par terre, atteinte d'une crise d'épilepsie, alors son cerveau opère un virage à cent quatre-vingts degrés vers le capitalisme. Elle et Cuca Martínez sont transportées aux urgences de l'hôpital Hermanos Ameijeiras. L'agent de la Sûreté de l'Etat (de putréfaction) qui les accompagne demande pour elles des électrochocs au lieu d'une réanimation par un bouche-à-bouche, ou d'aspirines, ou d'un simple tampon de coton imbibé d'alcool à leur appliquer sous les narines. Le médecin n'est pas loin d'accéder au désir de cet agent braves-gens, non par décision professionnelle, mais parce qu'en fait de médicaments, il n'a précisément que des électrochocs à leur offrir. Quelle veine ! La Mechunga, la Puchunga et Photocopieuse, témoins de la scène, attendent que le flic sorte, elles avaient bien envie de lui faire un sort (elles n'en auraient fait qu'une bouchée), et supplient le médecin de trouver un bout de pain et de l'eau sucrée pour la vieille car sa maladie, c'est qu'elle a l'estomac dans les talons, plus vide qu'une piscine olympique en hiver, hors compétitions. Elles ajoutent qu'elles prendront soin de la jeune fille. Dès que le médecin leur tourne le dos pour chercher du pain rassis et du bouillon de poulet, Photocopieuse lève sa jupe, grimpe sur le brancard, s'accroupit sur le nez de Fax, et lâche un pet de sa foufoune. Ça schlingue le calamar pourri et ça réanime la jeune fille qui invoque maintenant Rockefeller, Onassis, Miguel Boyer et Bernard Tapie en plein procès. Quand elle remarque la présence horizontale de Cuca Martínez, allongée sur le brancard, violette, non comme un raisin, mais comme un cadavre de Staline en Sibérie, elle pousse des cris perçants :

— Assassins, vous l'avez tuée, à bas le communisme !

Photocopieuse lui cloue le bec avec son chewing-gum. En même temps, la Puchunguita et la Mechunguita maintiennent la jeune fille par les mains et par les pieds. Terrorisées, elles la calment d'abord à mi-voix, ensuite elles lui murmurent à l'oreille .

— Garde tes pensées pour toi, merde, et gueule pour les autres.

La fille ouvre des yeux démesurés comme une schizophrène furibonde et vocifère, avec un sanglot coincé dans les amygdales :

— Vive Taille Extra, le socialisme ou la mort !

Du pain rassis, il n'y en a pas, mais le docteur revient avec un verre en plastique, ébréché et dégoûtant, d'eau sucrée – de ce sucre balayé dans les raffineries, que l'on vend au peuple avec la carte de rationnement. Sur des brancards voisins, d'autres malades en état comateux sont interpellés par des vendeurs qui offrent au marché noir presque plus qu'un *Carrefour* français ou qu'un *Mol* de Miami : des pintes de glace au chocolat, des patates farcies à la viande de chat ou de rat et des boîtes de faux Cohiba ou de Montecristo. Une femme que l'on vient d'opérer hurle, hors d'elle, en portant les deux mains à sa blessure :

— Aïe, quelle douleur, un calmant, merde, apportez-moi un calmant !

Un autre patient raconte que l'on a extirpé un fibrome à cette malheureuse avec un nouveau produit chinois qui provoque, non pas l'anesthésie, mais l'amnésie.

— Personne n'a de calmant par ici ? s'enquiert le médecin, honteux, à l'adresse des visiteurs et des autres patients.

Cuca Martínez finit d'ingurgiter le breuvage, maintenant elle se sent revigorée. Elle cherche dans son filet et trouve un Doliprane qu'elle avait acheté dans les années quatre-vingt. Il est quelque peu racorni, mais doit encore faire son effet. La femme avale ce comprimé comme si elle communiait avec le corps du Christ, ses os, ses tendons, ses glandes, bref avec le Christ ressuscité et tout frétillant. Fax, Photocopieuse, Cuca, la Puchu et la Mechu remercient le docteur avec maints "loué soit le Seigneur", pour ses excellents premiers secours, et au moment de se retirer, elles se cognent contre le paravent constitué par le costaud, agent de la Sûreté de l'Etat. Une fois qu'il est persuadé d'avoir atteint son objectif, celui de les intimider par son allure de casseur officiel, il a un sourire cynique puis s'efface, presque galant et les laisse se diriger vers la porte de sortie. Avant de les laisser en paix (sans prospérité), il profite que Photocopieuse est la dernière et, comme un diable libidineux, il passe son doigt sous sa jupe et le lui fout dans le con. Non pas pour profiter de la fille, mais pour bien s'assurer qu'elle n'a volé aucun instrument ou médicament de l'hôpital, camouflé dans ses parties, afin de le revendre. Photocopieuse ne moufte pas, car elle sait qu'elle lui a collé une terrible syphilis au bout du doigt, une maladie que l'on a éliminée ici, selon les statistiques victorieuses.

Les cinq femmes-mousquetaires se retrouvent sur l'avenue, désolée à présent. Les festivités sont terminées, la tribune démontée, il n'y a plus âme qui vive dans les environs, on aperçoit seulement les reliefs du festin et le désordre des assiettes en plastique rutilantes, des gobelets en carton, vidés jusqu'à la dernière goutte. Elles traversent l'avenue et atteignent le parapet. Elles s'assoient, le dos à la ville, contemplent la mer aux couleurs éteintes qui resplendit malgré tout d'une immense beauté, et dédient un hommage silencieux à leurs disparus. Car dans ce pays chacun a un *balsero**. Fax pleure, désespérée et déséquilibrée. Pour la première fois de sa vie, elle exprime tout le traumatisme qu'elle a enfermé à double tour dans son âme. Les gens viennent se rassembler sur le parapet. Nous raffolons des potins, c'est bien connu, et une foule intéressée par l'histoire de la jeune fille se joint spontanément au groupe. On voit arriver Hernia, la voisine du rez-de-chaussée

* Les *balseros* sont des boat people. (*Balsa* : radeau.) *(N.d.T.)*

dont l'appartement, à cause de la mer et d'autres calamités, s'est transformé en une ruine au sol rocailleux comme la grève, avec des rochers pointus et des stalagmites ; au plafond, comme dans une caverne postmoderne, brillent des stalactites et les murs, couverts d'algues et de mousse, vibrent. Hernia avance, en traînant une existence si post qu'elle la condamne à tout jamais. Bientôt, attirés par l'angoisse, Yocandra et ses deux maris débarquent ; ce n'est un secret pour personne que cette pseudo-intellectuelle de pacotille baise comme un chevreuil et vit avec les deux, en tout cas elle fait un roulement mais si vous voulez mon avis, chacun fait de son cul un tambour et le donne à qui en joue le mieux. Ainsi, par petits paquets, les gens de l'immeuble se rassemblent, ceux du quartier, ceux de la municipalité, ceux de la circonscription, ceux de la province, auxquels s'ajoutent plus tard ceux des provinces limitrophes, puis celles-ci convoquent les autres et en définitive, l'île entière est réunie sur le parapet du Front de mer, pour écouter les tristes anecdotes de Fax.

Il se trouve que Fax avait un frère et un fiancé. Elle les adorait à la folie, inutile de le préciser. Comme on pouvait s'y attendre, ce frère et ce fiancé, qui avaient décidé de ne pas faire d'études supérieures, devant la perspective engageante de préparer une licence de construction ou une maîtrise de l'Ecole vétérinaire, furent pris par le Essèmo, ou SMO, le service militaire obligatoire, quoi. Ils décidèrent de faire face, n'ayant pas d'autre solution et un beau matin, ils partirent, du pied gauche, munis de leur brosse à dents, de leurs serviettes de toilette et de leur timbale respectives, ainsi que l'exigeait une rubrique de leur feuille de route, direction la guerre d'Angola. Pour eux, cela signifiait seulement partir à l'aventure, changer d'ambiance, quitter un peu la routine insulaire car dans les îles, l'aventure n'est pas toujours inoubliable, il y règne parfois un ennui pesant, à croire que c'est dimanche tous les jours de l'année. Pour leur malheur à eux deux, ils ne tombèrent pas dans le même bataillon, au contraire ils se retrouvèrent assez éloignés l'un de l'autre. Par une aube froide et sévère, comme toutes les aubes du monde, même celles d'ici, sous les tropiques, on sonna la diane plus tôt que d'habitude. On leur égrena une liste de noms de divers soldats et on leur vociféra l'ordre de se préparer, sans excuse ni prétexte, pour une longue expédition. Parmi les noms cités figurait le frère de Fax. Une fois formés et uniformés, sans explication préalable, on les engouffra dans un camion. Ils voyagèrent des heures et des heures fatigantes, fangeuses et fougueuses – nullement pour des histoires érotiques, mais en raison de la chaleur des bombardements. Au bout de trois jours, ils arrivèrent enfin dans un campement délabré, à la limite de l'effondrement, bâti en pierre grise et dallé de ciment. Alors seulement, le chef se remit à hurler des ordres, ils défilèrent, on leur cria, Garde à vous ! et sitôt après, Repos ! Le chef cracha un mollard vert par-dessus son épaule. Il commença un discours de bienvenue et d'informations générales que personne ne comprit. Nos discours sont ainsi faits qu'ils sont kilométriques, plus ils sont longs, plus ils sont inintelligibles et totalement incohérents. Parler pour user sa salive, et à partir du même modèle. Finalement, les soldats réussirent à tirer au clair la raison pour laquelle on les avait fait venir de si loin. On allait leur notifier deux communiqués d'une extrême importance. Le capitaine oligophrène révéla le premier communiqué de la façon suivante :

— Garde à vous, que tous les soldats qui ont encore une mère fassent un pas en avant ! Soldat Ramírez, restez à votre place, repos !

Ils en déduisirent que la mère de Ramírez était décédée. La seconde nouvelle était plus difficile à expliquer. Le capitaine se lança dans une tirade sur la discipline sexuelle des sol dats, la répression de l'éros et la relation autorisée avec les animaux, mais jamais avec les personnes car dans ce cas, c'était de la pornographie militaire, passible de la loi. Au bout de deux heures et demie il décida d'aller au fait et révéla en détail qu'un soldat du campement où ils se trouvaient provisoirement avait violé une Angolaise, et que le tribunal le condamnait à la peine de mort par fusillade. Ils se mirent tous à trembler, les jambes en coton. Ils faillirent chier dans leur froc quand on leur annonça qu'on les avait convoqués, eux, parce qu'ils allaient constituer le peloton d'exécution, rien de moins. Le frère de Fax fut pris de diarrhées quand ils sortirent l'accusé du cachot et que l'on découvrit son identité : le fiancé de sa sœur ! Ce n'était pas possible, il devrait tirer sur son ami, sur son futur beau-frère, qu'il devrait lui-même transformer en futur beau-frère cadavre ! Non, plutôt mourir ! Là s'arrêtait son sens du devoir, de l'armée et de l'obligation militaire. Il demanda une dispense. Elle ne fut pas accordée. Malgré les hennissements, plutôt que les insultes, de son chef, qui lui laissait à peine placer un mot, il put exiger, à force de brailler à pleins poumons, une entrevue avec ses supérieurs. Devant un tel grabuge, ses inférieurs – en stature seulement, pas en grade – lui firent la gueule. Ils prétextèrent qu'ils ne pouvaient pas intervenir en faveur du condamné, l'ordre venait de *là-bas*. Ce *là-bas* énigmatique, et qui est toujours au même endroit, sur n'importe quel trône, dans n'importe quel bureau où s'exerce le pouvoir. Finalement, après bien des batailles perdues et des cordes vocales nouées, ils concédèrent au frère de la jeune fille une entrevue avec le prisonnier, en présence d'un gardien. La rencontre fut brève, mais d'une dureté terrible, inoubliable. C'est le frère de Fax qui parla en premier :

— Est-il vrai que tu as violé l'Angolaise ? Je ne peux pas le croire, je ne peux pas, impossible… Pas toi. Tu n'as pas fait une chose pareille, toi.

— C'est pas moi, bon Dieu, je te le jure sur la tête de ma mère, c'est pas moi, c'est eux, les Angolais, mais ça, ils vont pas le reconnaître, ça les arrange pas… Bon Dieu, je te jure que c'est pas moi.

Le garçon, nerveux, pleurait à chaudes larmes et s'essuyait machinalement la figure. Il parlait tout bas et pleurait en même temps, sans énergie, comme celui qui a perdu tous ses moyens en gémissements et en suppliques.

— Aïe, aïe, aïe, mon Dieu, qu'est-ce que j'ai peur, je ne veux pas mourir, non, je ne veux pas qu'on me tue, sauve-moi, explique-leur qu'ils se trompent…

A l'issue de cet entretien navrant, le jeune soldat fut absolument convaincu que son ami n'avait rien à voir avec ce méfait C'était plus qu'évident, ses yeux ne mentaient pas, sa souffrance et sa terreur encore moins. Ses chefs l'écoutèrent en sifflotant, les yeux au ciel, des yeux à fleur de tête, à vrai dire ils firent preuve d'une débauche de patience, inhabituelle chez ces gens qui n'étaient guère accoutumés à ce déferlement de sentimentalisme niais. En bons militaires qu'ils étaient. Ils n'acceptèrent pas un seul de ses arguments. Le coupable c'était lui, pas un autre. La condamnation était celle-ci, pas une autre. Et le procès, et l'avocat ? La cause est jugée. Le frère de Fax dégaina son pistolet et visa les cerveaux. D'abord il les enterrerait tous. Il allait très vite, disons qu'il était sanguin, coléreux. Ils étaient trop nombreux contre lui, il y eut une lutte et ils réussirent enfin à le désarmer. Ils le ligotèrent et le jetèrent au fond du camion, avec un diagnostic de maniaque dangereux écrit à la machine et glissé dans la poche de sa chemise. Le camion démarra lourdement, la piste était mauvaise en raison des ornières, des pierres et des embuscades. Après un trajet de dix minutes, il entendit la salve et un cri enfantin, très bref. Le cri qui le rendit vraiment fou, inguérissable. Le hurlement à la mort de son ami innocent.

On le transféra d'unité en unité, d'hôpital en hôpital, de ville en ville, jusqu'au moment où on oublia le motif de sa présence. Il ne prononçait pas un mot, feignait de s'être évadé complètement de la réalité, et même de son esprit, bien qu'il n'en fût parti qu'à moitié. Ils diagnostiquèrent alors une maladie différente : amnésie totale, et ils l'expédièrent d'urgence à La Havane. Ils le ramenèrent chez lui en Lada bleu ministre à plaque blanche et remirent le malade à sa famille, couvert de distinctions et de diplômes victorieux qui louaient l'évidente attitude irréprochable du glorieux combattant internationaliste. Sitôt après leur départ, Fax, agenouillée devant lui, le questionna sur son fiancé, plus convaincue qu'interrogative :

— Ils l'ont tué ?

Il acquiesça en fermant les paupières ; quand il les rouvrit, en fixant le plafond, des larmes sillonnèrent ses joues et coulèrent le long des veines gonflées de son cou. Elle s'enferma toute une semaine pour pleurer dans un cagibi. Elle ne toucha pas à la nourriture, elle ne fit même pas ses besoins physiologiques, elle garda le silence, ce fut un long sanglot silencieux, dans son for intérieur, qui la blessa jusqu'au tréfonds. Son frère ne travailla plus jamais. Bientôt il devint *colero* au *Centro* (à l'époque, ce célèbre magasin d'alimentation en pesos cubains existait encore, il fallait y faire la queue des semaines et des mois). Son travail consistait à avancer dans les files d'attente, puis il revendait sa place ; grâce à ce commerce semi-illégal, il gagnait davantage que n'importe quel salarié de l'Etat. En outre, ça lui permettait de résoudre son problème d'insomnie, car ses souvenirs le taraudaient. Tout allait pour le mieux, mais une nuit, la police décida d'en finir avec les *coleros* et remplit à ras bord les paniers à salade. En route pour le violon, ils fouillèrent chacun des détenus. Ils réquisitionnèrent même les peignes et les cartes d'identité. Mais, manque de pot, ils découvrirent sur le frère de Fax un billet différent, un billet ennemi, taché de sang, non du sang glorieux versé par les martyrs en long, en large et en travers de l'île, mais du sang des menstruations de la petite pute qui le lui avait échangé et qu'elle dissimulait entre ses lèvres pubiennes. Bref, un dollar infecté de parasites et puant les règles. Le premier billet acheté au marché noir par le jeune homme. Acquis à l'époque pour la modique somme de quinze pesos. Au frère de Fax, on lui colla la modique quantité de quinze ans de prison. Pour bonne conduite, sa sentence fut réduite à cinq. Je n'entrerai pas dans les détails, par hypersensibilité à l'horreur, à propos des tortures et des humiliations qui furent infligées au garçon. De son séjour en cabane, il garde une cicatrice en pleine joue, genre Al Pacino dans *Scarface*, outre cent soixante-cinq traumatismes, conséquences de viols répétés. Mais celle qui se retrouva dans un hôpital de jour, c'est Fax. Le remède à sa folie, à son manque de foi, à sa crise d'identité et à sa confusion idéologique, la solution trouvée par les psychiatres, ce fut de contre-attaquer à coups d'électrochoc. Contre-feu à toute heure, une bonne série de courants dans le cerveau, ou dans le cul, et dehors la mélancolie capitaliste ! La jeune fille sortit de là métamorphosée, se prenant pour un appareil, pour une invention technologique : un fax communiste. Jusqu'à l'instant précis où son cerveau, par erreur, composa le numéro de Ji-Ef-Ka, au lieu de celui de Khrouchtchev ; alors son subconscient subit une transformation violente, genre fax tendance libre-penseur, ou centre gauche, ou Dieu sait quelle dénomination actuelle de la gauche et de l'ambidextre, au point que Konstantinov lui-même, celui du manuel, n'y comprendrait rien si jamais il ressuscitait.

Ainsi, défaillante, notre Fax termine son auto-psychanalyse publique. Le peuple entier se lamente en sanglotant, adossé au mur du Front de mer, le mur des lamentations. Tout de suite ils entendent de nouveau, par les haut-parleurs de l'avenue, la voix rauque et tranchante de XXL qui annonce la réédition des carnavals, jusqu'alors défendus. Que personne n'en soit surpris, il faudra toujours qu'il y ait des fusillades pour qu'il y ait des carnavals. Pour le divertissement. Une fois que les gens se seront soûlés et oublieront, on interdira de nouveau les chars et les farandoles, en effet, par je ne sais quelle fragilité de notre matière grise, nous diluons à tous les coups notre mémoire dans le rhum artisanal ou dans la bière pression, nous buvons jusqu'à la dernière goutte et bien sûr, nous pissons aussitôt et nous expulsons la mémoire incrustée dans la pierre d'une colique néphrétique passagère, puis nous tirons la chasse – s'il y a de l'eau – sinon nous versons un seau. C'est notre destin, notre croix. En moins de temps qu'il n'en faut pour le dire, le peuple sèche ses larmes, les anecdotes tragiques lui inspirent les paroles d'une conga, et la foule se dispose à se trémousser derrière le char de la Construction et de la troupe du Scorpion.

Sauf les habitants de l'immeuble, déjà mentionnés précédemment, tous les autres font une ronde, pour effacer le passé éphémère et danser la rumba. Photocopieuse, la Mechu et la Puchu tentent de redresser la langue de Fax, en pleine crise aiguë d'épilepsie. La nuit est tombée et Cuca Martínez entend un bruit étrange sur les hauteurs, comme si on avait mis un moteur sur la lune. Elle lève les yeux au ciel, les petites lumières d'un avion laissent un sillage blanc dans les ténèbres nocturnes. Comme chaque fois qu'elle aperçoit un avion, c'est-à-dire presque jamais, elle se berce d'illusions sur le retour désiré de son amant. Lui, son sauveur ou son noyeur. Elle est devenue coquette, elle songe à se procurer à tout prix un dentier, à teindre ses cheveux blancs à la violette gentiane, au mercurochrome ou avec des touches de rouge antiseptique pour guérir l'amygdalite, à s'acheter un poudrier avec le dollar dissimulé sous la cape de la Vierge des Mercis. Cependant, elle efface aussitôt ces élucubrations. Elle prend un mouchoir fait au crochet dans son décolleté pour essuyer la sueur sur le front de Fax Médium. Inspirée, elle chante d'une voix de contralto de Clara, celle de Clara et Mario, le très célèbre duo de l'émission de télévision *Ensemble à neuf heures* d'Eva Rodríguez et d'Héctor Fraga, ou de *Bonsoir*, au temps nostalgique de Mirta et Raúl :

Et la mer, miroir de mon cœur,
les fois où elle m'a vue pleurer
la perfidie de ton amour.

Elle observe l'immensité du ciel, un nuage a dévoré l'avion. La petite boule dans son sein bat comme les signaux lumineux d'un feu de croisement déréglé, elle pense que cela doit être un signe annonciateur de la pluie, ou d'une nouvelle, bonne ou mauvaise. Elle cherche dans son filet, prend une petite flasque de tord-boyaux fabriqué en alambic et se tape deux rasades coup sur coup. Elle en offre aux autres femmes, qui acceptent de bon cœur. Un type s'approche et propose, mine de rien, des raies, pas le poisson, mais des raies de cocaïne, en dollars. Comme personne ne réagit, il s'éclipse discrètement, dans une Nissan blanche bourrée de tapineurs des deux sexes et d'Italiens gauchistes. Les amies traversent l'avenue en direction de la Rampa, la jeune fille est encore frissonnante, ses mâchoires s'entrechoquent comme des castagnettes. Elles ont à peine parcouru quelques blocs, jusqu'à la hauteur du cinéma *Yara*, que Photocopieuse est interpellée par un type aux longues boucles excentriques décolorées à l'eau oxygénée, style Shirley Temple.

— C'est toi, Photo ? Que t'es maigre, t'as vraiment mauvaise mine !

— Quoi d'neuf, Bureau bouclé ? Toi par contre, t'es sublime, où t'as trouvé l'eau oxygénée pour te faire décolorer ? Ça fait je ne sais combien d'années que je n'ai pas vu un flacon d'eau oxygénée de mes propres yeux ! Vise dans quel état elle est, notre *paille de fer* – la chabine ébouriffe sa tignasse décrêpée, avec des racines de cinq centimètres –, les coiffeurs sont fermés. Branche-moi, Bureau bouclé.

C'est le sobriquet d'un joli fonctionnaire, bureaucrate moderne dernier cri, anneau d'oreille et sophistication comprise, attifé de toutes les babioles nécessaires pour compléter le harnachement d'un tympan technologiquement avancé capable d'entendre, voire de répondre. Le définir comme homosexuel est une insulte aux homosexuels. Il est, simplement, un *ça* inqualifiable.

— Tiens, je l'ai achetée dans la boutique de l'Union des écrivains et artistes de cuba – j'écris *cuba* en minuscules car en fait c'est plutôt cuve que Cuba, étant donné la grande quantité d'alcool que ses membres ingurgitent – mais tout s'est volatilisé en un clin d'œil, on avait mis en vente deux bouteilles d'oxydant et de shampooing, trois tubes de déodorant, un paquet de bigoudis, cinq boîtes de talc, et dix cartes postales avec la reproduction du tableau de Bonnet-à-part, le mec du musée Napoléon.

Dans cette livraison, il n'y a pas eu non plus de papier ni de rubans machine, enfin ça fait des siècles qu'on n'en trouve plus, quant aux machines, pas à coudre, à écrire, elles brillent par leur absence. Mais ma chérie, parle-moi de tes activités non illégales. Photo, mon trésor, quelle nouvelle ? Présente-moi à tes amies. Enchanté, je suis Bureau bouclé. Je travaille dans un INSSTITTUUT.

Il a une prononciation des plus distinguées, en majuscules, pour se donner de grands airs.

— Photocopieuse, je la connais depuis des milliers de millénaires, depuis l'époque où on travaillait ensemble à l'Académie des sciences. Mais oui, tu te rappelles quand on s'activait à marier des mouches noires avec des mouches rouges ? Et ces salopes de rouges ne voulaient pas se taper les noires, elles étaient racistes à crever !

Dégoûtée, Cuca Martínez a la nausée, elle retient sa respiration, puis elle inspire profondément et son envie de vomir disparaît. La Mechunga et la Puchunga écoutent, installées sur les marches qui mènent au cinéma, en compagnie de Fax. Les deux femmes ne lâchent pas la jeune fille, de crainte qu'elle ne s'évanouisse, au passage, elles la pelotent un peu, car elles sont peut-être devenues vieilles, mais pas impuissantes. Bureau bouclé gesticule sans cesse très élégamment, on dirait qu'il chasse des moustiques dans une loge de la Scala en applaudissant l'Opéra de Pékin, tout en racontant ragot sur ragot. Enfin il demande avec malice à qui elles vont offrir leur temps misérable dans les minutes qui suivent.

— Nous rentrons à la maison pour voir le feuilleton du samedi soir, celui d'Omnivideo, répond Photocopieuse.

— Allons donc, les filles, pas question de ça, c'est d'un ennui, vous devez venir avec moi chez Omnivideo, justement, c'est le surnom d'un petit pédé de mes amis qui organise des shows dignes du *Coup du samedi* de Carlos Otero ! Je vous invite à une soirée de folles absolument divine, c'est le dernier cri ! Vous devez connaître *La Bassesse*, vous allez vachement vous marrer. Le billet d'entrée coûte dix pesos mais aujourd'hui, c'est moi qui paie. C'est sensationnel, figurez-vous qu'aucun touriste ne va plus au *Tropicana*. Les filles, c'est démodé, je vous dis, ces mulâtresses à cellulite avec leurs bas troués, elles sont à faire peur, très peu pour moi ! Nous avons volé leur public aux endroits les plus *chic* du moment. Nous avons même un défilé de travestis, ne le ratez pas. La police nous a semi-autorisés, parce qu'il faut vendre une image positive dehors.

— Où ça, dehors ? demande Cuca en pensant à la cour de son immeuble.

— Eh bien voyons, à l'étranger, à l'extérieur, aux States. Nous nous sommes proposés d'égaler Sotomayor, de hisser le nom de notre pays au plus haut, avec ou sans perche, sans effleurer la barre, pour imposer nos propres records mondiaux et les battre.

— Et *semi-autorisés*, ça veut dire quoi ? *Semi-clandestins*, probable ?

— Oh là là ma vieille, vous et vos questions ! Je ne sais pas ce que ça veut dire, d'ailleurs ça ne m'intéresse pas. Ici, l'important, c'est de ne pas mourir, de sauter sur le filon, sur l'occase.

Les cinq cavalières de l'Apocalypse refusent énergiquement puis, devant une telle insistance, elles acceptent de mauvaise grâce. Après tout, elles ne sont nullement tentées par la triste perspective de rééditer leur programme de chaque samedi, cette sixième chaîne exaspérante, vingt-quatre seaux de sang à la seconde, mis en bouteilles dans des films d'horreur et de mystère. Fax, à qui son intuition social-démocrate souffle de nouveaux projets, est emballée parce que cette soirée lui inspirera peut-être quelque chose de productif ; elle sortira de là direct pour écrire son autobiographie qu'une maison d'édition américaine lui paiera éventuellement d'un chiffre à six zéros ou, sait-on jamais, elle pourra même fonder un *paladar*, un de ces restaurants particulièrement impossibles à gérer, pour cause d'impôts élevés. Le tout étant de gagner de l'argent coûte que coûte, et elle imagine déjà le moyen de tricher avec les impôts. La Mechu et la Puchu sont capables de sacrifier leur gros intestin, leur intestin grêle, et leurs trompes de Fallope pour recommencer leur vie d'autrefois, romans de cabarèteries et parties de jambes en l'air ; depuis des mois elles ont la chatte en chaleur. Photocopieuse a besoin de se faire sauter, d'essayer de nouveau, de constater si son appareil reproducteur féminin fonctionne ou pas, malgré l'absence d'ovaires et de règles. Il convient de signaler que Photocopieuse est affligée d'un petit problème insignifiant, chaque fois qu'elle écarte les jambes, il y a un pantin qui lui sort du con, comme un ressort d'une boîte à surprises. En conséquence, plus d'une fois elle s'est pris une torgnole car elle donnait l'impression de se fiche de son partenaire. Et si ce n'était qu'une torgnole. Elle était tombée amoureuse d'un intellectuel essayiste, un indic affligé d'une petite pine, alors elle ne se décidait pas à réaliser le coït, à baiser, quoi, car elle savait ce qui allait arriver. Ce qui arriva fut exactement conforme à ses prévisions : quand elle écarta les jambes, son clitoris bondit comme un clown, plus grand que le Pénis Club de l'essayiste courte-bite. Personne n'a su pourquoi, le soir même, *le peuple combattant* la vira de chez elle à coups de pied dans les seins en lui tirant les cheveux et l'enferma avec des Témoins de Jéhovah, des délinquants et des homosexuels, dans un camp de travaux forcés. Certes, cela s'était produit quelques années auparavant, dans sa jeunesse. Personne ne veut comprendre que ce n'est pas sa faute à elle, c'est la faute à la nature, qui lui a greffé un clown en guise de clitoris. Bureau bouclé promet et donne des espérances en alléguant que même dans une fête de tantouzes, de nombreux hétéros euphoriques viennent fureter et, à l'occasion, se mêler insensiblement à la plèbe mal nommée. Cuca Martínez scrute la voûte céleste et ses yeux rencontrent de nouveau les petites lumières de l'avion, le même ou un autre, c'est égal. En tout cas, ce n'est pas du tout normal, tous ces avions, tous ces signaux, et afin d'effacer la fantasmagorie aéronavale de son souvenir, elle accepte l'invitation de *La Bassesse.*

Le naïte-cleube semi-clandestin est situé juste en face du cimetière de Colomb. Cela ne plaît pas trop à Cuca Martínez, qui a toujours été très respectueuse, pour ne pas dire cérémonieuse, à l'égard des morts, et qui ne manque jamais de déposer des fleurs blanches dans un petit vase au-dessus de son armoire, ainsi que des verres d'eau transparents, pour que les esprits se tiennent tranquilles et illuminés, en paix et bien sages, sans perturber la vie des gens ni les fiche dans la panade… de soja. Omnivideo, le patron de la boîte, est fabricant – sans licence – de pierres tombales, mais comme le marbre a disparu de la circulation, il a une brigade de bandits qu'il soudoie afin qu'ils aillent voler les pierres qu'il avait lui-même taillées auparavant. La nuit, il les polit à nouveau, efface les noms, et demain sera un autre jour, avec d'autres morts, d'autres pierres, d'autres jardinières.

La Bassesse présente un spectacle exotique, où un travesti absolument ridicule, maquillé avec de la crotte de poule, du cirage en guise de rimmel, des faux ongles fabriqués avec des brosses à dent fondues et fixées sur les doigts avec de la colle à chaussures, des faux cils en crins de balai, collés de même, une perruque revendue par un coiffeur de l'Institut national de radio et de télévision, qui avait appartenu à Mirta Medina, chanteuse de *variétés*, aujourd'hui résidente à Miami, grâce au fait qu'elle avait pu franchir la fameuse flaque à partir du Mexique, comme un vulgaire *dos mouillé* ; une barbe d'un mois, faute de rasoir, lui vaut le sobriquet de "femme à barbe". Il porte un tutu qu'Alicia Alonso lui a échangé contre un jambon, pour le Noël clandestin. Il est originaire de San Tranquilino, dans la province de Pinar del Río. Sans plus attendre, il ouvre son récital par un répertoire de son cru mais surtout, à la fin, il interprétera la chanson tant attendue, celle qui enflamme le public gay et d'où il, ou *elle*, a tiré son nom. Car il s'appelle en réalité Porfirio Esmenegildo Barranco, et vous comprendrez qu'avec un nom pareil, personne ne peut s'estimer intégré dans le *star system*, ce qui n'est pas la même chose que d'être dans le système tout court. La chanson s'intitule *Paloma Pantera*, et c'est justement son nom d'artiste.

Tous assis par terre, devant la laideur sans pair, et sans paire de nichons, car il se sert de deux bourrages de papier journal du *Granma*, vu qu'il n'a pas pu se procurer de coton, bref, agglutinés dans une foule d'une bonne centaine de personnes, Anneau, Laque et Boucles d'oreilles, membres du comité de sélection de films du festival international du vieux cinéma latino-américain s'extasient ; j'ai éliminé les majuscules car d'après la rumeur, utilisées avec excès, elles seraient cancérigènes. Elles sont toutes là, les folles handicapées, Névropathie Optique et Névropathie Périphérique, l'une aveugle, l'autre invalide, par la faute de la malnutrition historique et du rhum d'alambic. La Sorcière Rouge (une folle assumée, mélange de Petit Chaperon rouge, de Loup féroce et de sorcière de Blanche-Neige, avait été autrefois censeur et opportuniste, elle séduisait des sept-pesos – des troufions, quoi – pour avoir du travail : dénoncer) et son épouse (puisque c'est une folle mariée, pour donner le change), Leonarda da Vence*, se vante de ce sobriquet parce que si son mari ne gagne pas un prix, n'importe quel prix, un Corail, un Tournesol, une Faucille et un Marteau, ou bien une *Perlana*, à savoir une pine enrobée de laine, elle lui fiche une trempe. Parmi les invités d'honneur, nous pouvons jouir de la présence, *en outre*, du Faux-Cul National, mais oui, vous avez bien lu, ce n'est pas l'écu national, ni l'ex-cul national, car il fut toujours le grand, l'excellent, le divin cul lyrique de la cinématographie latino-américaine, mais actuellement ils ne veulent plus qu'ils le soient car entre-temps d'autres culs lyriques sont nés et se sont développés.

* Vence : elle vainc. *(N.d.T.)*

Qu'est-ce qu'un cul lyrique ? Très simple, c'est un cul, comme son nom l'indique, qui rit au lit : ly-ri-que. La métaphore est compliquée, voyez-vous, plus hermétique qu'une serrure Yale. Eh bien, ces nouveaux culs de la nouvelle société n'ont pas poussé, ne se sont pas élevés, si bien parfumés et nourris, comme son cul à elle, mais ils sont consistants à l'heure de la fessée. Je souligne *en outre*, parce que je ne peux manquer de signaler la visite de Déséquilibre Crespo, réalisateur hongaro-vénézuélo-cubain, et de Francaspa, producteur, fournisseur de l'anti-cinéma imparfait, mâchouilleur de chewing-gum, flanqué de son épouse Lili Ecole médiévale, l'Abbé Enorme, main droite et main gauche de tous les festivals internationaux de cinéma des zones vertes, c'est-à-dire, écologiques, Toti Lamarque et Tita Legrando, âmes en peine et qui font de la peine, en raison de la débauche d'intelligence et de foulards autour du cou, conseillères du directeur des festivals des zones vertes, Fausse Légion d'Honneur, un type vulgaire qui est le dentiste ultra sympa des intellectuels, Répondeur Automatique, qui a confondu Excellent Pianiste avec le ministre de l'Intérieur ; Laurent le Magnifique, appareil reproducteur d'idées préconçues, la Dame au Gros Chien, cette dame n'a rien à voir avec rien, son mérite c'est d'avoir dévalisé diverses banques des Etats-Unis, elle a chouravé de la sorte les retraites des vieillards de Miami, d'innombrables musées, y compris celui des Beaux-Arts ; à côté d'elle, incognito pour le moment, le double de Janet Jackson, l'avocate Pubienne, et le président de l'Aigremonie*, Memerto Remando Betamax. L'Aigremonie est une maison de disques

* Cf. la société de disques EGREM. *(N.d.T.)*

qui produit des croque-monsieur, de ceux que l'on prépare avec du pain rassis et de la patate écrasée, et que l'on fait griller direct sur le feu. En résumé, il y a pléthore de roupie de sansonnet. Traduction en langue morte : le pire du pire. Cayo Cruz – le dépotoir national émérite – pour le moins. Notons quelques exceptions, car tout n'est pas à rejeter, il y a aussi maintes personnes valables. Pour une analyse aussi exacte, je me suis appuyée sur la collaboration érudite du traducteur, écrivain, et journaliste retraité Paul Culon. Traducteur en espéranto de Madonna Perón, Vil Ma Esponte, Taille Extra, Garbochef et Rasa, Margot Tacho, Talc Menem, Poudre Escobar, Volcan Fujimori, et de la chanson *Aux héros* de Sala Ciones ; il fut aussi acteur de cinéma, par exemple il a tenu un rôle remarquable dans *Le Dernier Tango à Paris* aux côtés de Marlon Brando et de Maria Schneider : il jouait le beurre. C'est un ami personnel de l'image du Che, qui refleurit ces temps-ci en été sur les tee-shirts européens. Il y a pléthore d'ambassadeurs et d'attachés culturels de pays amis et ennemis, qui chassent des jeunes foldingues ou des dissidents, afin de pimenter leurs ennuyeuses *soirées* au champagne. L'éventail est très large, si large qu'on n'a pas la place de respirer. Car il faut dire, on crève de chaleur, pire qu'à la Casa de las Américas, où on remet biannuellement et bianalement le prix Sahara de poésie lequel, par conséquent, reste désert.

Paloma Pantera achève son récital enrobée d'applaudissements et de flammes, un volant de son tutu a pris feu au contact de la bougie allumée pour les saints, et grâce à la coupure de courant. On arrive à éteindre les volants de tulle en l'aspergeant de cruches d'eau. Au cours de ces allées et venues, le courant revient, le quartier pousse un ouf de soulagement et Paloma Pantera, dont les représentations sont chronométrées, fera la prochaine séance de la nuit à l'Union française, et la suivante au *paladar* de la Littérature chez Edy et Rey ; elle court effacer ce maquillage affreux qui lui donne l'air d'un masque mexicain. Aussitôt, Mimi Moa-Moa, scénographe de danses folkloriques allemandes et sorcier anthropologue, branche sa radiocassette avec lecteur de CD et met un rap, c'est la musique qui attire les gamins constructivistes du quartier.

Sur son balcon, Cuca Martínez se balance dans un rocking-chair en aluminium dont le siège canné est tressé avec les petits tubes en plastique des seringues d'hôpital. Les yeux au ciel, elle attend l'apparition d'un autre avion. Si le ciel cubain est beau le jour, imaginez-le la nuit, cette fraîcheur, la lune ronde, inaccessible petite pute, avec les anneaux imaginaires du boléro de Vicentico Valdés qui l'a immortalisée une fois de plus : *Les anneaux qui manquent à la lune, je les ai gardés pour t'en faire un collier*... Ce n'est pas une nuit ténébreuse, pourtant, les profondeurs célestes sont d'un noir de jais. Grâce à la lueur des lucioles, et à l'imperturbable Séléné, la nuit s'est teintée d'une nuance bleutée en surface, noirâtre dans l'au-delà. Cuca Martínez frotte ses yeux opaques, là-haut, assis sur la lune, lunaire, carillonnaire, la Lugubre Mouffette, déguisé en lapin, corrige les épreuves de la traduction française de *La Couleur de l'été**. Les rues désolées, sans piétons, sans

* *La Couleur de l'été*, roman posthume de Reinaldo Arenas (1943-1990) dont l'un des personnages, l'auteur lui-même, porte ce sobriquet. *(N.d.T.)*

véhicules, sans lampadaires, sont comme les segments d'une maquette de labyrinthe. Il est normal que cette zone soit peu animée, non seulement en raison du cimetière, mais aussi faute de moyens de transport et à cause des coupures d'électricité subites et incessantes. Les arbres cachent la vue d'un premier labyrinthe formé par Colomb – pas le découvreur, mais le quartier Bocarriba – à l'intérieur de ce second labyrinthe où nous survivons, nous autres. On distingue à peine les coupoles des tombeaux, tels de petits palais abandonnés, ou les mausolées modernes dédiés à des morts héroïques. La vieille femme observe, les yeux exorbités, ce lieu qu'elle répugne à visiter, question de principe. Ses boyaux mènent un train d'enfer, la faim ronge son ulcère. Absorbée, elle évoque à présent un plat de jadis, des petites boulettes à la milanaise seraient les bienvenues, elles lui iraient comme un gant, par tous les saints, dire que c'est une recette si simple, ça demande seulement deux livres de viande de bœuf hachée, une demi-livre de chair à saucisse, un quart de livre de jambon haché, un quart de livre de fromage Patagrás râpé, deux cuillerées d'oignon haché menu, une gousse d'ail, une pointe de poivre, trois quarts de tasse de chapelure, un quart de tasse de lait, deux œufs, un quart de tasse de farine, un tiers de tasse d'huile. D'abord on prépare la sauce tomate avec de l'oignon, du sel, du sucre blanc, du vin sec, du laurier et du poivre. Roulez les boulettes et farinez-les, faites-les frire dans l'huile chaude, quand elles sont bien dorées, faites frire aussi l'oignon haché menu, ajoutez-y la sauce. Mélangez le tout dans la casserole, couvrez et faites cuire à feu doux vingt-cinq minutes. C'est un régal. Un désordre des sens, des papilles gustatives.

— Allez, petite mémé, réveillez-vous…

C'est Bureau bouclé. Il tient un plateau puant dans les mains.

— Vous ne voulez pas goûter aux boulettes que j'ai mijotées ?

Elle attend qu'il lui donne une assiette, il n'y en a pas, même en carton. Il insiste pour qu'elle tende les mains, nous sommes en famille. Elle se sent si faible ! Elle mord, ce n'est pas mauvais, elles sont un peu dures, racornies, quoi, mais c'est mieux que rien, quelle coïncidence vraiment, alors qu'elle se remémorait cette recette, tout à coup, on l'invite à manger précisément des boulettes, elles sont tombées du ciel. La Mechu et la Puchu dansent le rap la bouche pleine, Fax se lèche les doigts et interroge avec animation la Dame au Gros Chien, raide comme un manche à balai. Photocopieuse s'empiffre et enregistre chaque propos, pour avoir ensuite un sujet de commérage, du sucre à casser sur le dos des voisins du quartier. Les boulettes sont liquidées en moins de deux. Un invité d'honneur a l'idée sublime de demander au Bureau bouclé, qui boit un verre de rhum à la chaux, faute de lait en poudre (dire qu'au début du siècle, Nestlé avait choisi notre pays pour y implanter la première usine latino-américaine de lait en poudre), comment il s'était procuré la matière première pour la recette.

— Très facile, tu vas voir : j'ai rassemblé toutes mes semelles, je les ai fait bouillir dans de l'eau salée, je les ai retirées juste avant qu'elles ne fondent, j'ai attendu qu'elles refroidissent, je les ai pétries avec de la chaux et du pâté d'oie, d'occasion, bien sûr. Je les ai roulées comme ça – il mime comment il les a sculptées – et je les ai attachées avec des élastiques que j'ai piqués au bureau. Parce que tu sais, pas moyen de leur faire prendre forme, elles s'ouvraient comme des tournesols, mais une fois attachées, adieu les soucis ! Après ça, je les ai fait frire à l'huile de foie de morue, je me suis drôlement creusé la tête pour trouver quelqu'un qui me prête quelques gouttes d'huile, en entendant que je les restitue, dans six mois, quand il y aura un nouvel arrivage à l'épicerie. Qui t'a dit que tous les gens que je connais sont des constipés ? Ils n'en gardaient même plus le souvenir. Comment j'ai réussi ce goût de fromage ? C'est l'odeur des pieds, mon pote. Ne râlez pas, je me lave très bien les pieds, et je vais chez le pédicure de la rue Animas tous les lundis.

Personne ne vomit, ils ne peuvent pas s'offrir ce luxe. Caruca Martínez veut rendre, elle s'introduit le doigt jusqu'à la glotte mais n'y parvient pas, elle se souvient de son ulcère qui réclame un morceau d'aliment chaud, et elle éprouve de la compassion pour son vieux compagnon de douleurs maudites. D'ailleurs, elle n'a plus rien à vomir. Faible comme elle est, elle digère à une vitesse inouïe. Soudain, une crampe d'estomac la plie en deux. Devant la porte des toilettes, elle attend impatiemment dans une longue queue de chiés, ou de chieurs.

Par bonheur, la vieille dame porte religieusement une pochette en papier dans son filet, pour le cas où elle pourrait choper quelque chose, une croquette, une pizza, une orange, une syphilis, on ne sait jamais… Elle ne trouve pas où se planquer pour échapper aux regards indiscrets. Finalement, elle se fraie un chemin parmi les invités, ouvre la porte, descend, traverse la rue et arrive en suant à grosses gouttes devant l'entrée néoclassique du cimetière.

— Halte, qui va là ? demande le gardien des tombeaux, cet attrape-cœurs sans cœur.

— C'est moi, Cuca.

Sa voix tremble avec l'accent bizarre d'une Mexicaine battue par son mari, tellement elle a peur.

— Si vous êtes touriste l'entrée c'est cinq dolluches, on ne va pas se mettre à exhiber nos morts gratis, non mais des fois, les laisser peloter nos glorieux défunts et baver dessus, et puis quoi encore.

— Ecoutez, monsieur, je…

— Pas monsieur, camarade, vu que le 31 décembre ils ont sanctionné le speaker des infos pour avoir souhaité un joyeux Noël ainsi qu'une bonne et heureuse année à mesdames, mesdemoiselles, messieurs. Moi je tiens à ma place. Que messieurs les impérialistes ne se méprennent pas à mon sujet, nous ne les craignons pas du tout… Vous disiez ?

— Je disais que je suis cubaine, aïe aïe aïe… et elle est prise de diarrhées.

— Et que venez-vous chercher à cette heure-ci dans le quartier Bocarriba ?

Le gardien flaire avec une grimace de dégoût.

— Je viens prier sur la tombe de ma défunte mère.

— P'tain, ça cocotte la merde ! Je crois que le Bouffeur-de-Pois-Cassés s'est encore échappé de sa tombe, je parie un œuf qu'il a chié par ici. C'est un fantôme militant, de ces crâneurs comme il y en a tant, de son vivant, il ne mangeait que des pois cassés, mais il n'a jamais réussi à dégoter un flacon de Kaoentérine ; même après sa mort, il n'a pas pu résoudre le problème de la putréfaction de son estomac, elle est devenue chronique.

Sur ce, il oublie la présence de la vieille et sort avec un couteau pour convaincre le Gaspard des Tropiques de retourner dans son trou.

Toute maculée, marchant les cuisses serrées, elle cherche une fontaine d'eau non bénite, afin de se laver en dessous de la ceinture. Elle trouve un robinet au ras de l'herbe, près de l'église, elle s'accroupit, se lave les parties et les jambes, frotte sa culotte et sa jupe, pense qu'une grippe terrible lui tombera dessus avec ses vêtements trempés. Avant de se rhabiller, elle les suspend à une branche d'arbre pour qu'ils puissent au moins s'aérer un peu. Allongée sur la terre humide, elle s'adonne à la contemplation, plus attentive, de la splendeur du ciel noir baigné d'étoiles. Soudain, comme s'il provenait des allées, s'élève un chant coquin et même franchement paillard. Une voix de femme amoureuse, mastère en agonies, chante un boléro, de ceux qui donnent envie de se jeter par la fenêtre la corde au cou, en crachant des flammes et les veines ouvertes, celles des poignets, pas celles de l'Amérique latine*. Ce n'est pas de la frayeur que ressent Cuca mais une terreur panique et soudain, sa pétoche se dilue dans une très grande paix de son âme. Elle essaie de repérer la direction par où s'approche la voix de miel, mais elle n'a pas de préférence pour une allée ou pour une autre. Elle découvre alors que la voix d'ébène descend

* Allusion à un ouvrage de l'Uruguayen Eduardo Galeano, *Les Veines ouvertes de l'Amérique latine. (N.d.T.)*

de l'immensité inconnue – ou de l'idéalité ? – de là-haut, pas précisément des arbres, ni d'un arbre en particulier, mais de cet amour paisible que les êtres humains se sont inventé dans le ciel. C'est la voix de ce ciel si noir qu'il en paraît bleu, constellé d'étoiles, transformé maintenant en femme piano, en une superbe grosse Négresse horrifique, qui sourit depuis le lieu poétique de la fausse illusion. Allongée à l'instar de la vieille dame, sur le dos ou sur le ventre, elle remplit l'espace occupé avant par la voûte céleste, avec ses masses de chair qui lui ceignent la taille et le bas-ventre comme une bouée de sauvetage, et les bourrelets de ses cuisses, tachetées de farine de maïs, semblables à de beaux nuages avant la pluie. La Négresse obèse en argile, sculptée comme un piano à queue, bat des cils, très romantique, alors les lucioles, séduites, s'accrochent à ses paupières. Cuca l'observe et s'aperçoit qu'en réalité la chanteuse est calée sur les pages d'un immense divan en papier imprimé, à croire qu'elle jaillit d'un gros bouquin interdit. Le spectacle n'en est que plus beau, et la voix grimpe jusqu'aux étoiles avec une intensité incomparable :

Il n'est rien de plus beau
qu'un rendez-vous d'amour,
l'éclairer de baisers
en cachette toi et moi…

Cuca est plongée à ce point dans la musique et les paroles du boléro de la Négresse-ciel, qu'elle ne remarque pas le bruit de pas sur le gravier. Tout à coup des gens s'agitent, se bagarrent, elle entend des bruits sourds de coups de poing. Le charme est rompu. La vieille femme se redresse d'un bond, enfile sa jupe en polyester par-dessus sa tête et range dans son sac sa culotte de laine trempée, *made in Alaska.*

> *... un rendez-vous dans la nuit,*
> *un rendez-vous d'amour*
> *l'éclairer de baisers*
> *en cachette toi et moi.*
> *Comme il est loin ce rendez-vous*
> *qui nous a réunis pour la première fois.*

Le silence sacro-saint revient, accompagné d'un arôme délicat de jasmins brûlés, de chèvrefeuilles bouillis, et de toutes sortes de fleurs dignes d'un tango. Entre les ombres des buissons et des pierres tombales, la silhouette d'un homme émerge. C'est lui. Aucun doute, c'est l'amour de sa vie. Nul besoin de lumière pour le reconnaître. Elle le sent. Un seul homme au monde sent pareil, un mélange de dent cariée, de Guerlain et de menthe. Mais comment est-ce possible ? Serait-ce une apparition, serait-il mort là-bas à Miami et aurait-il décidé de venir la voir ? Aïe, mais elle ne savait pas que les esprits se déplaçaient tout bonnement comme ça, en se jouant des frontières et du blocus. Elle demande à tout hasard, comme si c'était hier :

— Ouane, c'est toi ?

En cinq secondes, le Ouane pianote dans son cerveau et retrouve la formule d'un ancien pote détective : *Les trois services secrets les plus importants du monde ceux des USA, ceux de l'ex-URSS et ceux de l'île, tout leur fric passe à surveiller.* Ce n'est pas parce qu'on lui avait étiré la peau qu'il pouvait passer incognito. Il avait décidé d'entrer dans le jeu d'emblée. A l'aéroport José Martí, en voyant ses luxueuses chaussures anglaises, ils avaient déroulé le tapis rouge réservé aux chefs d'Etat. Déroba y Na, Alardon Fumé, et le Mono Lazo (car Paris a peut-être la Mona Lisa, mais nous, nous avons le Mono Lazo) en chair et en os, avec leurs acolytes et compagnie, lui souhaitèrent le *welcome.* Cela facilitait son entrée dans le pays, il avait eu droit au salon d'honneur, et ses bagages n'avaient même pas été fouillés. Un chauffeur le conduisit en Merceditas Benz dans une résidence ultramoderne du Laguito, avec piscine, mais sans *jardins invisibles.* Jusque-là, tout allait bien, mais il ne savait pas si c'était à lui avec sa véritable identité que l'on souhaitait la bienvenue, ou à quelqu'un d'autre. En tout cas sur son passeport, c'est marqué Juan Pérez, mais on sait que ce pays grouille de Juan Pérez. Pour le moment, il doit répondre, et il réagit par impulsion :

— Enchanté, ma vieille, j'espère que ce n'est pas un esprit moqueur, dit-il en lui tendant la main cordialement.

— Ne me dis pas qu'une fois de plus tu ne me reconnais pas.

Je dois préciser que la voix de Cuca Martínez s'était altérée notablement par la faute de l'extraction massive de ses dents.

— Eh bien, pour ce qui est de vous reconnaître, franchement non. Mais si vous m'avez reconnu à une heure du matin en plein cimetière obscur, c'est que nous avons dû jouer tout petits à cache-cache.

La vieille femme tire de son inséparable filet à provisions une lanterne chinoise, éclaire le visage de son bien-aimé, se trouble et a pitié d'elle-même à en mourir. Elle chuchote :

— Mais Ouane, mon amour, tu es neuf comme un paquet-cadeau sous cellophane, tu fais plus jeune.

— Disons qu'on vient de me faire un *lifting*.

Ce mot, ça ressemble au listing de la queue pour la galette de manioc, c'est-à-dire la cassave, mais elle n'y fait guère attention et avance vers lui.

— Prêtez-moi votre lanterne, maintenant c'est mon tour de savoir qui vous êtes.

Il tend le bras vers la lumière ; elle l'éteint en hésitant.

— Reste tranquille, je suis plus fripée que la page de politique internationale du *Granma* quand on va aux toilettes et qu'on la froisse pour se torcher avec. Ne te fatigue pas, c'est moi qui te le dis. Tu es devant la femme de ta vie, ni plus ni moins.

Le Ouane se demande comment Naomi Campbell a pu vieillir en un rien de temps. Il le disait bien, en voici une nouvelle preuve, la science d'aujourd'hui est répugnante.

— Je suis Cuquita Martínez, dégénéré.

Ce dernier mot résonne comme une caresse ironique et imbibée d'alcool, elle s'y attarde et le prononce à la manière de Mercedes García Ferrer, une poétesse qui habitait en face de l'hôtel *Capri* et qui vous tirait les cartes faut voir comme, y avait plus qu'à serrer les fesses et à foutre le camp. Tendrement, ayant oublié l'absence qui ne signifie pas toujours l'oubli, comme vous voyez, elle poursuit :

— Viens ici…, tout contre moi, petit bêta.

Les deux corps s'enlacent, plus remplis de souvenirs anciens que d'amour. Ils n'osent même pas s'effleurer la bouche, ils dissimulent leur visage. Elle appuie sa tête sur la clavicule de l'homme. Il repose son menton sur les cheveux décolorés, de grosses gouttes de sang coulent de son nez sur les cheveux gris de la femme. Il était plus ennuyé qu'énamouré*. Tout à l'heure, les profanateurs de tombes lui ont fracturé la cloison nasale. Les voleurs, au fond du cercueil de sa mère, enfournaient dans un sac bourré de bijoux et de vêtements, les dents en or de la défunte réduite en cendres, en poussière. Se voyant surpris, ils essayèrent de prendre la fuite, mais il réussit à en attraper un par la manche, et ce fut une mêlée terrible. Finalement, l'autre parvint à s'échapper ; quant à lui, il eut beau appeler au secours et réclamer un policier, il ne vint personne. C'est-à-dire, si, car elle était là, elle.

— Ouane, qu'as-tu fait de notre amour ? demanda Cuca Martínez, pareille à la bannière de Bonifacio Byrne**, *déchirée en mille morceaux.*

— Et toi, Cuquita, qu'as-tu fait du dollar ?

Naturellement, ayant les oreilles écrabouillées par leur étreinte, et par la faute de l'obstination dont nous sommes affligées, nous les femmes, quand il s'agit d'idéaliser les types au-delà du maximum, elle comprend douleur au lieu de dollar.

* Référence à un vers de Quevedo. *(N.d.I.)*

** Bonifacio Byrne (1861-1936), auteur d'un poème patriotique très célèbre. *(N.d.T.)*

8

Mens-moi

... mens-moi une éternité
car ta méchanceté me rend heureuse.
Qu'importe, la vie est un mensonge,
mens-moi encore
car ta méchanceté me rend heureuse.

Chanson d'ARMANDO *CHAMACO* DOMÍNGUEZ,
interprétée par OLGA GUILLOT.

Allons donc, mon petit, moi, une douleur ? Tu parles, surtout pas maintenant, blottie ainsi tout contre toi ! Penses-tu, dès demain je devrai accomplir mon vœu à saint Lazare ! J'irai à genoux à la chapelle du Rincón, avec un bloc de ciment sur la tête, qui m'écrasera le crâne, en remerciement de m'avoir accordé la joie de revoir mon adorable tourment avant de casser ma pipe. De là, je ferai un saut à l'église de la petite Vierge des Mercis, pour lui déposer des fleurs blanches, si j'en trouve, sinon, je ferai une offrande pure à Obbatalá. Et la petite Vierge du Cuivre, ma sainte gamine coquine adorée, je devrai la fêter comme elle aime, au son des tambours et des violons, avec du miel en quantité, des meringues, des bananes, des citrouilles, des tournesols, des desserts à la crème ; je ne sais pas où diable je trouverai les ingrédients, mais si je dois faire commerce de mon corps avec un touriste sur le Front de mer, je le ferai. Ce n'est pas que mon corps vaille grand-chose, mais il y aura bien un Mexicain taré, de ceux qui l'ont plus molle qu'une chiffe, pour vouloir de moi. Après quoi, j'irai me purifier sur la plage de Cojímar, et je sacrifierai un coq à Yemayá, ma petite Vierge de Regla adorée. Oh mon Dieu, j'avais oublié María Regla, elle connaîtra enfin son père, et réciproquement ! Non, c'est vrai, je le dis toujours, la vie est un téléfilm brésilien. *La vie est un songe et tout s'en va*, ces paroles, elles ne sont pas de Calderón, cette fois, mais d'Arsenio Rodríguez, compositeur cubain :

> *Il faut vivre le moment heureux,*
> *il faut jouir autant que tu pourras*
> *car au bout du compte,*
> *la vie est un songe*
> *et tout s'en va.*

Mais ce n'est pas parce que je suis en train de jouir de ma minute de bonheur que je vais dédaigner l'avenir de ma fille, ma pauvre petite fifille élevée sans père, voilà pourquoi elle est si traumatisée, si politisée… Qu'est-ce que ça peut bien être, ce liquide chaud qui me coule sur le front, m'aveugle l'œil droit et dont je goûte la saveur douceâtre ? C'est certainement de la transpiration, il transpire d'émotion. Oh quel tendre chatouillis je sens à mon nombril ! Il m'a questionnée sur la douleur, la douleur de toutes ces années, je n'ai pas encore répondu. Si je lui raconte la grisaille surpiquée de fil noir que j'ai vécue, je risque de l'ennuyer, de lui gâcher sa nuit. Pas de doute, ma douleur, je l'ai congelée. On congèle de la sorte une personne que l'on souhaiterait voir bien loin.

Tu la mets dans le bac à glace, et la relation se refroidit aussitôt. C'est vrai ça, quand je voulais refroidir mon amour, j'écrivais mon nom et celui du Ouane sur un bout de papier que je mettais au freezer. Si je n'avais pas réagi de la sorte, je serais sans doute morte comme la fille du Guatemala, *celle qui mourut d'amour** bien que, d'après quelques langues de vipère, elle mourût des suites d'un avortement. Je dois lui répondre avec le plus d'indifférence possible, je ne vais pas fondre ni me rendre aussi facilement, juste après nos retrouvailles au bout de trente et quelques années, il faut que je tienne mon rang. La douleur, chéri, tu me questionnes sur ma douleur, oh, chéri, que tu es marrant, hi, hi, hi !

— Je l'ai rangée dans le réfrigérateur.

Je ne sais pas pourquoi il m'écarte assez brutalement et me serre les épaules. J'ai l'impression qu'il m'observe avec étonnement mais je n'en suis pas sûre, à cause de l'obscurité, en tout cas ses mains, agrippées à ma peau comme deux griffes, trahissent la rudesse, que j'imagine, de ses yeux virils. Car, disons-le, il a toujours été très macho, les petites attentions délicates, ce n'était pas son fort.

— Oh, bien sûr, pour que personne ne découvre son existence ! Tu as agi en vraie professionnelle.

— Ouane, mon amour, tu saignes !

Cuca le protège comme Scarlett O'Hara un blessé de guerre, dans le plan d'ensemble génial d'*Autant en emporte le vent*, où l'on voit la gare immense pleine de moribonds.

— Ce n'est rien, juste un os fracturé.

* Poème très célèbre de José Martí. *(N.d.T.*

Il prend dans sa poche un flacon de gouttes magiques, se les applique, et en un clin d'œil, sa cloison nasale est réparée.

— Je te félicite sincèrement, Cuquita, très professionnelle ta décision de le ranger dans le réfrigérateur.

Professionnelle ou conne ? Mais bon, s'il tient à m'appeler comme ça, professionnelle, on n'y peut rien, hein ? Si ça se trouve, c'est l'usage aux USA. En une seconde, la nuit pâlit comme un blanc d'œuf, à croire que nous sommes à Saint-Pétersbourg en plein mois de juin, avec ses nuit blanches, tout à fait comme dans le roman de Dostoïevski. Eh bien non, ce sont des projecteurs allumés braqués sur nos figures depuis la cime des arbres. Le Ouane me prend par le bras, sa grosse main tremble. Maintenant, son visage est tout proche du mien, il remarque ma bouche :

— Cuquita, tu as perdu tes dents !

— Non, je les ai fait arracher, en signe de protestation parce que tu ne revenais pas.

— Mais enfin, toutes ?

— Regarde s'il m'en reste une ? Aaahh !

J'ouvre grande la bouche comme un poisson d'aquarium.

— Laisse tomber, pour le moment, nous devons nous occuper de ces lucioles géantes, mais demain nous irons voir un dentiste.

— Il n'y en a pas.

— Comment ça, pas de dentiste ? Dire qu'ils racontent qu'ils ont formé des médecins en veux-tu en voilà, ils en ont plein la bouche !

— Mais mon petit Ouane, tu arrives du Nord troublé et brutal complètement paumé, dis donc, moi qui croyais que les gens, là-bas, étaient au parfum… Des médecins nous en avons à revendre, mon joli trésor, ce qui manque c'est le matériel pour fabriquer les râteliers, je veux dire, les dentiers.

— On réglera ça demain...

Sur ces mots, il se tourne vers les incognitos qui tiennent encore les projecteurs...

— Hé ! Qui êtes-vous ? Que cherchez-vous ? Eteignez-moi ces lumières, sinon vous allez me foutre en l'air l'opération pour ma myopie qui m'a coûté quatre-vingt mille dollars, nom de Dieu !

— Oh là là, mon vieux Ouane, qu'est-ce que t'as bien fait de te faire opérer, t'en avais rudement besoin ! Parce que t'étais plus miro qu'Osvaldo Rodríguez, le chanteur de la marche du peuple combattant, tu ne distinguais pas un âne à deux pas...

— Chut, tais-toi, Caruquita, ma petite môme...

Après tant d'années, il m'appelle de nouveau sa *môme* ; s'il continue à me faire les yeux doux, je vais m'effriter comme un sablé du siècle dernier. Béni soit saint Lazare, le petit vieux, c'est que je suis aussi énervée que la fois où nous avons été à la maison de passe du Front de mer, et que j'avais une tremblote insupportable, mes mains dégoulinaient de sueur, mes guibolles ne m'obéissaient pas, je ne tenais pas debout. Je crois que depuis lors je n'ai jamais éprouvé cette expérience du danger mêlé à un sentiment d'amour. Pourtant j'y suis retournée d'autres fois, avec Ivo, mais cela ne m'a pas émue autant qu'avec le Ouane. Après le triomphe de la révo, ils ont changé le nom des maisons de passe, ils les ont appelées hôtels INIT du pouvoir populaire, et les gens ont inventé un slogan : *Suçons et baisons avec le pouvoir populaire.* Personne n'a su pourquoi, mais dès lors elles n'ont plus jamais eu d'eau courante ; à l'entrée, quand on payait, on vous remettait un seau rempli d'une eau boueuse pour la toilette, il n'y avait ni serviettes, ni papier hygiénique, et on avait touché le gros lot si par hasard le drap était propre et les murs sans graffitis. Faute de logements et en raison de la croissance des familles, les maisons de passe devinrent des lieux surpeuplés, les files d'attente s'allongèrent et elles perdirent leur caractère anonyme, n'importe qui pouvait, en passant devant, découvrir que sa femme le faisait cocu. Il y eut des scandales énormes, avec paniers à salade et tout le tremblement. Ils éclairaient la queue avec leurs phares mouchards, actionnaient leurs sirènes à toute blinde, exprès pour réveiller les populations, un subterfuge pour faire du grabuge. La lumière, qu'est-ce qu'ils ont pu nous torturer avec la lumière ! XXL a électrifié les montagnes, a donné la lumière aux paysans et ensuite, il l'a enlevée à tout le pays. C'est paradoxal, mais si nous nous conduisons bien, nous sommes récompensés par des coupures de courant. Dès que ça sent le roussi dans le quartier de Cayo Hueso et que les gens se mettent à faire des concerts de casseroles et à agresser la police en la bombardant de pierres du haut des balcons, ils nous rendent la lumière. Dans les années soixante-dix, ils ont affiché les HORAIRES DE PIC ÉLECTRIQUE. Il y en avait tant qu'un ami chilien m'a fait remarquer : quel pays désinhibé et sexuellement développé, il publiait son horaire sexuel, en outre leur pic était électrique, quel progrès. *Pic*, en chilien, c'est synonyme de bite, queue, bistouquet, trique, zob, gourdin, je veux dire, pénis. Enfin, poursuivons cet instant de délire, les lanternes sont descendues péniblement des arbres, ce qui indique qu'elles sont tenues par des êtres vivants car les esprits, eux, volent, c'est sûr, et je n'imagine pas un fantôme avec une lanterne chinoise. Les soi-disant extraterrestres avancent vers nous, en nous aveuglant ; nous pouvons vaguement distinguer leurs silhouettes, mais aucun visage.

— Alors, Ouane, on s'en va, oui ou non ?

Les projecteurs s'arrêtent à moins d'un mètre, il y en a un qui fait deux pas en avant, mais personne n'éteint ces maudites lampes, nous ne pouvons donc pas savoir de qui il s'agit. Je me cache, plus qu'effrayée, derrière le Ouane ; heureusement, j'ai fait mes besoins une heure avant, sinon j'aurais eu une de ces chiasses.

L'ombre luminaire salue :

— Bonsoir, *monsieur.*

D'après le ton de sa voix, ses intentions sont pacifiques.

— Cette *dame*, vous la connaissez ?

Il doit être autorisé, surtout suborné, et pour jouer les subordonnés il souligne *monsieur* et *madame*, ce qui lui permet d'établir de fausses catégories.

— Depuis plusieurs années, c'est la personne que je viens voir dans ce pays. Enfin, entre autres, car je suis ici pour affaires...

— Nous sommes au courant. Nous venons voir si vous vous plaisez, si vous ne manquez de rien... Si nous pouvons vous être utiles, nous sommes à votre service, vous le savez.

— Putain, pourquoi est-ce que vous n'étiez pas là tout à l'heure quand des voyous profanaient et pillaient des tombes, entre autres celle de ma mère ? Merde alors, je me suis époumoné à réclamer un policier.

— Nous ne sommes pas des policiers ordinaires, monsieur, ne vous méprenez pas. Ce n'est pas notre fonction. D'ailleurs, les pilleurs de tombes sont autorisés, ce sont des indics du chef de secteur. Nous vous invitons à quitter le cimetière.

Je n'avais jamais vu de ma vie, de mes yeux qui finiront sous terre, cette terre qui se trouve sous mes pieds plats et empêtrés, un cynisme pareil. A coups de *monsieur* par-ci, *monsieur* par-là gros comme le bras, ce qu'ils veulent, c'est nous faire décamper en quatrième vitesse. Je suis éberluée parce que le Ouane, fanfaron comme il est, sa seule réaction c'est de me prendre par la main, de remercier à mi-voix et de m'entraîner derrière lui direction la sortie et pendant tout le trajet, il ne moufte pas. Quand nous quittons le cimetière, le jour pointe, je regarde le balcon d'Omnivideo et je remarque que la fête continue, à l'intérieur des couples et des groupes mixtes se tripotent en dansant à la lueur tamisée des bougies. Fax vomit une humeur phosphorescente, penchée à la balustrade du balcon. Je traverse la rue avec lui, main dans la main. MON AIMÉ. Je ne peux pas encore réaliser qu'il est là près de moi, que je suis suspendue à lui, l'air de ne pas y toucher, en jouant la dure, l'indifférente, la salope, la ravie. A vrai dire, depuis quelques minutes, la tristesse me gagne à l'idée qu'il a débarqué comme une fleur, sans prévenir, je n'ai même pas eu le temps d'aller chez le coiffeur me faire un chignon au sommet du crâne. Des cheveux blancs, peut-être, mais présentables. Est-il vraiment venu pour me voir, pour me chercher ? Non, Cuca, ne te fais pas d'illusions, il a expliqué que tu étais l'une des multiples raisons pour lesquelles il se trouvait dans ce pays. Après tant d'années de silence, d'interdiction. Oui, car jadis il était rigoureusement interdit de correspondre avec les familles résidant à Miami. Bien des familles ont cessé de communiquer, et je connais des cas d'enfants brouillés avec leurs parents, s'ils ne le faisaient pas, ils perdaient leur emploi, et on allait jusqu'à souiller par des calomnies – là, ils n'étaient pas à la fête – leurs dossiers professionnels ou scolaires. A la fin des années soixante-dix, les voyages de la communauté en exil ont commencé, et tous ces *vers de terre**, parents, enfants, frères et sœurs revenaient, bourrés de cadeaux invraisemblables, déguisés avec des tas de fringues, trimballant des paquets de café fixés à leurs chapeaux ou à leurs jupes, des dollars planqués dans des savonnettes, des tubes de dentifrice, des boîtes de talc, des faux talons. Les *vers*, mués en papillons, étaient les bienvenus pour dépenser leur argent dans les magasins d'Etat, pour nourrir, vêtir et chausser les cocos. Ces visites furent des retrouvailles d'amour, de douleur, mais de rancœur, et aussi de dollar. Au bout d'une semaine, de nombreux habitants de l'île plumaient ceux du dehors et dans bien des familles, l'enthousiasme ne tarda pas à s'éteindre, l'amour partait à la dérive. Mais apparemment, le Ouane c'est une autre histoire, comment est-ce qu'un indésirable du régime peut venir monter des affaires ? Qu'est-ce que j'en ai à fiche, moi ? Je ne me suis jamais intéressée à la politique. Il est avec moi, serré contre

* En espagnol, *gusanos*. Ainsi sont désignés les oppo sants au régime castriste, les exilés, et autres "contre-révolutionnaires". *(N.d.T.)*

moi, il me prend par la taille, c'est de cela qu'il s'agit, il est peut-être venu avec l'idée de s'installer, pour que nous puissions enfin vivre ensemble dans mon petit logement. Oui, parce que son grand appartement du Somellán, il l'a perdu, évidemment, on y a inauguré des bureaux de la Sony. Je le sais parce que l'autre jour je suis montée là, poussée par la nostalgie de revoir la terrasse où j'avais perdu le bien le plus précieux pour une femme, la virginité ; soudain on a ouvert la porte et j'ai vu des types qui portaient une chaîne hi-fi de marque Virgin, quel hasard ! Quatre autres types ont tiré de là un très beau réfrigérateur moderne avec double porte plus un compartiment pour glaçons, le rêve. Je leur ai demandé la permission et ils m'ont laissé entrer ; j'en ai presque oublié la terrasse, ma pureté souillée par une nuit de cyclone, et le Ouane plus emmanché que la hampe du drapeau, tout ça parce qu'à l'intérieur de ce vache d'appartement étaient exposés des dizaines de réfrigérateurs, de téléviseurs, de magnétoscopes, de mixers, de sèche-cheveux, enfin tout ce que l'on imagine qui existe en ce bas monde, de toutes les dimensions et de tous les modèles.

— A quoi penses-tu, Cuca ? Tu es dans la lune ?

— A des réfrigérateurs.

— Oh, bien sûr, à la cachette ! Bravo, n'oublie pas le plus important. Hum, enfin je sais que ce n'est pas le plus important, mais presque, car l'homme ne vit pas seulement d'amour.

— La femme non plus, avec la chaleur qu'on se tape ici, le plus important, c'est un frigidaire, même si on n'a rien à mettre dedans. Ecoute cette blague. Quel rapport entre un frigo cubain et une noix de coco ?

Il fait signe qu'il n'en a pas la moindre idée, et je ne lui laisse pas le temps de réfléchir.

— Eh bien, les deux n'ont que de la flotte à l'intérieur ! Ah, gros bêta, je t'ai eu !

Le Ouane me fixe au comble de l'étonnement, comme s'il me prenait pour une mioche complètement dingue. Laisse-moi me calmer. L'intérieur de l'auto ressemble énormément à un vidéoclip de Fundora. Une voiture comme je n'en aurais jamais imaginé de pareille, avec un tableau de bord plein de voyants de toutes les couleurs, des montres et même une radio-cassette, dans laquelle il introduit un disque minuscule argenté, en me demandant si je connais les disques compacts. Je secoue la tête, non, bien sûr que non, je retarde tellement ! Le seul compact dont j'ai entendu parler, c'est le vieux Cérélac de régime, plus compact qu'une brique, que l'on vend aux vieillards de plus de soixante ans. Il se lance dans des explications qui ne sont pas de mon rayon, comme quoi ce disque fonctionne, précisément, grâce à un rayon laser. Enfin, une avancée technologique incroyable et indépassable. Mais moi, ces gadgets ne retiennent pas beaucoup mon attention, sauf quand ils sont de première nécessité, genre réfrigérateurs. Ma petite boule au sein se remet à battre, c'est les nerfs. Si je pouvais prendre mes Valium et picoler une gorgée de ma petite flasque de rhum tord-boyaux, mais je ne veux pas donner l'impression que je suis une fieffée drogalcoolique. Je le fus, je le suis encore. Franchement, il ne me reste plus de peau autour des ongles, j'ai tout rongé avec mes gencives. Des gencives calleuses déjà pleines d'ampoules, à force de mordre dans le vide. J'ai des bouts de doigts fichés dans mon ulcère, et les ongles restants pourrissent. Elégant, d'un geste digne d'un joueur de base-ball, d'un *pitcher* habile au lancer, il met le moteur en marche, la voiture démarre comme sur de la soie, sans un bruit, on dirait que nous lévitons sur un tapis volant. Je demande s'il n'est pas à court d'essence, il répond, pas du tout, pourquoi serait-il à court de combustible, il ajoute même, en voilà une drôle de question, Cuquita. Je me pince le bras, je ne suis pas certaine d'être vivante, je me pince de nouveau, encore plus traîtreusement. Aucun doute, je suis bien vivante et dégoulinante. Je ne ressens rien, je voudrais être joyeuse, mourir d'un infarctus par overdose de joie, mais manifestement j'ai le cœur très solide, un foutu chêne. J'aimerais poser des questions au sujet de nos vies, cependant je crains d'être indiscrète, de faire une gaffe, d'avoir l'air ignorante, de me ridiculiser. A l'intérieur de la voiture, ça sent un parfum de pute d'autrefois, comme une odeur de vanille, il appuie sur un autre bouton, il y a même l'air conditionné ! Les voix d'Elena et de Malena Burque sur le disque Cérélac nous signalent que *nos vies voulurent être quelque chose / mais ne sont rien / elles se sont éclipsées comme le matin / disparaît dans le soir*...

Rue 23, il fait noir comme dans un four, il n'y a pas âme qui vive sur les trottoirs, le seul véhicule, c'est le nôtre. On voit surgir, entre la masse sombre des arbres, l'ancienne villa ayant appartenu à des exilés, aux façades en verre dépoli, transformée en magasin de pièces détachées pour automobiles Mitsubishi. Des pubs de Noël de l'an dernier ont été camouflées sous des drapeaux et des fresques. Le Ouane prend un air consterné et constipé. Je lui explique qu'il s'agit d'une diplo-boutique et il a l'air de comprendre. Du *Coppelia*, l'ancienne cathédrale de la glace, il émane un relent insupportable de pisse de mauvaise bière. L'autre jour, on m'a raconté que les Espagnols ont acheté le premier étage, c'est pourquoi le *Coppelia* s'appelle maintenant "Guerre de dépendance". A cause de ce cri négatif : Vive les Espagnols, à bas les guérilleros ! Le Ouane fait étalage de sa mémoire et me questionne sur des lieux dont il ne subsiste même pas l'ombre, sur des maisons en ruine, sur des personnes mortes ou ayant quitté le pays. Nous sommes passés devant *Le Moscou*, euh, *Le Montmartre*, et pour la première fois je vois de grosses larmes jaillir de ses yeux sans pattes-d'oie, couler sur ses joues lisses comme des portes de cèdre, dégouliner sur son menton, puis baigner sa cravate en soie qui exhibe une reproduction des *Demoiselles d'Avignon* de Picasso. Que je suis cultivée, bordel ! C'est grâce à mes incursions dans les magazines étrangers, fournis par le mari-fiancé grec de Photocopieuse. J'invite le Ouane au parapet du Front de mer pour qu'il prenne un peu le frais, mais il refuse catégoriquement, avec une rage mal dissimulée. Il ira plus tard, dit-il, pour le moment il est trop ému, il aurait besoin d'un bon bain, et de se reposer. J'éclate en sanglots, parce que je pressens une séparation. Pas du tout, et il me caresse le visage, les rides de mon front, descend dans mon cou et ses doigts s'emmêlent dans les pores dilatés de ma peau fripée. Il souhaite visiter mon petit appartement, connaître sa fille. Je l'informe que María Regla ne vit plus avec moi, et son visage s'assombrit. En outre, je dois lui parler d'abord, lui expliquer que son père est venu, si elle m'en laisse le loisir, parce que la Môme ne vous laisse pas placer un mot. C'est la moindre des choses que je la prévienne, pour lui épargner un choc terrible, un traumatisme psychologique. Je remarque qu'il s'énerve, il fixe le rétroviseur avec insistance, très préoccupé d'un autre problème qui ne s'appelle plus María Regla.

— Il y a une voiture qui nous suit.

— Tu te fais des idées.

— Ils sont garés à un demi-bloc et le conducteur a commis l'erreur d'allumer une cigarette.

— Oh là là, ne commence pas à me faire peur à présent !

— Il ne se passera rien, ils surveillent mes faits et gestes, c'est normal. Jusqu'ici tout est parfait, Cuquita, allons dans notre petit nid.

Notre nid, il a dit notre petit nid ? Je ne suis plus faite pour ce genre de débordements, j'ai passé la ménopause, d'ailleurs on m'a tout enlevé quand on m'a opérée d'un fibrome. Pour ce qui est de sentir, je ne sens pas grand-chose, mais je peux toujours faire semblant, pourvu qu'il m'aime et qu'il ne m'échappe pas de nouveau. Un nid ? Oui, mon petit appartement est un nid de poulets plutôt qu'un nid d'amour. Pas seulement à cause des quatre poussins que j'ai touchés avec ma carte de rationnement, et que je dois nourrir et engraisser afin de leur tordre le cou plus tard s'ils survivent, pour en faire de la soupe, mais aussi à cause du désordre et de la paupérisation du lieu, déclaré logement insalubre, étayé au-delà du maximum, il ne tient plus le coup, pas au sens sexuel, mais littéral. Enfin, je n'ai rien d'autre à offrir, et je l'offre avec amour et passion, il le sait. Il met la voiture en marche et aussitôt, c'est certain, nos poursuivants font de même et nous talonnent de près. Nous descendons par la rue L, jusqu'à la rue Línea, noire comme dans un four aussi, nous continuons jusqu'à Calzada, tournons à droite et prenons la rue M. Le Ouane, nostalgique, se souvient des palmiers nains, je lui explique que les cyclones et les raz-de-marée ont saccagé la végétation. Il se gare le long du trottoir devant la porte de l'immeuble, et la seconde voiture en fait autant un demi-bloc plus loin. Avant de nous engouffrer sous le porche, nous saluons Hernia, la voisine solitaire qui dort dans un hamac en plein air, parce que la tempête du siècle a détruit tous ses biens et une partie de son logement. Alors, tandis que je monte et que j'essaie de me distraire en pensant à autre chose, je remarque les murs lépreux jamais repeints depuis la construction de l'immeuble. Je me rends compte que les escaliers sont enduits d'une crasse inimaginable, autrefois c'était moi qui faisais le ménage, mais depuis que je n'ai plus de serpillière parce que je l'ai mangée en escalopes, plus personne ne se charge de l'entretien des parties communes. Les ampoules du premier et du troisième palier ont été volées. Nous voici enfin arrivés à notre étage. J'ouvre la porte, au comble de l'incertitude, au bord de l'agonie. Le téléviseur est allumé sur la mire, c'est-à-dire sur XXL en plein discours. C'est fini, la programmation est achevée et des zébrures remplissent l'écran ; Valentina Ousquonsenva, harassée, est affalée dans son petit rocking-chair en osier. Sans crier gare, le Ouane se précipite comme un sauvage, sa chaussure à la main, et fonce droit sur mon amie Valentina pour l'écraser.

— Cuca, planque-toi, je veux la zigouiller !

— Fais gaffe à ce que tu fais, Ouane Pérez !

Dès qu'il entend son nom, le mari de Valentina, le souriceau éthiopien, ensommeillé, se pointe en boutonnant son pyjama. D'un bond, Valentina, terrifiée, s'est collée au mur et Mickey Parfait, le doux surnom que Valentina et moi nous donnons parfois à son mari pour le taquiner, réalise la situation immédiatement et court protéger sa tendre épouse.

— Bouge pas, toi !... Ce sont mes meilleurs amis. Les enfants, je vous présente l'homme de ma vie, le père de ma petite fille, Ouane Pérez. Chéri, je te présente la blatte russe Valentina Ousquonsenva et l'Ethiopien rongeur Juan Pérez. Il s'appelle comme toi, en ton honneur...

Il s'écroule dans le rocking-chair ; c'est tout juste s'il ne tombe pas dans les pommes, son visage est décomposé, il est tout chagriné et déconcerté, et ne sait quels mots murmurer. Alors le souriceau lui tend la patte amicalement et après maintes hésitations et réflexions, il décide de la lui serrer. Valentina, téméraire, grimpe le long du pli de son pantalon, puis s'accroche aux boutons de sa chemise, arrive à son cou, atteint sa joue gauche et lui colle un baiser sonore. Ensuite, elle se décroche par le même chemin et va s'asseoir dans son minuscule fauteuil à bascule en osier. Bon, je vais aller vous faire un café, pas moyen de supporter des silences aussi pesants. C'est Valentina qui brise la glace et demande, inconsciente du mal qu'elle peut faire, des nouvelles de la famille du nouveau venu, s'il en a une. Moi, à la cuisine, j'en suis paralysée, la cafetière à la main ; le service à café est posé sur la tablette, à droite.

— J'ai une femme et une fille, et je les ai laissées à peu près en forme, merci, répond-il.

Alors, d'un coup de coude involontaire, je fais tomber mon service de six tasses à café avec leurs soucoupes. Il vient à la rescousse, aussi rapide que Ramoncito, le fils du chanteur de musique paysanne qui est mort, paix à ses cendres. Ce n'est rien, merde, ce n'est rien, qu'importe si des tasses se brisent, d'ailleurs nous-mêmes nous allons nous briser un jour. Comme je deviens négative et vindicative ! Evidemment, comment n'avais-je pas envisagé qu'il avait pu se marier, se ranger pour fonder un foyer ? Quelle idiote je suis.

— Cuquita, j'ai soif, je voudrais de l'eau froide, avec des glaçons pilés, où est le réfrigérateur ?

— Le réfrigérateur ? A l'usine, il y a plus de cinq ans que le moteur est tombé en panne et comme il est russe, il n'y a plus de pièces de rechange. Ils attendent l'élection d'un communiste, encore une fois, pour nous faire envoyer la fameuse pièce. Quant à mon General Electric, il n'a même pas eu l'occasion d'aller dans un atelier, par la faute du blocus, qu'ils disent. Alors comme ça, tu t'es marié !

— Pas toi ?

Il sait bien que non. C'est très clair pour lui, c'en est même transparent, mais ils ont besoin de nous humilier, de nous écraser conjugalement. Encore que ma force morale, mon arme invincible, ce soit la fidélité. L'attente inébranlable.

— Je ne me suis jamais remariée, dis-je sur le ton de Mère Teresa.

— Quelle sottise, pourquoi donc ?

Ça alors ! Elle est raide, celle-là ! Trente et quelques années à l'attendre, ce n'est pas une preuve d'amour, ni même un exploit, ce n'est qu'une sottise ! Le sacrifice de toute ma vie, tuée par l'absence, folle d'envie de l'embrasser, d'entendre sa voix, de lui déclarer ma lutte quotidienne contre la tromperie, contre la trahison, pour qu'il arrive à la conclusion que mon stoïcisme a été une sottise.

— Ben j'sais pas, j'y ai pas pensé. J'étais absorbée par d'autres tâches.

— Lesquelles ?

— Celles de la révolution.

Je m'écoute et je crois entendre María Regla, ma pauvre petite môme schizophrène.

Je ne sais pas ce qu'il a à rigoler comme un bossu. Valentina et Mickey Parfait se rendent compte qu'ils sont de trop et très affectueux et polis, ils nous disent au revoir, se prennent par les pattes et se faufilent sous l'interstice de la porte. Je devine qu'ils vont emménager provisoirement chez le marchand de nougats à la cacahouète, qui a fondé une auberge de cafards. Les fentes louées doivent se payer en devises, car il les a aménagées de manière très moderne, selon les besoins des insectes : sucre, chaleur genre torride, ordures et pourriture à gogo. Le Ouane se bidonne toujours sans pouvoir s'arrêter.

— Ne me dis pas que tu ne t'es pas fait un seul mari !

— *Nozing.* Je réponds "rien" en anglais pour avoir l'air calée en langues.

— Nom de Dieu, tu dois avoir le trou bouché, il faudra te passer un goupillon pour extirper les saletés.

— Ne sois pas grossier. J'ai beaucoup souffert par ta faute, depuis le jour où tu es parti en claquant la porte si fort que j'ai dû changer les gonds… et que tu ne m'as rien laissé, à part mon gros ventre.

De nouveau son visage s'assombrit, il devient grave comme s'il était à la veillée funèbre de sa mère, que Dieu ait son âme. Pour ne pas envenimer davantage la situation, j'ouvre toute grande chaque fenêtre, celle qui donne sur la rue, celle qui donne sur le trou de la cour, celle qui donne sur la cuisine, celle qui donne sur la mer. J'ai l'impression qu'avec ma dernière phrase, j'ai sapé son univers romanesque de polar, je crois bien que j'ai gaffé au-delà du possible le plus impossible.

— Je ne t'ai rien laissé, que veux-tu dire par là ?

Sa voix est interrompue par des chants d'oiseaux, des bruissements d'ailes de colibris et de moineaux, des roucoulements de tourterelles. La fraîcheur de l'aube inonde la pièce. Ensuite, la brise se mue en ouragan violent, alors je vais fixer les battants des fenêtres à l'aide de crochets. Je sens mon corps étrangement lourd. Il émane aussi du corps du Ouane une espèce d'épaisse énergie grisâtre, stupéfiante. Par les fenêtres entrent des paperasses, des feuilles, des branches, des antennes de télé, des journaux, des langes et des serviettes encore agrafés aux fils, des drapeaux, des portes, des vitres, des affiches de comité, des rubans, des robes d'été, des cheveux, de la poussière, des dentiers – naturellement, il en attrape un au vol et me le montre, triomphant. Tout ce qui existe sur la terre comme au ciel s'introduit par les trous béants, les objets de métal adhèrent à nos corps aimantés. Cette atmosphère raréfiée se prolonge près de quarante-cinq minutes. Le même ouragan nettoie la pièce d'un coup, tout ce qu'il a amené, il le remporte, il y a même plus d'objets qu'il n'en faut qui disparaissent : la radio Selena, mon petit vase avec les tournesols en plastique, les napperons, et d'autres babioles sans valeur. Les autels sont intacts. La photo de Taille Extra tombe et le verre se brise, mauvais augure. Mais les vierges gardent leurs postures divines, oh, les petites coquines ! avec leur pâle figure de saintes nitouches. Soudain, le corps du Ouane vibre en direction du mien, le mien vibre aussi et s'agite vers lui tout disloqué. Nous nous attirons comme deux aimants et nous restons collés l'un à l'autre, sans la moindre envie de nous serrer, de nous pincer et de nous tripoter. Plutôt comme deux fragments de minéraux. Tout aussi froids et insipides. La bourrasque prend fin et un son de sextette, aux voix imbibées d'alcool et en même temps rauques, arrive de l'appartement du marchand de cacahouètes ; la fureur d'Eole est supplantée par de la guimauve mélodique.

Tant de luxure pour un sou d'cacahouète,
pour un sou d'cacahouète, pour un sou d'cacahouète…

Alors chaque foyer s'apprête à des parties de jambes en l'air, pas à l'air, c'est que les cyclones, ils nous perturbent les hormones. Par la percée du couloir, où donnent toutes les fenêtres grandes ouvertes, les réflexes des sexes de chaque locataire grimpent jusqu'à nos tympans, dans une symphonie insolite de cris, de gémissements et de râles, car baiser en silence, c'est très caractéristique des immeubles parisiens, où il suffit que votre voisin tire la chasse ou actionne l'interrupteur pour être dérangé, ça je l'ai lu il n'y a pas longtemps dans un *Elle*. Ou bien dans *Hola* ? Non, plutôt dans *Elle*, qui fait beaucoup plus sérieux et ne s'amuse pas à éplucher les vies d'artistes, n'empêche, j'adore *Hola*, le seul à m'informer sur mes chanteurs préférés. Grâce à ces magazines, je me sens rajeunie, j'ai déjà dit que c'est Photocopieuse qui me les prête, et elle, c'est son marin et mari-fiancé grec qui les lui fournit ; lui, pour le moment, il est ancré dans la baie parce qu'on vient de lui voler le moteur de son bateau, ni vu ni connu. Ce que nous entendons, le Ouane et moi, c'est la grosse voix du marchand de cacahouètes parlant à sa femme, affligée d'un petit défaut auditif et qui baise en écoutant les messages envoyés par les familles miamaises à travers *Le Pont familial*, émission de Radio Ennemie. La grosse voix de son mari couvre celle de la radio :

— Oh, ma poupée, je vais te la mettre dans le cul et tu vas voir tout le système solaire, tu croiras avaler la Lune, Mars, Vénus, les étoiles…

Ce à quoi la poupée répond en chantant un boléro qui a fait la gloire de Pedro Vargas :

Que l'infini reste sans étoiles,
que la vaste mer perde son immensité…
Œil noir, peau de cannelle, qui me font perdre la tête.
C'est toi qui m'importe, et toi, et toi, et toi seule…

Le marchand de nougats s'affole et exige son dû à bras et à biroute raccourcis.

— Ma poupée, donne-moi ton foutre, donne-le-moi, donne-le-moi, DONNE-LE-MOI !

D'un lit voisin, dans une autre chambre d'un autre appartement, un ouvrier d'avant-garde s'époumone :

— Donne-le-lui une fois pour toutes, poupée, pour qu'il nous laisse dormir, demain on travaille, et on n'est pas de bois !

Enfin le marchand de cacahouètes lâche un hurlement terrifiant genre *désireux est celui qui s'éloigne de sa mère* comme dans le poème de Lamama Lima.

Là-dessus commence *Le Contrepoint du tabac et du sucre** au numéro douze du second étage. La voix masculine réclame :

— Ecarte les pattes, mon cœur.

Elle lâche un soupir las, épuisé, plutôt excédé.

— Maman, le cœur, ça a des pattes ? demande une petite voix enfantine somnolente. Silence forcé.

A côté, Pénisse et Phimosis, je veux dire, la Mechunga et la Puchunga, folâtrent allègrement avec Memerto Remando Betamax qu'elles forcent à un strip-tease, tandis qu'elles se foutent à poil et se couchent en position de niquer – sans arnaque – la maigrichonnerie du directeur de l'Aigremonie. Memerto aiguise ses narines, flaire intrigué et s'enquiert, son caleçon encore sur les genoux :

— C'est laquelle des deux qui pue la papaye pourrie ?

— Arrête ton char, fais pas chier, c'est toi qui viens de lâcher un gros pet aux pois cassés chauds. Oh là là, les péteux nous poursuivent ! répond, aguerrie, la Mechu, tandis que la Puchu se fourre quand même le doigt dans le vagin et le flaire discrètement. Ça je le devine au son de la claque.

— Ne sois pas idiote, ma vieille, ne te flaire pas comme ça ! Tu vas pas te laisser impressionner par cette espèce d'impuissant ?!

La Puchunga met le disque rayé d'Olga Guillot à plein tube sur le vieux tourne-disque RCA

* *Le Contrepoint du tabac et du sucre*, ouvrage de l'ethnologue cubain Fernando Ortiz. *(N.d.T.)*

Victor, pour que les voisins n'apprennent pas ce qui se passe dans leur coin :

Sais-tu de quoi j'ai envie ?
De dormir depuis ce vendredi
et de me réveiller dimanche.
Sais-tu de quoi j'ai envie ?
Que le soleil brille la nuit,
de faire une débauche d'amour,
jusqu'à te rendre fou...

— *Ne me refuse pas ce que je demande...* murmure le Ouane en continuant les paroles du *corrido* mexicain.

Mon vieux corps, pourtant, ne résiste pas, il s'est échauffé, si je mets le thermomètre, je le fais exploser, mais je ne sens rien d'humide par en bas, mon sexe reste froid, fripé, dévalorisé. Mon cœur aime tendrement, mais sans désir. Comment te l'avouer, mon p'tit chouchou en sucre, comment t'expliquer que tu es arrivé trop tard et que je ne suis plus qu'une pauvre vieille ménopausée dont le cœur brûlant bat tout doucement ? Un cœur gonflé de tant d'amour captif, de tant de passion contenue. Naturellement, je ne vais pas te révéler que j'ai eu mes aventures, dans le genre séances physiologiques et thérapeutiques, mais elles ne comptent pas. Ce qui compte, c'est l'amour. Le grand amour. Et si mon grand amour, ce n'était pas lui ? Si je m'étais trompée, si tandis que j'attendais cet abruti, j'avais laissé filer mon grand amour authentique ? En vérité, l'absence est mauvaise conseillère, une maudite entremetteuse stimulante, mais il n'y a plus de temps à perdre. Je dois lui mettre le grappin dessus, car il est impensable qu'un autre type se pointe. Mais que dis-je, parler ainsi, avec tant de froideur et de frivolité, du père de ma fille ! Où as-tu la tête, Cuca Martínez ?

— Je n'ai pas l'intention de te refuser quoi que ce soit, Ouane, tu n'as qu'un mot à dire. Ce que tu voudras, ma vie, si besoin est.

— Ma petite Cuquita, je ne t'en demande pas tant, tout ce qu'il me faut, c'est le dollar, un point c'est tout.

Qu'est-ce qui lui prend, à celui-là, hein ? Il se figure que vieille comme je suis et après avoir tellement souffert, je vais me compromettre avec des voyous de la voyouterie ? Aïe, Jésus, quelle douleur dans ma poitrine, ça y est, je suis bonne pour l'infarctus, sûr et certain, mais enfin je n'arrive pas à croire que cet homme vient justement de l'arbre à dollars pour m'enlever à moi, tu piges, le seul petit dollar que j'ai vu de ma vie et que d'ailleurs j'ai trouvé dans la rue, tout à fait par hasard. Pour l'instant, le mieux, le plus recommandable, c'est de jouer l'innocente. Mais ce gars a fumé de la marijuana et il ne m'a pas invitée ! Je soupire, l'air rêveur :

— Mon joli trésor, de quel dollar parles-tu ?

— Ne me dis pas, Caruquita, que tu ne t'en souviens pas, toi non plus…

Et il se met à pleurer, désespéré comme un madelein, perdu dans la plaine solitaire, ou dans la steppe glacée.

— *Ma vie ne vaut rien…*

— Ça, c'est Pablo Milanés qui le chante. La mienne vaut encore moins, même pas un dolluche. Moi qui croyais que tu étais venue pour notre fille, pour notre amour, pour le bon vieux temps. Mais enfin, ne te mets pas dans un état pareil, tu ne vas pas me dire à moi que tu n'as pas d'autres dollars dans ton portefeuille, qu'importe un dollar puisqu'il y en a des centaines dans ton chéquier… Ne fais pas le radin, toi qui as toujours eu les poches trouées. Tu ne vas pas te dégonfler maintenant, je n'ai jamais aimé les types qui flanchent, qui se déculottent. Ne sois pas pingre à ce point-là !

Pourtant il ne décolère pas, il en est à se cogner la tête contre les murs, mais notre posture l'empêche d'attenter contre son crâne, car nos corps sont toujours collés comme deux saloperies d'aimants butés. Je lève la main et lui caresse les cheveux ; c'est incroyable, il n'en a pas perdu un seul, mais il les teint en acajou. Je lui recommande de changer de teinture, cette couleur ne lui va pas, et il se lamente de plus belle, à grands cris. Entre deux sanglots, il raconte une histoire qui a tout l'air d'un scénario pour un film d'Humphrey Bogart. Tant qu'il ne trouvera pas le billet, sa femme et sa fille vont courir un danger terrible, car le numéro de série de ce dollar coïncide avec le code secret du plus grand compte bancaire en Suisse de son autre famille, la mafieuse. Moi qui croyais que *l'autre* famille c'était nous ! On l'a fait venir avec la complicité de ceux d'ici pour récupérer cette fortune et s'il n'y parvient pas, eh bien on l'a prévenu de ne pas remettre les pieds là-bas, il fera mieux de se tirer une balle, de se trancher les veines, ou de se précipiter contre les rochers du haut du phare du Morro. Je préfère cette dernière forme de suicide, rien qu'à l'idée de tout ce sang à laver sans serpillière et sans eau, j'en ai la chair de poule. Sans compter les emmerdements qui m'attendent côté police. Je réagis, je reprends mes esprits. C'est à cela que mon amour en est réduit ? Au prix d'une sucette, d'un poudrier, d'un Coca. Même pas, car tous ces articles ont augmenté. Je le caresse encore, cette fois je palpe son visage lisse baigné d'un liquide salé. Je le regarde en face. Ses yeux vides m'intimident, perdus dans l'idéal, dans l'utopie d'un bout de papier vert manipulé. Je prends sa tête entre mes mains, en l'obligeant à chercher mes yeux éteints et globuleux. Regarde-moi, Ouane, regarde-moi, je t'ai tant aimé… Je suis ici, nous sommes réunis. C'est moi, ta vieille enfant qui t'aime. Je t'aime, je t'adore et je t'achète un condor. Je n'ai jamais cessé de t'aimer, même pas une seconde de ma vie. Ouane, sais-tu ce que cela signifie, *toute une vie* ? Cette vie dont je me figurais que j'allais la passer avec toi. Regarde-moi, je t'en prie. Embrasse-moi. Je colle mes lèvres desséchées et gercées à ses lèvres injectées de silicone, je lui ouvre la bouche avec ma langue rugueuse et râpeuse. Malgré son sourire fabriqué, dents en porcelaine, il a toujours la même odeur de carie, de tartre, de Guerlain, de menthe. C'est mon homme. Celui qui m'a compromise aux niveaux sexuel et politique. Voici mon baiser. Si attendu. Il fouille dans ma bouche en gardant les yeux ouverts, et son regard glacial plonge dans le mien. Je clos mes paupières. Sa langue passe sur mes gencives. Je donnerais tout pour avoir des dents ! Mais les folies de jeunesse sont ainsi, on les paie cher à la fin de notre foutue existence. Maintenant sa langue brûle et ses mains parcourent mon dos, je veux dire ma carcasse. Je rouvre les yeux. Lui les a fermés fort et il prononce entre mes lèvres la phrase à laquelle j'ai été suspendue comme une araignée à son fil. Frémissante jusqu'au bout des ongles, je devine plus que je n'entends les mots magiques :

— Je t'aime, ma môme, je t'aime.

J'en reste comme deux ronds de flan, éperdue d'amour.

Nos corps ne sont plus deux aimants rigides, fondus dans le tourbillon farouche de la tempête. Son corps traverse le mien. Le mien déambule par le sien. Nous sommes deux à sentir, en semi-veille, que nous ne faisons qu'un. Nous léchons notre vieille sueur, et nous reconnaissons nos anciennes odeurs, les parfums naturels de notre peau, ses accidents. Maintenant écartés, nous nous détaillons lentement, nous étudions avec désinvolture les ravages que le temps a tatoués, burinés, en laissant de profondes cicatrices. La mélancolie nous envahit car, nous le savons, nous avons menti tous les deux sans pitié, de manière calamiteuse, afin de pouvoir survivre dans nos mondes respectifs, pleins eux aussi de mensonges absurdes, gigantesques, déchirants. Je deviens si sentimentale que je me dirige à pas tremblants vers l'autel de la Vierge des Mercis, j'introduis ma main sous la cape brodée de fils d'argent, j'extrais mon trésor d'entre ses jambes : le dollar. Les pupilles du Ouane brillent de convoitise, une écume perle à la commissure de ses lèvres. Il me l'arrache. Il l'examine à contre-jour. Il prend dans la poche de sa veste un appareil détecteur d'or, de métaux, de pierres précieuses et bien sûr, de dollars très spéciaux. Il s'écroule sur le canapé éventré, dont les quatre pieds se cassent. Adieu canapé, comment trouver un menuisier ayant du matériel pour le réparer ? Non, autant mettre un emplâtre sur une jambe de bois.

— Non, ce n'est pas le bon, affirme-t-il en jérémiant.

— Comment ça, non ?

— Ce n'est pas le billet que je t'avais donné au moment de nos adieux, affirme-t-il au bord du gouffre.

De quoi ? A son départ il m'aurait donné un dollar ? Il est soûl, ma parole ou il délire. Un billet, quel billet ? Je m'en souviens, il a bien spécifié qu'il était fauché comme les blés, qu'il n'avait pas la moitié d'un sou. On frappe à la porte. Lente, mais sûre de moi, je tourne la poignée, non sans mal ; je devrais la graisser. Deux hommes en *guayabera*, très circonspects, interrogent de leurs yeux bigleux. Leurs visages irréguliers, piqués de petite vérole, me disent quelque chose, j'ai l'impression de les avoir déjà vus il y a longtemps, et moi pour ce qui est d'identifier des malfrats, je ne me trompe jamais, je suis une excellente physionomiste.

— Bonsoir, madame, nous avons besoin de nous entretenir avec votre *amant*.

Rien que ce mot d'*amant*, prononcé si effrontément, les a dessinés dans ma mémoire. C'est les mecs qui étaient venus se renseigner sur le Ouane, le jour même où il était parti pour toujours, ou tout comme. D'instinct, je réponds qu'il n'est pas là, que je ne sais pas de quoi ils parlent, et je me campe dans l'entrebâillement de la porte.

— Laisse-les entrer, Caruquita, je les connais.

Alors je vais pour obéir, en authentique automate je les laisse passer et je les invite à prendre place. Je vais même jusqu'à leur offrir la dernière petite cuillerée de café qui reste dans la boîte. Je le prépare, léger, mais savoureux. Inutile de le préciser, une fois les tasses servies, je m'éclipse discrètement par la porte de la chambre à coucher. Cependant, de mon poste stratégique, je peux suivre la conversation :

— Tu sais que nous sommes ici, non pour régler des comptes, mais pour que tu nous remettes notre dû. Tu as jusqu'à demain dernier délai, tu es invité à la réception en hommage à Nitiza Villainterpol, celle qui a maintenu le peuple bien nourri, énergique et viril, durant plus de trente ans.

— En tout cas, c'est vous qui devrez rendre des comptes. Personne ne m'a encore révélé qui a tué Luis. Les motifs ont été plus que dissimulés, enterrés dans le bourbier de l'histoire. Quant à ce qui vous appartient, que vous dites, je ne l'ai pas encore découvert, mais dès que je l'aurai trouvé, ça ira dans les mains de mon chef. C'est pourquoi je suis ici, j'exécute des ordres.

— Ne te défile pas, il n'y a qu'un chef, ici. N'oublie pas que tu es de retour dans l'île. On t'attend.

Tout en parlant, il se cure les dents avec le bout de sa langue, ce qu'il est mal élevé !

— Vous pouvez attendre longtemps.

Quel courage, lui alors, il a des couilles au cul !

Furieux, les types se lèvent, écumant de rage, et se cassent sans même un au revoir, en laissant la porte ouverte. Pendant leur conversation, je me suis remémoré l'existence du billet plié, daté de 1935, que le Ouane avait déposé dans ma main gauche, celle du cœur, celle de la mélodie, avant son départ. Où est-ce que j'ai pu le fourrer, grand Dieu, où ? J'ai une de ces caboches ! Dring, dring, dring, dring. Le vieux Kellog noir sonne, alarmant. A une heure pareille, je me demande qui ça peut bien être. Allô ? Oh, mon p'tit, c'est toi, quelle joie ! Tu tombes bien, aujourd'hui c'est le jour le plus heureux de mon existence.

— Maman, ils ne m'ont pas filé le job aux infos. Je suis en disgrâce, je serai toute ma vie une journaliste ratée. Tu ne peux pas t'imaginer le merdier dans lequel je me trouve, si j'avais vingt comprimés, je les avalerais d'un coup, et je n'ai même pas d'allumettes ni d'alcool pour me brûler vive.

— Oh, ma petite fille, ne prends pas tout au tragique ! Dis, tu sais, j'ai une bonne nouvelle à t'annoncer. En tout cas, je crois qu'elle te réjouira un peu, quoi, j'ai du mal à te parler de ça mais comprends-moi, il faut absolument que nous communiquions toi et moi, tu sais que je ne t'ai jamais menti.

— Maman, tu accouches, oui ou non. Si c'est pour m'informer de la petite boule que tu as au sein, je le sais déjà. Photocopieuse est venue me bousiller ma semaine avec cette histoire de tumeur maligne. Lundi prochain, je t'emmène à l'hôpital. Je sais qu'on ne doit pas jouer avec ça. Pardonne-moi, saint Lachy.

— Bon sang de bonsoir, les gens ne peuvent pas la boucler une minute ! Non, Reglita, oublie tout ce qui ne va pas, les maladies et tout le tremblement. Il ne s'agit pas de cataclysmes minables. Ma fille, c'est que… ne crois pas que je minimise tes problèmes. Mais j'ai une belle surprise pour toi. Je sais que tu détestes l'imprévu. Pourtant, parfois, une frayeur est nécessaire, tu sais, le cardiologue m'a expliqué que contrairement à ce que croient la plupart des mortels, les frayeurs, les coups du sort, quoi, durcissent notre cœur, qui est un muscle, et le rendent vigoureux et fortissime, comme Terminator. Toi-même, en ce moment, tu aurais besoin d'une surprise formidable, de celles qui font tomber sur les fesses et se briser le coccyx, de celles qui nous marquent au fer rouge comme du bétail.

Ma gorge se noue, je n'arrive plus à émettre un son.

— Maman, tu es là ? Tu as raccroché ?

Je n'y arrive pas. Le Ouane m'arrache le combiné. Je le lui arrache à mon tour. Il ne va pas débarquer maintenant, après toutes ces saloperies d'années, pour me sucrer mon spectacle. Moi qui ai été la mère et le père de cette enfant. Ma fille. Enfin, la nôtre. La nouvelle, c'est moi qui vais l'annoncer, ou personne. Donc j'appelle un chat un chat, bref je tire la première :

— Reglita, ma petite fille, je te passe ton papa.

Il prend le lourd appareil noir et salue en se raclant la gorge :

— Comment va, ma p'tite, quoi de neuf ? Bien sûr, que je suis ton papa pour de vrai. Je suis venu vous voir, je mourais d'envie de te voir. Eh oui, c'est comme ça, après tout ce temps. Tu ne m'en veux pas, hein ? Bien sûr, tant de choses affreuses sont arrivées dans nos vies, mais laissons la haine de côté. Nous nous voyons demain ? Immédiatement ? Où ça ? Je vais te chercher ? Je descends tout de suite.

Il lâche brusquement le téléphone et s'échappe vers l'aube comme un possédé. Terrassée, je m'écroule sur le canapé réservé aux convulsions, j'enfouis mon visage dans un coussin qui fleure le Mickey Parfait, car c'est là qu'il fait la sieste. Enfin je pleure, désespérée, j'ai l'âme comme une pomme de rose, gonflée, palpitante. Je pleure comme je ne l'avais jamais fait tout ce temps-là, mes glandes lacrymales sont ouvertes comme un évier sans bouchon, comme si le ciel allait me tomber sur la tête à force de bonheur immérité, en présageant quelque malédiction, car je ne peux pas assimiler tant d'accalmie soudaine, tant de normalité, tant de vérité…

diluée, bien sûr, dans une bonne dose de mensonge. Comme on oublie vite les mauvaises choses pour s'habituer, aussi vite, aux bonnes ! Je ne sais pas depuis combien de temps le Ouane est parti, je ne parle pas d'avant, je veux dire, tout à l'heure. Je n'ai pas arrêté de sangloter à chaudes larmes. On entend des coups de klaxon insistants. Penchée à la fenêtre, je découvre le spectacle le plus grandiose et le plus émouvant de ma vie : María Regla et son père descendent de voiture, traversent la rue vers le parapet du Front de mer, enlacés ; arrivés sur le trottoir d'en face, ils me font signe de les rejoindre. Avant de m'écarter de la fenêtre, je reste pétrifiée, hypnotisée par cette Havane de carte postale : les immeubles qui longent la baie évoquent des bateaux au mouillage, l'atmosphère scintille baignée de brumes salines. Dans les trous entre les rochers, les gamins ont fabriqué leurs piscines polluées, ces plages des pauvres. Les habitants émergent du cœur calciné de la ville, ombres de la canicule, pour se libérer de l'effervescence urbaine, guidés par la fraîcheur maritime, le relent de poisson pourri, les taches de mousse sur le mur, le goudron qui débouche les narines. Une démangeaison inattendue dénonce l'intrépidité, le désir des jeunes gens de partir, refroidi par le phare contrôleur de frontières. La frontière, un océan liquide repoussant, venin contre les moustiques. La Havane de ma jeunesse, la houle l'a engloutie. La chair de La Havane est à vif, comme un bouton crevé, comme une écorchure au genou. Même ainsi, douloureuse, écumante dans son pus, elle reste encore belle. De la joliesse d'une adolescente giflée par son beau-père. De la séduction d'une coupure sur la peau, ornée par le sang, confondant la blessure profonde avec les lèvres ouvertes d'un sexe féminin. Je ne sais pourquoi tout cela m'est venu soudain, si j'avais un crayon en main je l'écrirais, pour témoigner qu'un jour j'ai eu de belles pensées. Il y a tant de jolies paroles qui se cachent dans la pensée, ensuite, elles se sauvent, nous ne pouvons pas les rattraper et elles ne reviennent plus jamais. En bas, ma fille, mon homme, ma ville, m'attendent. Que puis-je demander de plus ? Avec une envie forte d'uriner, perturbée à en mourir, je dévale les escaliers. Ils sont tout miel sur le parapet, elle a posé sa tête sur son épaule. Lui, qui fond de tendresse, entoure la taille de sa fille. En traversant l'avenue, il s'en est fallu de peu qu'un camion ne m'écrabouille en purée de vieille. Finalement je suis auprès d'eux, mes deux amours, ceux qui m'ont reniée. Tous les trois nous nous perdons dans l'étreinte, nous nous embrassons sans retenue. Mais en alerte, méfiants comme des chats. Dans l'attente du coup de griffe, de la séparation, de la trahison. Assis, dos à l'océan, affrontant la ville, nous la contemplons tandis qu'elle s'étire, dorée et moite, comme flambant neuve, comme un malade resté longtemps dans le coma, de longues années d'invalidité, et qui d'un seul coup réagit, cligne des yeux, en avouant que la lumière lui blesse les pupilles. Tandis que le jour se lève, comme des blancs en neige, nos anciennes amertumes commencent aussi à monter en nous, à rester coincées dans notre gorge.

9

Avec mille désillusions

Avec mille désillusions,
tu ne pourrais compenser la mienne.
Avec mille souffrances,
tu ne pourrais souffrir comme j'ai souffert.

Chanson de RENÉ TOUZET,
interprétée par LA LUPE.

A l'heure actuelle, parmi les rares palais survivants et les nombreux palais imaginaires de La Havane, on peut en dénombrer trois importants : celui de la Salsa, celui de la Révo-*lotion*, et celui des Capitaines généraux. Dans cet ordre stratégique. A six heures du matin, le Ouane est pris d'une envie soudaine de connaître des palais, sa fille lui explique que le premier et le dernier ils pourront le visiter, mais celui du milieu, impossible, elle le lui déconseille. Le Ouane sourit, goguenard, pour lui rien n'est impossible. Rien ni personne ne pourra le priver de satisfaire ses désirs. Reglita lui recommande de suivre les conseils, si on ne les suit pas on ne fait pas de vieux os. Il riposte, hautain, qu'il ne s'est jamais arrêté de sa vie pour entendre parler, ni même respirer, un conseilleur ou un conseiller, cependant, il jouit d'une santé florissante. A l'aub'havanaise – en d'autres points de la planète on a l'aurore, mais ici on a l'aub'havanaise –, car à l'aube on croirait que la ville jaillit du fond de la mer, ou descend des nuages ainsi, toute têtue et mouillée ; donc à l'aub'havanaise, ils se disposent à vadrouiller dans la ville. Inutile de préciser que la nuit dernière, si poignante à tous égards : familiaux émouvants, socio-maléfiques, et économico-mortels, par la faute de ce dollar réclamé, Cuca Martínez, María Regla et le Ouane n'ont pas fermé l'œil, même le temps d'un petit somme. Cependant, ils ne sont pas fatigués ; au contraire, avec une énergie exceptionnelle, ils descendent du parapet du Front de mer pour déambuler dans les rues havanaises, ou y rouler, car parfois ils marchent, parfois ils se déplacent dans la Merceditas Benz attribuée officiellement au Ouane pour la durée de son séjour dans le pays, avec la bénédiction bienheureuse des autorités. Où qu'ils aillent, ils sont toujours talonnés de près par leurs poursuivants ou gardes du corps. Ce que fait le Ouane en premier, c'est d'inviter son ex-femme et sa fille à prendre le petit déjeuner à l'hôtel *Nacional*. En passant devant l'hôtel *Capri* et le cabaret *Salon rouge*, tout l'univers machiste et mafieux de l'homme remonte, persistant, dans son souvenir, et il se lamente devant le paysage hôtelier, devenu un paysage hostilier. Là, sous ses yeux qui finiront en poussière, agonise ce qui avait été dans sa jeunesse ses terrains d'action et d'entraînement essentiels.

En d'autres temps, María Regla n'aurait pas accepté de mettre les pieds dans un lieu pour touristes, elle n'aurait même pas condescendu à reconnaître son père comme tel. Mais les chocs moraux subis au cours de ces années accumulées, pour prix de son fanatisme politique, la poussent de plus en plus à conclure qu'on n'a qu'une vie et que le slogan morbide "la patrie ou la mort" a pour seul résultat de rayer de la carte toute une culture, tout un peuple, bref l'île entière. En outre, il y a des années-lumière qu'elle ne peut plus prendre de petit déjeuner car l'occasion ne s'en est pas présentée, elle en a même perdu l'habitude. Dès qu'ils pénètrent dans cet hôtel luxueux, ils sont le point de mire de regards agressifs, on les surveille ou on les envie, et c'est affreusement gênant. Cuca et María Regla palpent leurs amulettes pour les activer contre le mauvais œil. Tous tant qu'ils sont, ils ont les yeux rivés sur eux, chacun a de bonnes raisons, les prostituées, les policiers proxénètes (non, je n'ai pas oublié la virgule entre ces deux mots), les étrangers authentiques porteurs de sacs à dos, les faux étrangers aux pistolets à la ceinture, les chasseurs (pas de gibier, mais de ceux qui prennent dix dollars pour traîner les valises de la réception à l'ascenseur, et là ils vous les laissent en plan), les serveurs et réceptionnistes dont l'anglais est irréprochable, car ici on a des facilités extraordinaires pour les langues, en effet pas plus tard qu'hier, la plupart des gens parlaient le russe, mais dès qu'on leur a donné le feu vert ils ont décroché, tous jusqu'au dernier, leur diplôme d'anglais de la Lincoln. Après une enquête approfondie les curieux, qui commençaient à s'ennuyer, renoncent, ayant acquis la certitude qu'il n'y a pas grand-chose à exploiter chez eux, je ne parle pas d'exploit, mais d'exploitation de l'homme par l'homme sous le capitalisme. Car le capitalisme, c'est l'exploitation de l'homme par l'homme. Et le socialisme ? Eh bien, l'inverse. Bref, ils effacent *la fixité et la rumeur ennemie** de leurs pupilles macabres, à cause de la nette différence entre les pauvres vêtements de la vieille dame à cheveux gris, le visage suant et zébré de la jeune fille au jean très usé, si délavé qu'il semble plus blanc que bleu, et l'extravagante teinture acajou du Ouane qui, pour comble, tire de sa poche un mini-téléphone portable et avec un air de *Dador***, il se met à parler à tue-tête à la moitié de la population de Manhattan. On les installe à l'une des petites tables du patio, d'où l'on peut observer (être observé aussi) la végétation magnifique au seuil d'une mer d'azur profond collée aux nuages, presque en lévitation, juste au-dessus des arbres. L'invité spécial commande avec une désinvolture quelque peu autoritaire du jus d'orange, des sandwiches au jambon-fromage et du café au lait chaud pour trois personnes. Les boyaux des femmes entament un concert sublime genre *Obertura 1812*, leurs mains et leurs gambettes s'entrechoquent, rigides sous l'effet de la tension mal dissimulée. La paupière droite de Caruca bat fébrilement, en un tic irrépressible ; chez la Môme Regla, c'est la lèvre supérieure qui est secouée d'une nervosité abominable. Une brise chaude invite au sommeil, d'ailleurs, tandis que l'homme compose des numéros de téléphone new-yorkais pour reprendre ses activités d'homme d'affaires, mère et fille piquent un roupillon qui fait plaisir à voir, elles en bavent même sur leurs corsages. Finalement, le Ouane décide

* *La Fixité* et *Rumeur ennemie*, recueils de poèmes de José Lezama Lima. *(N.d.T.)*

** *Dador*, recueil de poèmes de José Lezama Lima. *(N.d.T.)*

d'interrompre sa communication à quatre-vingt-dix milles du Nord troublé et brutal, et réveille les femmes en tapotant leurs genoux. Gênés, ils sourient tous les trois et s'examinent avec étonnement, de nouveau intimidés. Une fois épuisés les *je t'aime* et les câlins des premières heures de leurs retrouvailles, ils ne peuvent en croire leurs yeux d'être réunis, assis devant une table en fer et en verre d'un goût affreux, au *Nacional*, un hôtel cinq étoiles parmi les plus beaux et les plus chers du monde. Il va falloir que je touche une commission de Havanatour, que deviendraient-ils sans moi, c'est moi qui remplis leurs avions. Le dialogue, ils ont du mal à le commencer, ils ne désirent pas outre mesure se raconter leurs passés respectifs. La merde, vaut mieux pas trop la remuer. Mais Cuca Martínez éprouve un besoin effréné, ça c'est vrai, d'avouer son agonie passionnelle pendant trente et quelques années de semi-fidélité et d'amour successifs.

(Moi il me semble, je crois, enfin, façon de parler, une opinion à prendre ou à laisser, qu'elle devrait se taire.)

Je ne crois pas que le moment soit venu, Géminette Criquette, de réapparaître dans l'histoire, d'autant que le chapitre suivant t'est consacré presque à cent pour cent. Là tu pourras faire et défaire ; ton vedettariat, tes merveilleux dons histrioniques s'exprimeront. Alors minute papillon, on change de disque.

(Rince-toi la bouche avant de me parler, espèce de cochonne, et essaie de bien présenter mes personnages préférés, sinon je vais te balancer aussi sec, et du coup t'en réchapperas pas, tiens-toi à carreau, parce que je lis dans ma boule de cristal que tes prochaines vacances, tu les passeras en cabane, au Nuevo Amanecer ou au Manto Negro. Allez, ne t'inquiète pas, je m'en vais, mais ce n'est qu'un au revoir, tu ne te débarrasseras pas de moi aussi facilement.)

Oh là là, elle est d'un pénible ! Encore heureux que jusqu'à présent j'aie réussi à lui clouer le bec, et que j'aie pu imposer respect et considération envers ma tâche de transcription. Car ne l'oublions pas, je me contente de transcrire sous la dictée d'un cadavre. Pas commode de trimballer à tout moment et en toute circonstance mon sac à dos bourré de conscience révolutionnaire. Bref, allons au fait qui nous occupe et préoccupe, à savoir que Cuca, sa fille et son ex-mari liquident leurs petits déjeuners en un tournemain. Les femmes ont failli tomber dans les pommes en raison d'un choc protéique. Cuquita signale qu'elle a terriblement pitié des camarades harceleurs qui les poursuivent ou qui veillent sur eux ; avec un horaire de travail aussi dément, ils n'ont pas pu casser la graine ; elle a pu remarquer combien ils en avaient l'eau à la bouche, de les voir manger. A cette réflexion, sa fille lui fait du coude, c'est tout juste si la grosseur qu'elle a au sein ne lui sort pas par la bouche, sans intervention chirurgicale. Entre ses dents, tout en simulant un sourire charmeur, elle l'adjure, convulsive, de se faire le plus discrète possible, de ne mentionner en aucun cas ces individus si elle veut continuer à profiter de la présence de son grand amour, et si elle veut que son *big love* ne se transforme pas en *big bang*. Le Ouane se marre drôlement, surpris par la naïveté de sa famille havanaise. Cependant, sa famille américaine lui vient subitement à l'esprit, et le visage de Cuca se mue en billet, en billet d'un dollar à récupérer. Toujours à se curer les dents, le *perfect smile* revient à la charge avec ce sacré dollar. Eh bien, elle ne se rappelait toujours pas où elle l'avait rangé ? Il la supplia, les mains jointes sur sa poitrine, de bien vouloir faire un effort, de fouiller dans ses vastes souvenirs.

Elle n'a plus de tête ni de mémoire, elles ont filé dans l'autre monde. Elle reste hébétée à jouir des gestes de son tourment adoré. Avec lui, c'était toujours pareil, il s'occupait toujours des choses les plus triviales. Enfin, pas triviales, car s'il ne rentrait pas avec ce dollar dans son portefeuille, il retrouverait probablement son autre femme et son autre fille enveloppées dans des sacs en plastique, congelées et transformées en hachis dans le frigo. Une horreur digne de *Session du dimanche* ou de *La Cinquième Dimension.* Elle fouine et fouine dans sa mémoire envolée, dans sa cervelle d'oiseau. Aucun résultat, pas la moindre petite piste, si minuscule soit-elle.

— Ouane, mon amour, la seule chose qui me vient en mémoire c'est ma souffrance, c'est ma désillusion, et combien je t'ai aimé. *Aujourd'hui que j'analyse le passé, / je suis si lasse, / et je ne veux plus te haïr. / Je peux te jurer, / que je t'ai déjà pardonné, / et qu'aujourd'hui ma seule souffrance, c'est / mon amour maltraité.*

Saint Lazare sublime, quel soulagement de pouvoir vomir son cœur, son âme, ses sentiments, d'un seul coup ! Non, franchement, cette déclaration, elle l'a réussie à la perfection, une chance qu'une fois de plus la Lupe soit venue à son secours avec l'un de ses boléros mélos, car dans des moments pareils, aussi critiques, l'esprit de Cuquita devient une espèce d'aquarium où flottent ses neurones en vacances perpétuelles. Aussi inertes que des pois cassés de l'épicerie.

— Est-ce qu'il ne vaudrait pas mieux marcher un peu ? suggère la Môme pour détendre l'atmosphère et parce qu'elle a remarqué, du coin de son œil gauche, des types en costume bleu, munis de matraques, de bottes, revolvers à la ceinture, c'est-à-dire des policiers notoires capables de demander sa carte d'identité ou son passeport à la propre mère qui les a enfantés, si elle se met en travers du chemin. Celui qui n'aura pas de papiers devra payer, sous le manteau, une cartouche de Marlboro s'il veut s'en tirer à bon compte et dormir au fond de son lit plutôt que dans une cellule de la première unité où, paraît-il, on t'endort et on te réveille à coups de pied. Nos trois personnages, déjà situés dans la zone codée des agents, essaient de quitter les lieux en douce. L'un des flics, qui observe leur départ aussi sereins que dans un ralenti, a des soupçons et s'approche, prêt à l'attaque. Sur-le-champ, il est détecté par les poursuivants braves-agents et une prise de judo le fait tomber raide sur le sol de marbre rose. Le Ouane pense qu'au moins ils auront servi à quelque chose, à éviter des contretemps et surtout une perte de temps, par la faute de papiers tellement authentiques qu'ils pourraient en paraître douteux et par conséquent, faux.

Dehors, la chaleur est écrasante. Même les Ray Ban du Ouane n'empêchent pas ses pupilles d'absorber l'éclat du jour dans toute sa splendeur et sa blancheur, dignes du tranchant d'un couteau posé sur une flaque de lait. Il va ouvrir la portière de l'auto et la poignée surchauffée lui brûle les mains. A l'intérieur, on se croirait dans une Cocotte-Minute en train de ramollir des haricots rouges, les corps peuvent y bouillir. Le cuir des sièges crame à tel point qu'au moment où María Regla prétend s'y installer, ses ovaires se dilatent, elle ovule et tombe sur son second prénom, je veux dire sur ses règles. Sur tout le territoire national, on ne vend pas de serviettes hygiéniques, dans aucune pharmacie ; la carte de rationnement vous en donne dix par an, et on ignore quel mois elles seront livrées ; naturellement, seules y ont droit les femmes en âge d'avoir leurs menstruations. La solution c'est d'aller dans une diplo-boutique, là oui elles en trouveront, très chères à vrai dire, à neuf dollars cinquante le paquet de dix. María Regla est tout excitée à l'idée d'entrer dans une diplo, parce que tu vois, les communistes adorent farfouiller dans les boutiques. Sa mère est perturbée, sa tension monte, elle devrait mettre sa petite pilule sous la langue, mais il ne lui en reste plus. Elle, pour sûr, elle n'ira pas à la diplo-tout. Elle meurt de honte que ce soit le Ouane qui doive dilapider de l'argent en serviettes hygiéniques et en pilules. Sans compter qu'elle lui doit encore un dollar, et elle a beau se creuser les méninges, pas moyen de se souvenir où elle l'a planqué. Ses oreilles rougissent, ses pupilles sont si dilatées qu'elles en sont presque exorbitées, elle écume. Pas moyen de faire autrement, il faut foncer avec elle à l'hôpital. Au Calixto García, la fameuse pilule à placer sous la langue, elle manque. Les médecins sont très aimables et dispensent les premiers secours. Sur ces entrefaites, en s'apercevant que le Ouane est à moitié étranger, qu'il vient de ce pays qui ouvre les portes du cœur et de la curiosité de tout Cubain, de l'Etrangerie, ils les envoient au Camilo Cienfuegos, hôpital en dolluches où on opère de la rétinite pigmentaire.

Plus d'un œil a sauté par la fenêtre dans un instant infime, entre le moment où le courant est coupé et celui où le groupe électrogène s'allume.

Là ils font d'une pierre deux coups : ils peuvent acheter la gélule salvatrice, et les serviettes ultra-plus. A force d'attendre, le sang de la Môme a traversé le jean en loques et maculé le siège en cuir de la Merceditas Benz. Fou furieux, et regrettant presque d'être revenu à Cuba la belle, le Ouane frotte le cuir à l'alcool, il reste une tache, mais non coagulée. Quant à Regla, il faudra lui procurer des vêtements de rechange. En tout cas, le Ouane a décidé d'aller dans une diplo-boutique pour leur acheter une garde-robe convenable et des chaussures habillées, car Cuca Martínez et sa fille l'accompagneront ce soir au Palé – ça vient de palais – de la Révo, pour la célébration de la remise de la carte du pécécé à Nitiza Villainterpol, la grande dame de la cuisine cubaine dégueulasse. Lorsque cette carte fut accordée, mille six cents mili-bêtas ont restitué la leur, et maintenant ce sont des mili-salauds. Le Ouane sait qu'il fera une visite au palais, car tout à l'heure on a glissé une invitation dans la poche de sa veste en lin. Il a cherché dans sa poche, jeté un coup d'œil et lu le carton blanc aux lettres dorées en relief.

Ils montent en voiture, María Regla glisse sous elle un carton qui avait contenu des œufs, pour éviter de saloper encore le siège. A toute vitesse, livides de chaleur, ils arrivent à *La Maison** à l'angle de la Rue 14 et de la 7e, à Miramar. Dès l'entrée, c'est comme si on avait obtenu un passeport pour l'éternité. Il y a même un monsieur, tout ce qu'il y a de correct, amidonné des

* En français dans le texte. *(N.d.T.)*

pieds à la tête, qui ouvre et ferme le portail principal. Il sourit humblement au Ouane, ébauche un sourire grimaçant à l'intention de Cuquita Martínez et de María Regla, qui est entrée avec un cortège de mouches autour des hanches, il la regarde d'un mauvais œil en exigeant ses papiers. Le père s'empresse de répondre que ce n'est pas nécessaire, qu'elle n'a pas à se donner la peine de montrer quoi que ce soit, car c'est sa fille. Le majordome dominant accepte, guère convaincu, en se disant que ces étrangers ont des enfants hippies vraiment immondes et si ça ne tenait qu'à lui, il les enverrait tous couper la canne. A moins qu'elle ne soit pas sa fille, mais sa maîtresse. Il tourne dans sa tête ces élucubrations, fondamentales pour arriver à sortir le pays du sous-développement.

María Regla repère à sa droite des robes superbes – plutôt insipides par leur extravagance – en tulle et autres étoffes inimaginables, une tringle chargée de sacs à main en cuir, dorés et argentés, des souliers de bal ; alors, enthousiasmée, elle se précipite dans la boutique, non sans avoir fait auparavant la modeste, la sainte nitouche obéissante, en gratifiant son père d'un regard interrogatif de biche égorgée. D'un clin d'œil, il approuve et lui suggère même de prendre son temps pour choisir ce dont elle a besoin. Cuca Martínez, que la pudeur paralyse, se tasse sur elle-même au point de se recroqueviller comme un pruneau ; dans le dos du Ouane elle supplie sa fille, par une mimique éloquente, de ne pas se risquer à la moindre dépense, sauf pour ce dont elle a réellement besoin en remplacement de son jean taché de sang et infesté de mouches. D'une poussée légère, il l'oblige à franchir le seuil. Il la conduit directement à un cintre où est exhibée une robe en lamé noir brodée de paillettes bleues et la pose devant Cuca en lui demandant de l'essayer. Elle pense qu'il faut être folle pour s'affubler d'un truc aussi ridicule. Elle le dit :

— Même si on me payait pour l'essayer, je ne me déguiserais pas avec des fringues aussi criardes.

— C'est évident, tes goûts ont pas mal changé, moi je t'ai connue avec un petit modèle qui ressemblait beaucoup à celui-ci.

Cuca fouille dans son souvenir. C'est vrai. Une petite robe très mignonne, c'est sûr, mais trop grande pour elle à la poitrine et aux hanches, car elle appartenait à l'une de ses deux amies, la Mechu ou la Puchu. Il a réussi à l'émouvoir et elle accepte la robe mais ne veut pas l'essayer, elle la passera cette nuit, ça sera une surprise. Son cher tourment rit à gorge déployée d'un air canaille. Elle aussi, au point que l'on voit ses gencives mauves pleines de veinules, et sa glotte. Soudain, il se rappelle quelque chose et se frappe le front de la paume gauche, tandis que la droite cherche dans la poche de son pantalon. Immédiatement, il brandit fièrement un dentier, celui-là même qui, de bon matin, était entré par la fenêtre pendant l'ouragan, et qu'il avait réussi à attraper au vol.

— Prends, ma petite Cuquita, c'est pour toi. Mets-le. Non seulement je suis revenu, mais je te restitue tes dents.

— Jamais de la vie, même si on me servait un bifteck dans le filet trop compact, impossible à mastiquer. Tu ne te rends pas compte, personne ne sait à quel mort il a appartenu.

— A aucun mort, Caruca. C'est sûrement à quelqu'un qui dormait la fenêtre ouverte, l'ouragan l'a arraché du verre d'eau posé sur sa table de nuit.

— C'est pire, j'aurai alors un poids sur la conscience, si par ma faute une autre personne est édentée.

— Par la faute du cyclone, veux-tu dire. En attendant, mets-le, et si jamais quelqu'un vient le réclamer, tu le restitues, un point c'est tout.

La vieille femme réfléchit, examine le dentier, le trouve bien fabriqué, il n'a pas l'air mal. Le Ouane a raison, elle l'empruntera, et si quelqu'un vient se renseigner sur un râtelier fait comme ceci et comme cela, elle le rendra sans hésiter. Elle se dirige vers un miroir, place son nouveau sourire, c'est une autre personne. Elle a effacé vingt ans de sa vie, et mille souffrances. Son image submergée dans un autre miroir, comme Alice boudinée de merveilles, et avec l'essaim de mouches comme un hula-hoop, c'est l'image de María Regla en train d'essayer sa trente et unième robe. Bref le Ouane fait main basse sur des parfums, des boucles d'oreilles fantaisie, des sacs à main de toutes sortes, une paire de souliers vernis pour Cuquita et treize paires de divers modèles et couleurs à sa fille, pour la mère une tenue habillée et une autre de ville, plus quinze autres vêtements, entre tailleurs, minijupes, maxijupes, jeans et tous les chiffons dont la Môme a envie. Cuca Martínez est morte de honte. Elle avait l'air d'une enfant toute simple, Reglita, et maintenant qu'elle est adulte, elle est devenue une allumeuse intéressée et coquette. Le Ouane s'apprête à payer avec une carte de crédit dorée, bien sûr les deux femmes se mordent les lèvres, elles soupçonnent qu'une embrouille ne saurait tarder.

— Reglita, rends-moi tout ça. Prends aussi mes affaires, Ouane. Nous deux nous n'avons besoin de rien, ne t'en fais pas. Si j'avais deviné que tu étais fauché au point de devoir payer avec des bons, je ne t'aurais même pas permis d'entrer, fit Cuca Martínez terriblement soucieuse, en obligeant sa fille à restituer les vêtements neufs.

— Ne te mets pas dans cet état. Ne dis pas de bêtises, voyons, ceci est une carte bancaire, j'ai le droit de l'utiliser, il y a de l'argent derrière.

Il arrêta la jeune fille bouleversée, qui s'apprêtait à remettre les articles en place.

La vendeuse, affairée par d'autres factures, ne remarque pas la carte. Quand elle la voit, elle en reste bouche bée, l'employée, genre crise de nerfs yéyé :

— Eh ben les filles, regardez comme cet ami vient me compliquer l'existence, dit-elle en prenant à témoin ses camarades de travail. Mon petit chou, va falloir que t'attendes un bout de temps. Dans toute l'île, il y a seulement trois appareils à débiter des cartes de crédit. Je dois localiser par téléphone l'établissement où il y en a un pour l'envoyer chercher. C'est rien de le dire, mais ces touristes, faut voir comme ils sont radins, au lieu de se promener avec de l'argent sur eux et de payer comme il se doit !

Les trois personnages, sidérés, restent là sans broncher, avec une température au-dessous de zéro.

— Vous ne parlez pas espagnol, vous ?! vocifère l'employée, avec cette tendance bien cubaine de prendre les non-cubanophones pour des sourds.

Il balbutie :

— Si, si, mais je ne m'attendais pas à celle-là.

— Prépare-toi à des surprises, mon vieux. Et t'es d'où, on peut savoir ? demande la coquine.

— D'ici.

Sa voix est aussi ténue qu'un fil de polyester à coudre des imperméables. Elle le défie, méfiante :

— D'ici, et tu t'es pas encore habitué ?

— Il est parti depuis le début, ça fait trente-six ans qu'il n'est pas venu, c'est pour ça que... s'empresse de répondre Cuquita pour éviter les malentendus, mais l'autre l'interrompt.

— Tu l'as échappé belle, je comprends tout maintenant, mon petit vieux ! Chuchín, appelle-moi le standard pour qu'ils me rapportent l'avale-cartes réparé ! Oui, parce que c'est un autre drame, à chaque fois que je mets une carte dans ce fichu appareil, comme il est abîmé, eh ben il me la mord, et je dois la découper au ciseau pour la récupérer.

Les gouttes de sueur font comme de drôles d'ampoules fragiles sur le teint plombé du Ouane. Il n'est pas loin de tomber à bras raccourcis sur la vendeuse, essaie de se calmer et demande poliment où sont les toilettes. Après un *va voir là-bas si j'y suis, mon trésor, c'est pas mon boulot, ça*, le Ouane va chercher un abri sûr et discret pour opérer. Une fois à l'intérieur du cabinet – pas celui des services secrets, mais des excréments – il déboutonne sa chemise de lin. Il cherche la boucle d'une large ceinture intérieure, collée à sa peau, qui lui pince les poils de la poitrine. Plusieurs bourses gonflées pendent de la ceinture, il extrait de l'une d'elles deux mille dollars, des briques, des dolluches, quoi. Il revient vers le comptoir en verre :

— Laissez tomber la carte, je paierai en espèces.

— Dis donc mon chéri, c'est du lard ou du cochon ? Figure-toi que j'ai donné des instructions pour intercepter l'avale-cartes. Qu'est-ce que je fais, s'il est en route ? Mais non, garde ton argent, maintenant nous devons attendre. Mais dis, t'avais l'intention de régler avec des billets de cent ?! Et puis quoi encore, mon mignon ! Tu réalises le temps que je dois passer à recopier les numéros de série des billets, et à côté le numéro de ton passeport, avec ton nom et ton adresse ? En effet, qui peut me certifier, à moi, que tu ne me paies pas avec de faux billets ?

Le Ouane prie les femmes qui l'accompagnent de l'attendre dehors, à côté de la voiture. Il dépose avec calme, lentement, ses achats sur le comptoir, s'assure que la plupart des employées sont sorties ou sont occupées, et que les autres se sont éclipsées par la porte du magasin sous un prétexte quelconque. Intensément, il rive ses yeux comme deux dagues dans les yeux craintifs de la jeune fille qui aussitôt détourne le regard vers son carnet à souches. Nerveusement, elle cherche, dit-elle, une gomme à goût de fraise dans son tiroir. Le Ouane, délicat, lève la main et sans sourciller, il flanque une gifle magistrale à la vendeuse. A la seconde, il place un billet de cent dans la paume de sa main, qu'il baise à la manière des lords anglais :

— C'est pour toi. Un souvenir. Tu vas encaisser dare-dare, si tu ne veux pas que je porte plainte auprès de ton chef, en lui disant que tu m'as escroqué de cent dollars. Très facile à vérifier, au coin de chaque billet, il y a mon nom. Oh tu sais, des conneries de mon invention. Donc tu encaisses le plus vite possible, ou je te démolis le portrait. Oh, pas question que tu notes la moindre série, tu ne verras pas mon passeport et tu ne vas jamais te procurer mon nom et mon adresse. Qu'est-ce que tu dis de ça ?

— Entendu, monsieur. Vous avez raison, répond l'autre, les cheveux blancs.

Oui, de peur, car en cinq minutes, elle a attrapé plus de cheveux blancs et de rides que Robert Redford.

— Demande-moi pardon, insolente, exige le mafieux, tout sucre.

— Mille fois pardon, monsieur, murmure-t-elle.

— Pourquoi tant de fois ? Une seule. Mais fort, qu'on t'entende.

— Pardon, monsieur ; elle atrophie ses cordes vocales.

— Tu vois qu'il y a un remède à tout ? Adieu, adorable salope.

D'un pinçon sur la joue de l'employée épouvantée, il presse un bouton mûr ; la semence de pus choit sur le comptoir en verre.

Chargé de sacs Cubalse, le Ouane reparaît devant la résidence, dont la façade est blanchie à la chaux. Réconfortée, Cuca Martínez soupire parce qu'il ne s'est pas produit d'événement plus grave avec fourgons cellulaires, prison et tout le saint-frusquin. María Regla s'empare d'une pochette contenant un jean, rentre dans la boutique, cherche les toilettes, se lave à califourchon sur le lavabo, sèche ses parties avec un bout du journal *Tribuna* et passe son jean neuf. Elle ne jette pas celui qu'elle vient d'ôter, car elle a l'intention de se confectionner un short à franges.

Ils vont en direction de La Vieille Havane. Assise dans la Merceditas Benz, Cuca regrette la Chevrolet d'Ivo. Elle évoque l'homme avec affection, ayant l'impression de le trahir avec le

Ouane. Pourtant, Ivo, las d'attendre qu'elle se décide à l'épouser, s'était maqué avec une pétasse du Cerro, et il lui arrivait de rester des mois sans se pointer. Mais quelle importance car voici, assis à sa gauche, en train de conduire un monstre de la technologie avancée, le type qui lui fait perdre la boule ! Cuca Martínez remercie de ce miracle, une fois de plus, tous les saints qui la protègent. Il y a quelques jours, elle n'aurait pas pu imaginer qu'elle reverrait son grand amour, ni qu'elle se promènerait ainsi, comme une reine, dans une super-bagnole, en tenant tout un tas de sacs Cubalse bourrés de beaux cadeaux. A vrai dire, elle aurait préféré acheter de la nourriture, mais elle n'allait pas se rendre ridicule à choisir ceci, et cela, et encore cela. Cette voiture est rapide comme pas deux, au bout de dix minutes, ils roulent sur le Front de mer. Le soleil scintille sur la houle. La mer dorée se balance, et quand les vagues se brisent contre le mur, la ville se couvre d'une écume ardente, rayonnante. A contre-jour, des gamins squelettiques à moitié nus trottinent sur le parapet, des jeunes filles aux yeux cernés, trop maquillées pour cette heure, portent des lycras fluos et se disputent les voitures à plaque touristique. Les pineurs, nouveau nom de code pour désigner les prostitués, chassent ou pêchent une femme, un homme, ou un objet. A un feu rouge, à l'angle du Prado et du Front de mer, ils sont obligés de stopper, et Cuquita surprend la conversation délirante entre un pineur et une Argentine. Le pineur, qui a dans les quinze, seize ans, harcèle l'Argentine, âgée d'une cinquantaine d'années :

— Viens, ma belle, c'est jamais que vingt dolluches pour une nuit inoubliable !

— Oh là là, moi chaque fois que j'allonge vingt dollars, je ne l'oublie jamais, *che**, répond-elle, évasive, avec son accent de gaucho de *gauche***.

— Viens, mignonne, je te suce la foufoune en échange d'un dîner, insiste le garçon.

— Ça ne te gêne pas de faire ça, toi, le fils d'une révolution aussi grande, tu n'as pas honte de souiller le souvenir du Che, *che* ? s'enquiert opportuniste la touriste idéologique.

— Il faut bien que je bouffe. Crève, vieille rouge ! s'écrie le gars en traversant la rue. Ils faillirent l'écraser.

La vieille sèche ses larmes en cachette, elle n'aurait jamais cru ces choses-là possibles dans ce pays. María Regla a détourné son visage vers le trottoir d'en face, où les vagues offrent toujours le plus beau spectacle que des yeux humains aient contemplé. A un autre moment, elle aurait pris la défense de l'honneur de la révo, mais ce moment est déjà très éloigné d'elle. Au lieu de souhaiter changer le monde, elle souhaite se changer elle-même. Pas seulement ses vêtements, sa mentalité aussi.

Le Ouane gare la Merceditas Benz près de la boutique de soldats de plomb, et ils commencent la promenade touristique coutumière sur les coutumes : la Plaza de Armas, le Palacio del Segundo Cabo, où ils n'arrivent pas à pénétrer car il abrite une prétendue maison d'édition qui n'a pas publié un seul livre depuis plus de mille ans. Ils se tapent le musée du Palais des Capitaines généraux en long et en large, et

* *Che* : l'interjection préférée des Argentins. Ernesto Guevara lui doit son surnom. *(N.d.T.)*

** En français dans le texte. *(N.d.T.)*

là le Ouane prend une photo de María Regla adossée au sceptre phallique de la statue de Ferdinand VII. Ils prennent par Oficios vers la fontaine des Lions, près du couvent de San Francisco de Paula, où commence La Vieille Havane des horreurs, taudis désertés, villas en ruine, trous comme de gigantesques caries au beau milieu d'un îlot, nulle trace des édifices qui furent jadis des logements, des bureaux, des imprimeries, des cafés, des restaurants, des cabinets d'avocats. Le plus terrible est de s'interroger sur le sort des habitants Cuca Martínez a la gorge nouée, je ne sais pas pourquoi elle a un mauvais pressentiment, elle est soudain très triste de voir sa ville réduite en poussière et en amas de pierres. La Havane déshabitée. Déshavanisée.

— Cinq cents millions de dollars ne suffiraient pas à reconstruire cette ville, commente le Ouane, ébahi.

De l'intérieur des taudis il émane une vapeur graisseuse, moisie, poussiéreuse. Ils trouvent enfin des survivants de la catastrophe, ou cacastrophe, de l'autobombardement simulé. Les Américains n'ont pas eu besoin de nous envahir, nous nous sommes auto-envahis. Les poutres d'étayage inondent l'architecture, les mezzanines vibrent au bord de l'effondrement, dix ou quinze personnes vivent sur chacune, ils dorment par roulements, dit-on. Ce n'est pas juste. María Regla descend de son nuage et vient ici, dans l'épaisse réalité.

— Je me dis que ça serait une bonne idée de proposer un reportage sur les conditions de vie infra-humaines de ces gens, lâche-t-elle d'un trait de nouveau juchée sur son nuage ; puis elle regarde de tous côtés.

— Tu parles. Je ne crois pas qu'ils te laisseront faire, ni qu'ils le publieront, soupire la mère, peinée.

— Je le ferai pour moi-même, rétorque la jeune fille.

Silence pesant. D'une antique demeure à moitié en ruine, qui conserve encore des boute-roues pour le passage des cabriolets et des calèches de naguère, une bande d'enfants nu-pieds surgit derrière un homme au visage jeune, à la moustache et aux cheveux gris, presque blancs.

— Ecrivain, écrivain, prends-moi en photo, écris sur moi ! Qu'est-ce que tu cherches, ta famille ? Regarde, je peux être ton cousin, ton frère, ou ce que tu voudras !

Le visiteur offre des stylos à bille, du chocolat, il caresse des têtes et des joues enfantines ; accablé, il se hâte de disparaître au premier tournant en séchant une larme. Les enfants, euphoriques, racontent :

— Il a dit qu'il était français ! Il écrit des livres ! Il a dit que sa famille avait habité dans cette bâtisse !

Cuca Martínez se remémore l'image d'Edith Piaf, si belle malgré ses petites mains rhumatisantes et son physique, au talent si grand, à la voix d'aventure éternelle, de luxure interminable et infinie. Elle veut courir après l'écrivain français pour lui demander ce qu'était devenue la môme moineau parisienne, comment elle avait fini, mais elle n'ose pas. De la cour bordée de fougères et de plantes grimpantes parasites, une femme sort en exhibant fièrement la dédicace de l'écrivain, qui a signé : *De ton cousin, Erik Orsenna.*

Abattus, ils traversent la Plaza Vieja, descendent par San Ignacio jusqu'à l'église du Saint-Esprit, le Ouane prend des photos de la petite place, de la rue Acosta où habitait Mercedes, l'amie de sa grand-mère, une prêtresse de la *santería* aux yeux transparents. Ils continuent en direction de la paroisse de La Merced, et de là vers le port. Ils reviennent en remontant la rue Cuba, ils s'arrêtent sur la place du couvent de Santa Clara, combien de fois n'avait-il pas joué au base-ball ici avec ses camarades de classe ! Ils respirent profondément à la hauteur de Muralla, inutile de s'émouvoir à cent pour cent, la rue a perdu son arôme d'anis. La nostalgie de ses géniteurs se transmet à María Regla, elle découvre sa ville. Son père lui montre une vieille banque fermée dans la rue Amargura, ils arrivent à Obispo et quand ils entrent dans la pharmacie Sarrá, il est affligeant de constater que les bocaux d'autrefois ont disparu, ainsi que les instruments scientifiques qui étaient de vraies reliques, c'est qu'il n'y a même plus de médicaments, comment demander qu'il y ait le reste ? Ils reviennent dans La Havane restaurée, celle que l'on offre aux touristes et aux ignares. Sur la place de la Cathédrale pullulent les Mexicains cagneux en shorts Lacoste, les Italiens roboratifs et rétifs à accepter la réalité d'un socialisme décadent, les Canadiens qui sentent le Coppertone, c'est-à-dire la crème solaire, bien qu'ils restent plus blancs que les Nela, des fromages blancs fondus à la crème, exilés de nos palais ; et les Français sur les traces de Sartre, de Simone et de Gérard Philipe. Des Bulgares et autres Hongrois se prélassent dans le musée vivant de leur passé, version tropicale.

La famille décide de déjeuner à *La Bodeguita*. Ils ne peuvent pas y accéder, ils n'ont pas réservé, d'ailleurs on donne la priorité aux originaires de l'Etrangie. Ils essaient à *El Patio*, aucune table disponible non plus. Ereintés, ils reprennent la voiture et vont déjeuner au *paladar* du *1830*, pas le restaurant des barbouzes, mais le *paladar* annexe de ce dernier, car tout vient de là, du cuisinier aux aliments. C'est un buffet libre-service familial, dont les impôts sont très lourds. Cuca est embarrassée d'aller se resservir si souvent, mais en voyant que tout le monde le fait, elle va chercher, malgré sa timidité, une bonne soupe à quelque chose, au poisson, à la tomate ou au poulet, pourvu que ce ne soit pas de la *solianka*. Le Ouane reste seul à table dans un coin discret. L'un des harceleurs, ou gardes du corps, profitant de l'absence des femmes, prend une chaise, vient s'asseoir devant lui et l'apostrophe :

— Je vous trouve trop sentimental. Avez-vous trouvé le dollar ?

Le Ouane lorgne du côté où sont allées Cuca et María Regla et fait signe que non. Ensuite il réplique d'une voix ferme :

— Je n'ai rien trouvé, mais au cas où je le trouverais, j'ai déjà dit que je le remettrai à mon chef, à New York. Par conséquent, évitons des querelles idiotes. Sans commentaire.

— On verra. Forcément. Vous n'avez pas le droit d'inviter votre famille à la maison du protocole. En revanche, à la réception, leur présence nous convient, afin de ne pas éveiller de soupçons. Pour tout le monde, vous êtes un émigré qui revient dans l'intention de renouer ses liens familiaux, et d'investir de l'argent pour monter une petite fabrique de rhum. Vous ne vivez pas aux USA, mais à Saint-Domingue. Vu ? Ne faites pas le con, car on n'a jamais rien écrit sur les cons. Votre chef a dû vous informer que nous nous sommes mis d'accord pour que vous veniez dans le pays récupérer le dollar, à condition de nous le restituer. Ensuite, on s'arrangera avec lui. Pendant des années, on a espionné cette maudite vieille, on a fouillé sa maison plus de mille fois, et soulevé les carreaux un par un. Rien. Cherchez à vous assurer qu'elle l'a bien, sinon ça vous coûtera cher.

— Elle a oublié où elle l'a rangé. Et si elle ne s'en souvient plus jamais ? dit-il pour se justifier.

— C'est votre problème, Ouane. N'êtes-vous pas le Ouane ? Prouvez-le. Je crois qu'elle en connaît un bout, la vieille. Cette nuit, ou vous nous remettez le dollar, ou on vous jette la tête la première à Villamarista, direct dans la pièce aux bestioles. Songez à la souffrance que vous infligeriez à vos familles, car vous avez deux familles à charge, n'est-ce pas ? A moins que vous ne vouliez avoir la vieille et la gosse comme dames de compagnie au mitard ? C'est chouette, hein ?

Satisfait, l'espion prend congé et disparaît derrière les colonnes et les portes vitrées qui donnent sur la piscine de la résidence. Le déjeuner se déroule en silence, seulement ponctué par des banalités sur l'excellente salade d'avocats et de tomates à l'huile d'olive, et sur le dessert à la noix de coco, c'est incroyable, le propriétaire de tout ça, il doit voler à pleines mains ! Il a vachement raison, merde, vu qu'ici, le premier voleur, c'est l'Etat, c'est pourtant ben vrai ça, p'tite, après quoi ils en ont plein la bouche à insulter les travailleurs honnêtes, ils leur mettent le bonnet d'infamie comme quoi ils travaillent à leur propre compte, faut pas déconner, depuis trente et quelques années, les seuls à travailler à leur propre compte, c'est eux ! Changeant de sujet, elles le remercient chaleureusement d'avoir eu la gentillesse de les inviter dans cet endroit sublime, elles lui sont si reconnaissantes pour ce repas fabuleux, après tout, la vie redevenait belle et agréable, puisqu'elle les avait réunis. C'est à peine si le Ouane touche à la nourriture. Cuca, extrêmement soucieuse à présent, interroge l'homme du regard.

— Ce n'est rien, ou plutôt si, c'est quelque chose de très important. Pour le dollar, je crois que tu dois faire un effort. D'ici ce soir huit heures, je dois l'avoir en ma possession. Sinon, je suis perdu.

Quant à elle, résolument confiante, en se disant que les pertes de la guerre avaient été pires, elle prend sa main dans les siennes et affirme qu'on le retrouvera, il ne doit pas s'empoisonner l'existence, il y a une solution à tout, sauf à la mort. Aussitôt, elle regrette sa phrase et se mord les lèvres, maintenant elle peut le faire pour de bon car elle a des dents pour ça, elle s'aperçoit qu'elle a mis ses pieds délicats dans le plat, que c'est justement de cela qu'il s'agit, d'une question de dollar ou de mort.

— Retourne tranquillement dans ta résidence protocolaire. Je me charge de tout. Viens nous chercher à n'importe quelle heure. Nous attendrons, plus belles et plus courageuses que d'habitude, en t'aimant comme jamais. Ce que tu cherches, nous l'aurons en main.

Il les raccompagne jusqu'à la porte de leur immeuble. Au moment où le moteur démarre, un mauvais présage envahit Cuca, elle ne le reverra plus jamais, peut-être, alors, affolée, elle baisse la poignée et remonte dans la voiture.

— M'as-tu vraiment aimée ? demande-t-elle, et c'est tout juste si son dentier ne tombe pas dans le cendrier.

— Comme je n'ai aimé personne.

Leurs lèvres desséchées se joignent. Le Ouane ressent une amertume digne de sa mauvaise conduite, de sa conscience critiquable.

La vieille dame savoure la mauvaise haleine, la carie, le chewing-gum, les points blancs dans la gorge, et se perd dans le plaisir luxurieux. María Regla les sépare, réclamant elle aussi sa part de tendresse. Enfin, la voiture du Ouane disparaît par la rue Calzada vers le Front de mer, en direction du Laguito. Mère et fille grimpent les escaliers à une allure folle, sur le premier palier elles croisent Photocopieuse, qui examine ses amies de la tête aux pieds, mais manifestement elle est très pressée de connaître les résultats de la petite boule, pas ceux de la boule dans le sein de Cuca, mais ceux du loto illégal, et tout en notant sur son carnet à ragots qu'elles tiennent mystérieusement trois grands sacs, plutôt des sacoches, de diplo-boutique, elle ne s'arrête même pas pour les saluer. Elle est très affairée par la loterie clandestine, mais surtout par le souci de décrocher des invitations pour elle-même, Fax, la Mechu et la Puchu. Pour rien au monde elles ne manqueront la réception en l'honneur de Nitiza Villainterpol, en voilà une qui mérite de recevoir la carte du Parti, fille de pute comme elle est, avec son émission de télé où elle décrivait des recettes de beignets avec des éponges à vaisselle. Elle sait déjà que Cuca et sa fille y assisteront avec le père de la môme, un millionnaire en voyage d'affaires, paraît-il. Ce soir, elle aura le temps d'apprendre tous les détails. Au second palier,

Yocandra est emmêlée avec la bicyclette chinoise, d'une secousse elles la démêlent et elle peut monter jusqu'à l'étage au-dessus où le Nihiliste et le Traître l'espèrent et la désespèrent. Au troisième palier se trouve Fax essayant de communiquer avec Jackie Onassis pour lui faire résoudre le problème d'Hernia, qui n'a plus ni lit, ni meubles ; or elle avait lu dans un magazine à l'eau de rose que l'on allait prochainement mettre ses biens aux enchères, et avant que cela ne se produise, elle devait lui demander si elle pouvait au moins céder un simple petit matelas à la pauvre Hernia. Dans l'appartement, Valentina, la Mechu et la Puchu attendent ; mortes de jalousie et de bonheur, elles embrassent leurs amies, émues par le retour du Jedi, enfin, du Ouane. Cuca, au bord de la crise cardiaque, flanque tous ses sacs par terre, demande de l'aide et se met au boulot pour commencer l'opération Corporation Mouette : recherche de dollar. María Regla, tombant de sommeil, absolument indifférente, s'écroule sur le canapé réservé aux évanouissements. L'appartement est mis sens dessus dessous, elles fouillent l'armoire, la commode, secouent des habits, décousent des coutures et des ourlets, examinent un par un chaque élément de l'autel, écaillent des murs, brisent le faux plafond. Finalement, Cuca noue un ruban rouge à un pied de chaise, saint Pubien rends-nous notre bien, agenouillée, elle lève ses yeux fervents au ciel, elle joint les mains pieusement et prie saint Antoine sur un air de lamento negro-spiritual, sa voix résonne comme celle d'Ella Fitzgerald. Soudain, elle interrompt sa prière, se frotte les yeux, observe concrètement le plafond, tout en haut des poutres muées en verts ramages qui descendent du pot de philodendron.

— Valentina, grimpe ! Comment ça se fait que je ne m'en sois pas souvenue avant ? Je l'avais semé avec la plante grimpante le jour même où il me l'avait donné, le jour de son départ !

En effet, Valentina et Mickey Parfait, qui vient d'arriver, déprimé, d'une convocation des milices des troupes territoriales, grimpent avec légèreté et une fois là-haut, ils grattent la terre. Le souriceau éthiopien creuse un profond tunnel dans la potiche. Tout au fond, coincé entre les racines, humide, presque pourri, le dollar se détache. Ils descendent victorieusement, le rongeur le rapporte entre ses petites dents et le remet solennellement à Cuca. Quand elle peut tenir le billet en main, elle sent comme un baume divin qui la parcourt de la tête aux pieds. Une autre promesse à accomplir. Une autre souffrance à affronter. Elle sait qu'elle a trouvé la seule raison qui l'éloignera de nouveau, irrémédiablement, de l'homme qu'elle aime. Les larmes aux yeux, allongée sur son lit, à la Garbo, le poing fermé, elle savoure sa malédiction, vaincue par la frénésie et par la fatigue. Elle s'endort et rêve qu'elle danse au *Montmartre*, serrée contre le Ouane. C'est un boléro douloureux, lent, tragique, interprété par la Yiyiyi, la Lupe, cette sacrée Lupe :

Que t'ai-je demandé, sinon une compréhension loyale ?
Que ne t'ai-je pas donné, que je pouvais mettre dans tes mains ?
J'ai voulu décrocher la lune pour toi,
mais ce fut impossible.
Aujourd'hui tu me demandes les étoiles et le soleil,
je ne suis pas un dieu.
Demande ce que je peux te donner,

peu m'importe si je me livre à toi sans condition,
aïe, aïe, aïe.
Mais que t'ai-je demandé ?
Tu peux dire à la face du monde
qu'il n'y a pas d'amour plus grand que le mien.

Dans la nuit, vêtues comme des reines de carnaval, elles partent dans leurs carrosses respectifs : Cuca Martínez et María Regla Pérez Martínez (elles avaient décidé d'inclure leur nom de famille paternel), à côté du Ouane, dans la Merceditas Benz ; Photocopieuse, Fax, Hernia, Yocandra et ses deux maris, la Mechu et la Puchu, sont conduites, comme d'habitude, par Ivo, dans sa vieille Chevrolet ; dans ces voitures, dix à quatorze personnes peuvent tenir à l'étroit, c'est bien connu. Le voyage est accidenté, en raison des coupures de courant et des vérifications ; Dieu merci, aucune invitation n'est fausse, et apparemment ils sont tous en règle, sans dangerosité, sans graves antécédents policiers, c'est-à-dire, politiques.

A l'intérieur de la voiture, avec une extrême discrétion, Cuca Martínez remet ce qu'elle possède de plus précieux, non pas sa virginité ni son amour comme il y a si longtemps, mais le dollar. Visiblement reconnaissant, le Ouane serre dans sa main sa main à elle, il l'attire à ses lèvres, baise cette peau parsemée de taches de son gonflées et de veines bleues. Doucement, il extrait le dollar de la paume ridée et desséchée de Cuca. Il feint le calme, mais il est surexcité et vérifie à l'aide de son appareil sophistiqué détecteur de trésors, qu'il a enfin trouvé ce qu'il cherchait. Il regarde devant lui en jubilant, et sourit à l'obscurité monotone de la nuit, seulement altérée par les cônes lumineux de l'auto.

Le Palé de la Révo est d'une laideur hyper abominable, avec un immense parking devant, et des escaliers dignes de César. A César ce qui est à César. Avec des colonnes qui vous donnent le vertige tant elles sont grandes et puissantes. En traversant le hall, elles doivent donner leurs sacs à main, et tout objet étrange, ce qui veut dire depuis un appareil de photo jusqu'à un stylo à bille de marque Pilot. Cuca tire de son sac à main Valentina Ousquonsenva et Parfait Mickey Pérez, et les cache entre ses seins, ou plutôt entre ses os : elle avait voulu amener ses petits copains, car elle n'allait pas les exclure comme ça, dans des moments aussi jubilatoires. A ses yeux, l'amitié est importante dans les coups durs, mais aussi dans les bons moments. La plupart des invités *sont déjà arrivés*, tout à fait comme les Martiens du cha-cha-cha de l'orchestre Aragón : *les Martiens sont déjà arrivés, / ils sont arrivés en dansant le cha-cha-cha, / rico cha, rico cha, rico cha*... Les visages sont les mêmes qu'à *La Bassesse* (sauf Paloma Pantera, qui s'est sentie flouée parce qu'on ne lui a pas demandé de chanter, et le Faux-Cul National que l'on a fait partir en voyage) ; d'autres sont des pièces rapportées, par exemple Jabuco Cochino, une modéliste de la haute couture asiatique, qui attend de recevoir l'autorisation pour un défilé de mode sur la passerelle de *La Maison*, imitation de la Grande Muraille de Chine ; le grand poète inspiré par Cucalambé Xavier San Jon Persé-cuté, la vice-ministre de l'Aigri-culture et des Plans agro-idéologiques vers l'extérieur, Candelona Attend les Mers, porte-drapeau de la déroute des avionnettes dans les eaux semi-territoriales, le ministre (pardon, le *boss*) de l'Acupuncture et de l'Apiculture Baba Dar Jávalos, plus connu par les potes du quartier sous le nom de Tramant Dar Radis ; Dérobe Y Na, Alardon Fumé, Paul Enroque 007, Pilote Aguerri, Officier Dissident, pour brouiller les cartes et ne pas accorder d'importance au problème des droits de l'homme, entre autres. La Sorcière Rouge avoue au Bureau bouclé que la robe décolletée à volants en tulle de María Regla la fait crever de jalousie. Son mari-femme, Leonarda da Vence, pique avec une épingle la poupée de chiffon qui représente le grand poète San Jon Persé-cuté. Anneau, Laque et Boucles d'oreilles papotent entre eux à propos de la possibilité lointaine de gagner leur visa de sortie à la loterie du bureau d'intérêts des matières fécales, sans faire de tort à personne, mais ils chient de trouille, des fois que les rafles de pédés reprennent et qu'on les foute en cage la tête la première. Les folles handicapées, Névropathie Optique et Névropathie Périphérique, ne sentent rien et ne souffrent pas, mais elles ont aussi beaucoup d'espoir à cause de ces vingt mille visas pour les *U*rsula *S*ánchez *A*breu. Laurent le Magnifique dialogue ou *parle* – gallicisme volontaire – avec les Trois Grâces françaises et leurs Mentors respectifs Un, Deux et Trois, mécontent parce que la Dame au Gros Chien est partie au bras de Fax. Déséquilibre Crespo parle avec animation à l'Excellent Pianiste, à l'Abbé Enorme, et à Fausse Légion d'Honneur, sur le film qu'il mettra en scène avec Maria de Medeiros dans le rôle principal. Juanette Alenvers (qui a eu un seul orgasme dans sa vie, dans les années soixante, ici même, avec un barbu opportuniste qui n'avait jamais été dans la Sierra ni même dans ses environs, mais qui ne pouvait pas se raser parce qu'il était affligé de mycose au menton et qui, en se vantant d'être un barbu, avait baisé tout le toutim) ; elle est réalisatrice de la télévision gauloise, payée pour avoir des idées, ce n'est pas comme d'être payée *parce qu'elle a des idées* ; elle nous rend visite pour la millionième fois, dans le but d'essayer d'interviewer enfin XXL. Moi, à sa place, j'y renoncerais et je tenterais ma chance en grattant une carte du loto, peut-être que si elle se présente au *Millionnaire* de TF1 elle aura plus de veine. Toti Lamarque et Tita Legrando, près de Roumaine Abuse, sont en train de préparer la liste des participants à la tournée de la valise, non pour faire un voyage, mais pour faire le tour du pâté de maisons le 31 décembre prochain, et se débrouiller pour avoir la chance de voyager, ne serait-ce qu'à Guanabacoa. Bref, la crème et la fine fleur sont rassemblées, avec pas mal de pipi de chat aussi. Ils doivent attendre deux bonnes heures dans le hall au sol de granit. Les salons rappellent, avec leurs fougères gigantesques, les montagnes de la Sierra Marâtre. Je comprends maintenant pourquoi certains journalistes adorent venir ici, c'est comme d'aller à la montagne, puisque la montagne ne vient pas à eux. Au passage, ils interviewent XXL, écrivent un livre aux teintes montagnardes claires, intitulé, grosso modo, *Cuba rose*, et ils parcourent le monde en héros révo-*lotionnaires*. Au bout de deux heures, on ouvre les paravents, ils parcourent un long couloir et dans un au-delà lointain, une queue se forme. Quand je vous le disais, les queues persécutent Cuca Martínez. La pauvre, si morte de panique, si ankylosée, si près de l'infarctus.

Le mur en fer, argenté, imitant la fragilité de l'aluminium, cède automatiquement ; c'est une porte coulissante extrêmement légère, semblable à un rideau de douche. Ses dimensions sont comme celles d'un vaisseau spatial. De l'intérieur, ou Intérieur, c'est pareil, surgit (non les Martiens de *Star Trek*), mais Taille Super Extra en chair et en os, en costume, tout rose, poudré comme n'importe lequel des *Louis* français (les rois, pas la monnaie), et il avance vers la tête de la queue à pas de géant. Vous voyez comme ici le langage lui-même est dépourvu de sens, avait-on jamais entendu parler autrefois de *la tête de la queue* ? Quelques centimètres derrière lui, se croyant élégant, mais plus vulgaire que jamais, avec son panama et son costume d'alpaga, faraud, serrant les fesses de vanité, un homme le seconde : le Vieux. Mais si, le Vieux soi-même dans ses pompes de mafieux new-yorkais. Ouane a un étourdissement, mais il se reprend, très professionnel, c'est-à-dire très prompt, comme si de rien n'était. Laissez-le continuer à festoyer, c'est au chapitre suivant qu'il sera victime de son grand malaise, de sa colossale crise de nerfs. Les buissons touffus permettent à peine de se mouvoir, cependant XXL souhaite la bienvenue à chaque personne une par une ; en même temps qu'il complimente sur une robe, une perruque, un collier de perles, une médaille, ou un excrément, il serre la main de l'homme ou de la femme complimentée. Juste à cet instant le flash éclatera, comme preuve sans équivoque, imposée de force, préparant la potence, la condamnation par les tribunaux futurs. Histoire de souiller tout le monde. Il y a suffisamment de merde. Ne vous inquiétez pas, car ici celui qu'on ne fait pas chier par un flash, il se conchie tout seul. Le pot de chambre, il peut même tomber du ciel.

10

Pardonne-moi, ma conscience

Pardonne-moi, ma conscience,
ma très chère amie,
il fut dur, ton reproche,
mais je sais que cette nuit-là
je l'ai bien mérité.

Chanson de PILOTO Y VERA,
interprétée par MORAIMA SECADA.

Une fois que les nombreuses personnalités pittoresques en ont fini avec le baisemain engagé et engageant, on passe dans une salle plus vaste encore, éclairée par d'interminables tubes au néon. Au milieu de ce hall de gare, on voit une table de deux kilomètres de long, chargée de mets et de boissons délectables. Cuca Martínez se croit dans un film et, non sans appréhension, elle se demande si ce dîner ne sera pas pour elle le dernier, la Cène.

(Ne joue pas avec le feu, tu vas t'y brûler, depuis le temps que je te mets en garde, laisse tomber ton ironie et tes astuces vaseuses. Sache qu'ici, on n'a qu'à bien se tenir et rester peinard dans son coin. Ne toucher à rien, ni se laisser toucher, et si tu vas aux toilettes, fais le plus vite possible, ne regarde nulle part, c'est bourré de caméras partout. Moi, c'est le Ouane qui me fait une peine terrible, enfin bon, faut dire qu'il l'a cherché. C'est moche, la vie.)

Eh bien moi, il ne me fait pas de peine du tout car ici, la victime s'appelle Cuca Martínez. Son châtiment, c'est son problème, à lui. Qu'il assume son karma. Tiens, on est déjà venu le chercher. Cuca Martínez doit lâcher le bras du Ouane, deux hommes en costume gris lustré, comme le tissu des chemises kaki des prisonniers, ou les chemises de travail que l'on vendait autrefois avec un ticket de rationnement, actuellement c'est la mode Taille Super Extra d'après certains stylistes européens, obligent donc le Ouane à les suivre. Navrée, la vieille dame cherche refuge auprès de ses amies. Accrochée aux bras de la Mechu et de la Puchu, elle avance vers la table réelle qui pour elle relève de la science-fiction. María Regla enlace Photocopieuse et toutes les deux cherchent Fax des yeux. Mais Fax est aux premières loges, une assiette à la main, la tête plongée dans la marmite de *tamal** en ragoût. Le Ouane, ils l'ont emmené dans une pièce spéciale, où XXL annonce aux journalistes étrangers la nouvelle récolte d'oranges incroyable que nous aurons l'année prochaine. Les agrumes auront la même circonférence que le globe terrestre, et plus de jus que toutes les mers de la planète réunies. Vous verrez, vous verrez.

(Nous verrons. Une fois de plus, ils vont foutre en l'air la flore et la faune. On souffrira massivement d'ulcères, en revanche, ça oui, on n'aura jamais de rhume, car avec une telle quantité de jus d'orange, on aura une acidité phénoménale, à crier sauve qui peut, mais on emmagasinera

* *Tamal* : feuilles de maïs farcies. *(N.d.T.)*

des tonnes de vitamine C dans notre organisme, pas celui de l'Etat, je parle de l'organisme humain. Il faut toujours que je précise les choses car ici, entre le langage officiel, le langage officialiste et celui de la rue, les différences sont renversantes, si tu changes de quartier, t'as intérêt à prendre un interprète. A quelque chose malheur est bon, on a au moins un enrichissement méta ou bêta linguistique.)

C'est le Vieux qui reçoit le Ouane, très sûr de lui, mais quand il lui serre la main, la sienne est glacée. Il explique que c'est la faute de l'air conditionné. D'une prévenance excessive, il demande à son subordonné si l'endroit lui plaît, s'il se sent à l'aise, s'il a pu retrouver sa famille précédente, s'il a besoin d'un appui quelconque. L'autre fait non de la tête, en sueur malgré le gigantesque frigo qui tient lieu de climatiseur et occupe tout un mur, et il sent une pulsion irrésistible de casser le nez poilu et granuleux du Vieux. Avec tout son fric, pourquoi il va pas dans un institut de beauté se faire faire un nettoyage de peau et une épilation ?

(M'enfin, petit, ça va pas, la tête ?! Justement, ce qu'il adore, c'est déplaire.)

Géminette Criquette, je t'interdis de t'adresser aux personnages par mon intermédiaire.

(On a commencé à me censurer. Elle m'avait dit pourtant que ce chapitre serait à moi.)

Et il ne l'est pas ? Crois-tu que je raconte tout ce que je sais ? Si toutes les fois que mes mains se déchaînent sur mon clavier, tu ne me donnais pas un coup de règle ou de machette, car il t'est arrivé de me frapper avec une machette à couper la canne, en bonne conscience révolutionnaire que tu es, je me serais déjà lancée et j'aurais craché jusqu'à mes hémorroïdes. Ce chapitre est à toi, il t'appartient, précisément parce que tu as si bien joué ton rôle : l'autocensure.

Le Vieux se tait. L'autre n'a pas encore commencé à parler. Il règne un silence à couper au couteau. Le Ouane ne quitte pas son chef des yeux, l'air de n'y rien comprendre, le sourcil levé comme pour dire mais qu'est-ce que vous foutez là, les narines palpitantes d'homme trahi, les oreilles rouges clignotantes d'homme floué, la bouche congestionnée de terreur, mais aussi fort peu engageante.

— Je devine de la confusion sur ton visage. Je suis venu personnellement pour chercher le dollar. L'as-tu ? demande-t-il en feignant l'indifférence.

Le Ouane aquiesce de mauvaise grâce, prend un paquet de Vogue, des cigarettes ultrafines, plutôt mièvres, en allume une. Il ne fume plus depuis quinze ans, mais il n'a jamais perdu l'habitude d'avoir dans sa poche un paquet de sa marque préférée, tant par superstition que pour se prouver à lui-même qu'il est un dur, qu'il peut renoncer à son vice sans prendre de mesures draconiennes qui le feraient souffrir, ou devenir schizophrène. Le Vieux tend la main sans un mot. L'autre y place une petite enveloppe blanche et aussitôt, un aide de camp s'en empare et file comme l'éclair vérifier si c'est le billet authentique. Trois minutes après, il revient. Avec un hochement de tête affirmatif, il arrive à arracher au Vieux le sourire le plus paisible de toute sa vie, mais aussi le plus hypocrite.

— Du bon boulot, mon gars. Tu toucheras ta part. Ta mission est achevée. J'admire ton courage. Je sais combien ces affaires peuvent être embrouillées. Moi-même, je suis plongé dans un problème terrible, hier je suis sorti sur NTV et sur CNN, à la même heure, huit heures cinq du soir, et les deux fois ils ont affirmé que c'était en direct. Tu te rends compte ? Sur les infos nationales, il s'agissait de l'Assemblée du pouvoir populaire et sur CNN, d'une réunion de congressistes à Washington, simultanément ! J'espère que c'est passé inaperçu, ou désaperçu, comment est-ce qu'on dit, à la fin ?

— Inaperçu.

Sa bouche se remplit de salive, le crachat n'est pas loin, mais il ravale une bonne dose d'amertume.

Ils sont assis sur un canapé de cuir vert olive. Les oreilles du Ouane se mettent à bourdonner, assourdies par la voix criarde de son interlocuteur. Son regard, telle une caméra vidéo, enregistre tout ce qui l'entoure. Là-bas, sur un guéridon placé dans un coin, près d'un fauteuil canné d'acajou, la main d'un invité a posé un verre de blodimery. Le Ouane focalise une photo dans un cadre doré rococo. Elle représente, se tenant par la taille et débordants de vie et de bonne humeur, dans la Sierra Marâtre, XXL, Luis au milieu, et le Vieux. Le Ouane pâlit, il semble que ses orbites vont se vider. Elles sont tellement desséchées qu'elles vibrent, comme deux tremplins d'où les globes oculaires ont sauté.

— Que signifie cette photo ? demande-t-il au prix d'un effort surhumain, en essayant de calmer son exaspération, sa rage furibonde, le coup de couteau en traître qui ferait de lui un prisonnier politique ou un extradé à la prison de Sing Sing, condamné à perpétuité, comme dans la chanson de José Feliciano.

— Oh, cette photo-là ! En effet, c'est bien Luis.

Et il poursuit comme si de rien n'était, en tapotant amicalement l'épaule du Ouane.

— Il n'a pas cru en nous, tu sais. Laissons là le passé, pour ce qu'il nous rapporte. Analysons plutôt le présent, ou l'avenir. La seule manière pour nous d'atteindre l'immortalité, c'est avec Super Taille Extra-Large. Nous nous sommes beaucoup bagarrés, pendant des années ; nos idéologies, si nous en avons, divergent, mais nous sommes parvenus à la conclusion que nous devons faire la paix, au nom de nos intérêts communs. Tu connais la dernière ? Après des siècles et des siècles, il a fini par se procurer la Source de l'Eternelle Jeunesse. Il l'a négociée auprès d'Hernando de Soto, par l'intermédiaire d'Isabel de Bobadilla*. Il en est très fier, je crois qu'il en donnera la primeur aux journalistes cette nuit. Il m'a offert un flacon de PGB, un médicament découvert par l'Institut de biotechnologie. Comme son nom l'indique, c'est Pour Grandes Bites, et cela résout le problème de l'érection. La variante féminine Pour Grandes Foufounes est à l'étude.

En se mordant le poing, le Ouane se lève du canapé, le sang coule de la blessure causée par ses propres dents, les larmes d'impuissance aussi, sang et larmes se mélangent sur ses bras. Il se sent absurdement seul, stupidement enchaîné, pris au piège entre trois familles. Celle de New York, celle du Vieux, et celle d'ici. Car s'il a accepté de venir chercher ce billet, c'était pour protéger sa femme et sa fille américaines, mais une fois arrivé dans cette ville, il se sent de plus en plus lié affectivement à Cuca et à María

* Hernando de Soto fut gouverneur de Santiago de Cuba. En 1539, il confia l'intérim du gouvernorat à son épouse, Isabel de Bobadilla, pour mener une expédition en Floride. *(N.d.T.)*

Regla, il se sent peut-être plus débiteur envers ces dernières qui, à vrai dire, furent les premières, pour leur avoir fait tant de mal.

(Je ne le laisserai pas seul. Même si je dois m'enfoncer. Il ne faut pas tirer sur une ambulance. Je te l'ai dit, il y a des choses si effroyables qu'il vaut mieux les oublier, ne pas les écrire. Mais une fois écrites, tu ne peux pas faire machine arrière. C'est tout ou rien, tu dois assumer. Les demi-teintes, c'est bon pour les traîtres. Mieux vaut ne rien dire que gaffer ou trahir. Mais une fois que tu as parlé, en voiture Simone, je te soutiens. Certes, le seul résultat que tu obtiens, c'est de liquider un être humain, de le détruire, de l'anéantir, de mettre au jour ses turpitudes. Je n'y vois aucun courage, que gagnes-tu à triturer ainsi un pauvre homme esclave du banditisme ? Comment vas-tu soudain, genre je suis ici parce que j'y suis arrivé, tu piges, lui montrer une photo de son ami assassiné en compagnie de ses potes, ou de ses bourreaux ? Tandis que l'autre là, cette espèce de cynique criminel, il répond par ces balivernes et récidive. La politique est mauvaise conseillère. Ne t'y frotte pas, je te l'ai dit et répété. N'as-tu pas honte d'affronter les deux autres photos que tu as accrochées devant toi, dans ton bureau ? Est-ce que tu n'es pas triste de les contempler, de constater qu'elles sont témoins de tes faits et gestes, de ce que tu écris ? N'as-tu pas peur que ces deux portraits de tes écrivains aimés, tes modèles, ne cessent de te protéger, qu'ils ne t'abandonnent, qu'ils ne se lassent de tes manœuvres ?)

La première est une photo en noir et blanc prise à La Havane par Chantal Triana dans les années soixante. On y voit José Lezama Lima assis sur une véranda ensoleillée, la main droite posée sur une table en Formica, vêtu d'une *guayabera* aux plis impeccables ; son sirop d'asthmatique dépasse de sa poche, de la main gauche il palpe un cigare. L'autre photo est un magnifique portrait de Marguerite Yourcenar, réalisé par Christian Lvowski, ami de Jean Mattern, qui a eu l'amabilité de m'offrir ce pur visage de l'écrivaine belge, son petit sourire bordé de rides intelligentes, ses yeux enfoncés, l'abîme enfantin de sa bouche, quelques cheveux gris cachent à demi son oreille, où luit une perle. C'est curieux, cette perle est au centre du portrait, comme pour suggérer que dans cette figure réside la pureté de la perle, que l'âme de l'écrivaine est une perle extraite des profondeurs de l'océan. Et puis il y a le portrait de ma mère. Un miracle que tu ne l'aies pas mentionné, chère conscience révolutionnaire, dans ta liste de photographies sublimes. Ma mère, lointaine, ma mère hors de portée. Ma mère souriante, elle aussi, auprès d'autres mères non moins satisfaites. Satisfaites de vivre séparées de leurs enfants ? Satisfaites d'attendre une mauvaise nouvelle ? Cependant, ma mère m'envoie toujours des photos de satisfaction, peut-être pour m'épargner les soucis. Elle est assise au bord du canapé, on dirait qu'elle va tomber, chaque fois que je regarde cette photo, je voudrais la retenir. Elle porte un pull vert que je lui avais apporté, non, pas *apporté*, excusez la confusion de latitudes, que je lui avais ramené de Barcelone, l'ayant acheté à la Ronda de la Universitat, et un pantalon en stretch beige avec fermeture Eclair sur le devant, manifestement il fait frisquet sur cette photo de *ma* mère dans *mon* petit appartement de *ma* Havane. Derrière elle on distingue mes livres, avec mes bibelots, l'irrécupérable sans doute. Ma mère, l'origine de toutes mes inquiétudes. Mon rêve quotidien. L'épine clouée en moi. Ma source de courage. Ma mère, qui m'a appris à devenir mère. Nous sommes condamnés à laisser nos mères en otage, quand ce n'est pas nos enfants. Non. Je n'éprouve pas de honte et je n'ai pas le cafard. Ou plutôt si, j'éprouve tout cela à la fois. Et puis, devant ces visages, je peux ressentir de la rage, de la douleur, de l'énergie. Leurs regards sont approbateurs, ils me font des reproches aussi, car tout ne saurait être positif. Mais leur vie a été vécue, leur parcours est accompli. Moi je dois vivre ma vie, m'accomplir. Cette morte derrière ma nuque m'en supplie à grands cris. Je ne dois pas me taire. Tant pis pour ceux qui bâillonneront leurs destins. Revenons au Ouane, car je n'ai pas l'intention d'oublier son sort. A son oreille, le mystère chuchote ce boléro :

J'en avais tant rêvé,
je le pressentais tellement,
qu'en te voyant ainsi à mes côtés
j'ai oublié le passé
qui me tenait enchaîné.

Cette mélodie le renvoie à son présent le plus immédiat, il prend un mouchoir imprégné de Guerlain, s'en frotte les doigts un par un, puis il se dirige, d'une démarche aussi cahotante que sa respiration, vers le grand hall où il espère rejoindre Caruca et Reglita. La salle résonne de plats de haricots et de frivoles propos. On vient de remettre de manière honorifique et horrifique, la carte du Parti (sans laisser d'adresse) à Nitiza Villainterpol, en témoignage de reconnaissance pour avoir inventé trois millions de recettes culinaires, immangeables sans la matière première : les aliments. Après le discours convenu de fausse modestie, les fauves affamés s'attaquent au buffet. Bien entendu, sur la nappe, il n'y a pas trace de la moitié de l'une de ces innombrables recettes élaborées par la dame à qui l'on rend hommage. Un gueuleton de ce genre, Cuquita n'en voyait pas depuis des siècles, ça ressemble à un Téléthon de faméliques, à mesure qu'ils s'empiffrent et qu'ils boivent, d'autres plateaux et d'autres bouteilles apparaissent. S'ils organisaient un concours de bouffeurs, de bâfreurs, quoi, le premier prix serait collectif. C'est une bousculade sans nom, indescriptible, pour s'emparer de fritons, prendre une poignée de *mariquitas* ou de *tostones*, goûter aux petites bananes, attraper du porc frit ou du cochon de lait rôti, du hachis à la havanaise, du bon, à base de vraie viande de bœuf, une queue de langouste, des crevettes à l'ail, de la purée de haricots noirs, bref tout le saint-frusquin ! Le *tamal* en ragoût est la spécialité de la maison, de même que les fromages français, qui ne sont pas français, mais d'imitation : XXL se permet de soutenir que la copie est meilleure que l'original. Pour ce qui est des fromages français, nous sommes les champions. Les gens, il leur suffit de flairer les bouchons des bouteilles pour se soûler, leurs sens sont déréglés au-delà du bon sens. Le pain est croustillant, il sort du four. Les bières sont de marque Cristal et Hatuey. Le dessert est une glace Coppelia – formule volée par un agent cubain à une firme américaine – à la fraise et au chocolat, comme il fallait s'y attendre.

Cuca a dévoré comme une bête sauvage, elle a l'estomac si gonflé qu'on dirait qu'il a une ficelle avec un nœud au milieu. La Mechu n'arrête pas de faire des commentaires, eh ben dis donc, on bouffe drôlement bien ici, hein ! Alors la Puchu, qui la trouve idiote, lui fiche une torgnole, il manquerait plus que ça qu'on bouffe pas bien ici ! Fax vend l'idée de son autobiographie à la Dame au Gros Chien, qui déclare qu'elle n'achète que des toiles de grands peintres du coin, pour une bouchée de pain. Là-dessus, il y a une embrouille terrible, car Photocopieuse vient de découvrir sur un *notebook* à potins moderne prêté par Répondeur Automatique, qui à son tour l'a reçu en cadeau de l'une des Trois Grâces françaises, un réseau de voleurs de tableaux et d'autres œuvres d'art, c'est tout de même curieux, les gens agressés et escroqués sont toujours des efféminés, des intellectuels et des collectionneurs consacrés, sans mentionner les musées et les instituts où il y a eu des ravages, ce réseau, c'est une sorte de gang qui a de la veine. Répondeur Automatique plaque Photocopieuse, décidément incorrigible, et se raccroche aux dents en avant de Paul Culon. A côté d'eux, Yocandra se lance dans un débat philosophique avec ses amants irréconciliables. Pendu à ses basques, le *Maceíto** Adobo Mayombero, profession : intrigant, avale un friton. Il vient de se brouiller avec les jeunes espoirs de la cinématographie nationale : Soif avec Vague, Oreille de Pain et Insomnie Prophétique, qui ne s'étaient jamais trouvés en présence de la concrète ni de la croquette protéique, jamais de leur vie,

* Membre de la brigade Antonio Maceo, composée de jeunes volontaires cubain-américains sympathisants du castrisme, à la fin des années soixante-dix. *(N.d.T.)*

c'est même la première fois qu'ils mangent de la viande. María Regla flirte avec Programmateur Licencié lequel, comme son nom l'indique, est chargé de la programmation de la Ténévrision nationale (sigle TVOUHHH) ; il explique qu'ils sont très contents de ce sigle, car il donne une idée de la frayeur dont les ténévrospectateurs ont besoin. En outre, Programmateur Licencié est le créateur de l'émission utilitaire intitulée *Distribution d'aliments.* Mais en réalité, Programmateur Licencié vient de s'insérer dans la vie, dont il avait été écarté pendant des années et des années, comme châtiment pour avoir administré la preuve de son quotient intellectuel élevé en faisant plus avec moins. Au début de ce processus social, on avait confié à Programmateur Licencié la tâche ardue de voyager à l'étranger comme acheteur ; c'est lui, paraît-il, qui a sauvé Alfa Romeo de la faillite totale en lui achetant dans les années soixante un stock énorme de voitures fin de série, dont nous avons fait nos taxis. Le scandale a éclaté quand Programmateur Licencié repartit en voyage comme acheteur avec une grosse somme d'argent et que subitement on lui présenta des machines tout ce qu'il y a de joli, qui mèneraient à la ruine une autre usine si personne n'en commandait. Programmateur Licencié eut tellement pitié du fabricant qu'il les paya toutes sans même demander à quoi elles servaient. C'est seulement à son arrivée à la douane havanaise qu'il lut le manuel d'instruction. Alors il découvrit qu'il s'agissait de chasse-neige ; du coup on le muta à la direction d'un complexe culturel à Pinar del Río. Là non plus, il ne fit pas d'étincelles ; un beau matin il reçut un télégramme ainsi libellé VEUILLEZ VIRGULE

RECEVOIR ORCHESTRE DE CHAMBRE BRINDIS DE SALAS*. Ce à quoi il répondit sans traîner, car il ne se fiait pas à l'orthographe de la télégraphiste : DÉBORDÉ DE TRAVAIL POUR ME CONSACRER AUX CHAMBRES POINT SANS RESSOURCES MATÉRIELLES NI BRINDILLES NI SALLES. Ce qui le mena à sa perte pour de longues années. A présent, il renaît de ses cendres comme le Phénix, tout fier, persuadé qu'il ne s'est jamais trompé, qu'il a toujours péché par excès de zèle, et en raison de ses bons sentiments de membre du Parti. A brûle-pourpoint, le type propose à María Regla d'échanger de façon désintéressée une baisouille contre un programme vedette. La jeune fille, découragée, frustrée, lasse des occasions avortées, accepte sans sourciller. Après tout, son père était l'ennemi, et voyez-le ici en invité d'honneur.

La première gaffe de Cuquita, c'est de prendre son sac en plastique pour le remplir de nourriture, car il faut aussi penser à faire des réserves pour le lendemain. A peine commence-t-elle à le bourrer de denrées succulentes, que deux gardes surgissent derrière elle et l'encadrent. Mais Cuca Martínez continue son manège, imperturbable, assurant l'avenir. Et pour elle, le futur se réduit au petit déjeuner, au déjeuner et au dîner du lendemain. Bientôt, elle sent un chatouillement entre ses maigres seins pendants, elle se concentre sur sa petite boule, mais non, sa petite boule est tellement gavée qu'elle s'est endormie. Aïe, petite Vierge du Cuivre, mais c'est Valentina et Mickey Parfait. Elle commet alors sa seconde erreur. Sans y réfléchir à deux fois, elle prend la blatte et le rongeur, et les

* L'orchestre porte le nom du compositeur cubain Claudio Brindis de Salas (1800-1872). *(N.d.T.)*

installe pour les faire manger sur un plateau de beignets de bananes. C'est la réalisatrice Juanette Alenvers qui pousse le cri d'alarme, fait un saut périlleux comme une gymnaste roumaine, et s'accroche à un rideau. Branle-bas de combat. Cuquita ne songe qu'à sauver ses amis, elle les prend dans une main, sa pochette plastique dans l'autre, et prend ses jambes à son cou. Le Ouane a saisi sa fille par le bras et ils se sauvent derrière la vieille dame. Forcément, on doit traverser dix rangées de gardes en faction à l'entrée. Mais elle est super fûtée et crie en montrant l'intérieur :

— Courez vite, une invasion, une invasion de souris et de cafards !

— On nous envahit !

Les gardes poussent le cri d'alarme mécaniquement, sans approfondir le sens de la phrase. Les pathétiques gorilles, sans hésiter, croient aveuglément la dame aux cheveux blancs, foncent dans les couloirs au pas de charge et s'introduisent en plein dans l'excitation, dans l'hystérie collective, qui règnent encore dans la pièce principale : le salon rouge, pas celui du *Capri*, bien sûr. Au parking, la dame est rattrapée par María Regla et le Ouane. Ils atteignent très vite la Merceditas Benz, montent dedans et l'homme fait démarrer l'auto en douceur, pour ne pas éveiller les soupçons. Bientôt, ils aperçoivent derrière eux la Chevrolet d'Ivo, occupée par la Mechu et la Puchu, Fax, Photocopieuse, Hernia et Yocandra avec ses deux mecs. Le Ouane fouille dans la boîte à gants, prend un disque Cérélac, je veux dire compact, et après en avoir ôté la pochette et l'étui plastique, il le pousse délicatement dans le tourne-disque laser. La voix de Moraima

Secada se fait entendre dans la dangerosité environnante :

Je me suis emplie de rêves,
je lui ai offert le paradis
en sachant que moi-même
je ne m'appartenais plus.

Cuca Martínez soupire bruyamment, comme pour interrompre le boléro. Ce qui reviendrait à interrompre sa vie. Mais le Ouane, chagriné, se sentant responsable des événements, culpabilisé jusqu'à la moelle parce qu'il blesse sans cesse l'amour de cette femme, éteint le tourne-disque. De nouveau, il règne un silence à couper au couteau, si épais qu'on dirait du velours. María Regla décide de briser la glace :

— Hé, dites, pourquoi est-ce qu'on n'irait pas danser au Palais de la Salsa ? Allez, ne faites plus cette tête d'enterrement. Putain, quelle odeur funèbre ! Ne vous laissez pas abattre, on n'a qu'une vie.

Le petit mouchoir en dentelle de Cuca est à tordre, elle pleure de joie en entendant les mots de consolation de sa fille. Valentina et Mickey Parfait, penchés au bord du décolleté de la robe en lamé de la vieille dame, sont, eux aussi, visiblement émus. Fier de sa fille, le Ouane bombe le torse comme un champion de poids et haltères après avoir reçu la médaille olympique. Sans tergiverser, orgueilleux, prêts à recommencer le mystère de la nuit havanaise, ils dirigent les pneus Michelin de la Merceditas Benz vers le refuge de la salsa.

(Oh, cette môme, quelle bonne idée, que c'est bien de m'avoir tirée de cette partouze politicarde. Au Palais de la Salsa c'est une autre ambiance, le je-m'en-foutisme intégral. Ça c'est mon genre, le je-m'en-foutisme, tortiller du cul sans se faire de bile. Comme quoi, mon cœur d'artichaut, dans la vie y a pas mieux que de laisser couler le temps, et la crème avec. T'as jamais été dans un ciné porno ? Non, bien sûr, t'as pas l'âge. Mais à part ça, t'as pas été dans une boutique des horreurs où on vend d'énormes bites à piquants ? Oh, ma pauvre, mais t'es partie pour faire nonne ! Moi je te recommande d'aller au *Nuevo Continental*, un des cinémas chinois de la rue Zanja, là bien sûr tu dois t'appuyer un très vieux film chinois non sous-titré, ensuite les actualités, et pour finir un film latino-américain arriéré, mais qu'est-ce que ça peut te faire, puisque tu n'y vas pas pour voir ce qui se passe sur l'écran, ni pour faire une critique de cinéma, toi ce qui t'intéresse, c'est la baise qui bat son plein dans les fauteuils. Vu qu'on a fermé la plupart des hôtels de passe, eh bien les gens vont au *Nuevo Continental* pour tirer un coup, c'est pas cher, et tu suces en chinois, que demander de plus ? C'est pour ça qu'on l'appelle le palais de la Crème. Un régal, ma chatte ! A peine sommes-nous arrivés – oh, que voilà une phrase bien française née sous ma plume ! – dans l'autre palais, celui de la Salsa, nous ne pouvons pas nous empêcher de nous élancer au milieu de la piste, dans l'arène pour que les lions nous dévorent, dans le ring pour que Stevenson nous défigure, car moi ce que je veux, c'est qu'on me marque au visage, qu'on me zèbre la fesse, qu'on me fasse jouir, et que coule la sueur sucrée, pas le sang, le sang, ça jamais ! Parce que moi j'ai de la mélasse de canne au lieu de plasma, tu vois, tel quel. Viens là, toi, beau costaud, colle-toi, frotte-moi avec ta trique, installe-toi, viens et va, va et viens. Fais pas chier, la môme, viens danser. Si tu te lèves pas, je te plaque. T'es pas ma frangine ? Ma complice et tutti quanti, comme dans le poème de Benedetti ? Allez, déballe-toi, comme ça faut... Sapho ? Mais non, rien à voir avec la poétesse gouine grecque. Celle-là, elle la ramène, elle prend ses désirs pour des réalités, j'te raconte pas ! Elle mange pas, elle danse pas, elle chante pas, elle profite pas des fruits. Bon, qu'elle mange pas de fruits, ça se comprend, vu qu'ils ont disparu de la circulation. Ça te dérange pas que tes personnages, ils soient plus vrais que nature, à partir de dorénavant : la Cuca Martínez et le Ouane, disloqués avec la Charanga habanera, mélancoliques avec Isaac, qui est tout maigre. Et María Regla, qui danse l'*agachaíto* avec un loubard des Sitios. La Mechu et la Puchu, comme d'habitude, elles fricotent entre elles. Encore heureux qu'elles aient surmonté, apparemment, leur crise schizophrène parce que, dis donc, trésor, il faut voir comme elles ont souffert, ces deux femmes, dans l'été quatre-vingt-quatorze. Comment ça se fait que tu l'as pas racontée, cette histoire, hein ? Tu vois, tu t'autocensures toute seule ? Ne me fais pas les gros yeux, ne me fais pas taire, parce qu'ici c'est moi qui commande, après la morte, je sais bien. Enfin, continuons, mais ne crois pas que j'oublierai si vite l'aventure de la Mechu et de la Puchu... Désarticulée, Hernia investit son énergie dans une salsa-rap. Fax vient de draguer un investisseur canadien, si elle continue à lui mettre ses nichons sous le nez, il va sûrement lui publier ses Mémoires. Photocopieuse se tient à carreau, et tout en gambillant, elle enregistre tout sur le *notebook* qu'elle a piqué à Répondeur Automatique, grâce à la bousculade et de la confusion. Yocandra et ses deux penseurs de Rodin sont sagement assis comme trois simples collégiens. Oh tu sais, c'est plus fort que moi, je supporte pas les intellectuels ! Ils sont nés dans un taudis, ils crèvent de faim, ils grandissent sur un rythme de rumba au son d'un tambour de bois ou de fer-blanc, ils lisent quatre ou cinq bouquins, déménagent de Cayo Hueso à Miramar et en deux coups de cuiller à pot, ils se métamorphosent en Chateaubriand, en Lord Byron ou en Mme de Staël. Mais j'en suis persuadée, ça c'est bon pour aujourd'hui, car je donne ma jugulaire à couper que Gabriel de la Concepción Valdés, Plácido* pour les potes, pour les copains, quoi, il n'était pas si couillon, c'était plutôt un mec super branché, n'empêche, on l'a bel et bien fusillé, tu vois, vers l'an 1844, au moment de la conspiration de l'Escalier. Ben quoi, tu t'intègres ou pas ? *Adhère*, comme dit le slogan de l'U-Vécé ! Chante avec la Charanga :

Trouve-toi un vieux pour te faire entretenir,
qui dépasse les trente ans sans atteindre les cinquante...
Pour que tu aies ce que tu devais avoir.
Des dolluches !

J'ignorais que les Géminette Criquette pouvaient descendre aussi bas, avec une vulgarité pareille, sans me laisser d'alternative. Mais elle a raison, c'est vrai qu'entre un ordinateur et un tambour, je choisis ce dernier. Eh bien oui,

* Gabriel de la Concepción Valdés, dit Plácido (1809-1844), poète mulâtre. Accusé d'avoir pris la tête d'une conspiration contre les autorités espagnoles, il est condamné à mort et exécuté. *(N.d.T.)*

Cuca Martínez et le Ouane s'amusent comme en leur bon vieux temps et font aux gens la démonstration de la danse telle qu'on la dansait autrefois, avec des pas que bien des jeunots du Vedado leur envieraient. Au point que la foule les entoure et les applaudit en cadence et que les touristes, comme des fanatiques japonais, prennent des photos à droite et à gauche. Les flashes de la gauche, on connaît. Chez Cuca on remarque une expression de bonheur que lui envieraient bien de ces Européens pâlichons et bourrés de vitamines. Ceci dit sans démagogie, car je ne veux pas reprendre ainsi les manipulations des propagandistes de la faim, à savoir qu'ici on n'a rien mais que tout le monde est heureux. Ne vous y trompez pas, Cuca est heureuse parce qu'elle aime. Car enfin quoi, vous ne réalisez pas qu'elle danse de nouveau avec le type qui l'a tourneboulée ?! Cependant, ils sont au bord de l'évanouissement, ils ont de la tachycardie tous les deux, ils sont essoufflés, alors ils proposent à Reglita de partir.

Merceditas Benz – car cette bagnole est même devenue humaine – roule à présent vers une rue de La Vieille Havane, où habite María Regla. Comme le Ouane est anxieux de connaître la tanière de sa fille, il prétexte qu'il ne veut pas qu'elle rentre seule chez elle si tard, en pleine nuit. La bâtisse délabrée est plongée dans l'obscurité. Baignée par un rayon de lune, la statue de la fontaine, dans la cour, semble provenir de Florence. La Môme passe devant, ses parents la suivent, impressionnés par la sombre humidité ; l'escalier en colimaçon se balance comme une peau d'oignon, ou alors il leur rappelle simplement les films de Spielberg, où il y a toujours des escaliers sur le point de s'écrouler. Ils entrent dans la pièce, antre et refuge, le décor est super kitsch, avec des posters d'Annia Linares, une autre chanteuse de variétés exilée, une petite table style repentance espagnole (désolée si la scénographie se répète, mais ce mobilier a envahi les salons cubains) avec un napperon en plastique et un vase en céramique, des fleurs en papier mâché, le lit est un grabat où l'on a essayé toutes les positions et même plus du Kâma sûtra, c'est le Grâba sûdra. Dessus, un couvre-lit criard en patchwork effiloché, voilà pourquoi María Regla ne cesse d'éternuer, elle est allergique. Le placard n'est qu'un trou dans le mur, avec un petit rideau fabriqué avec des chutes de films cubains inutilisables, que lui a offerts Donatien le Noir, monteur à l'ICAIC*. Les livres sont entassés dans un coin, jaunâtres, archilus et archirongés par la vermine. Le Ouane pousse un profond soupir, douloureusement affecté par les conditions de vie de sa journaliste de fille. En n'importe quel point du globe, n'importe quel journaliste vit ainsi, ou pire, mais de quoi s'agit-il ? D'améliorer ou d'empirer les choses ? De comparer les horreurs ? De rabaisser, d'appauvrir, d'avilir les conditions de vie de l'être humain ? Vivons-nous pour nous développer ou pour nous sous-développer ? Les conquêtes humaines se mesurent-elles au degré de pauvreté, ou au degré de développement ? La pauvreté est-elle synonyme de dignité ? Eclaire ma lanterne, conscience.

(C'est une réponse par trop compromettante. Que je réponde blanc ou noir, dans les deux

* ICAIC : Institut cubain d'art et d'industrie du cinéma. *(N.d.T.)*

cas, ceux de l'autre camp me tomberont dessus. *Je ferai mieux de me taire, de ne rien dire...*)

Espèce d'opportuniste, voilà ce que t'es ! Tu me déçois ! Je ne sais pas comment j'ai pu te faire confiance. Folklorique !

(Pas d'insultes, ça peut te coûter drôlement cher. Quand apprendras-tu que la vie est un train de déceptions, et que les billets sont gratuits. Je ne peux pas répondre à ta question, je ne peux pas te lancer une bouée de sauvetage ni t'aider. Non, je ne peux pas répondre alors que le monde développé n'a pas encore donné sa réponse. Tiens, écris ici qu'il faudra attendre. Ajoute, *Avec foi, espérance et charité*, comme dans ce film mexicain.)

María Regla sent que ses parents sont plongés dans une profonde mélancolie et en les embrassant tendrement, plus baveuse qu'une corne grecque glissant sur du manioc sec, toute triste, elle leur dit simplement au revoir, avec une feinte indifférence :

— Maman, papa, dormez bien, on se voit demain.

Maintenant l'envie me prend, ou je crois bon, Géminette Criquette, de raconter les aventures de la Mechu et de la Puchu durant l'été quatre-vingt-quatorze. Car justement, alors que Cuca Martínez rentre chez elle par l'avenue du front de mer et contemple avec angoisse l'océan plongé dans la noire épaisseur de la nuit, elle évoque cette autre nuit de l'été dernier où, mystérieusement, la Puchunga et la Mechunga leur ont donné rendez-vous, à elle et à Reglita, au Rincón de Guanabo. Le soir n'était pas encore tombé quand elle a débarqué sur les lieux avec sa fille ; il régnait une atmosphère bleu foncé et une brise marine qui invitait à l'aventure, à entreprendre des expéditions dignes du commandant Cousteau. C'était précisément ce que préparaient la Mechu et la Puchu, une expédition en direction du Nord troublé et brutal. Lasses d'attendre que le gaz revienne, lasses des coupures de courant marathoniennes, de manger des haricots mal fumigés, amoureuses de surcroît d'un Minet Fou, de vingt ans plus jeune qu'elles, un orphelin aigri qui refusait de gâcher sa vie dans cette île satanique, elles avaient décidé de le suivre dans sa passion de quitter le pays en *balsa* artisanale. Sur le rivage, Cuca Martínez sanglotait en les suppliant à genoux de réfléchir, de penser ne serait-ce qu'un tout petit peu comme ça – et elle montrait la pointe d'un ongle – au danger considérable qu'elles allaient courir. Entre-temps, le Minet Fou attachait des ballots, enroulait des cordages, veillait aux derniers préparatifs. María Regla ne soufflait mot, les bras croisés, le regard perdu à l'horizon, et elle laissait couler sur ses joues glacées des larmes de rage, le vent soufflait dans sa chevelure et lui fouettait le visage.

— Tais-toi, maman ! s'écria-t-elle enfin. Tant pis pour elles si elles veulent risquer le tout pour le tout et devenir la proie des requins. Moi qui croyais que vous aviez changé ! Pour moi vous faisiez partie de ma famille ! Vous m'avez trompée, vous ne m'avez jamais aimée !

La Puchunga vint vers elle, les yeux embués de larmes, la gorge serrée :

— Ma p'tite Môme chérie, ne dis pas cela Mais si, nous t'aimons, mais nous ne pouvons pas rester ici, ma p'tite fille. Nous n'avons pas notre place dans cette société, tu comprends, ça fait plus d'une semaine que j'essaie de trouver des gouttes antispamodiques, tu sais que les haricots ne m'ont pas réussi à cause de la mauvaise fumigation. Je vais voir si en traversant *la flaque*, je trouverai au nord les fameuses gouttes qui soulageront mes maux d'estomac. C'est vrai que nous sommes tombées follement amoureuses de ce morveux, mais l'essentiel n'est pas là… Tu en as été témoin, nous avons beaucoup souffert, Reglita, nos vies ont été brisées net, tranchées d'un seul coup. On ne nous a jamais acceptées sincèrement.

— N'explique plus rien, protesta énergiquement la Mechu. Car elle, elle n'a jamais eu de considération envers nous, quand elle filait vers ses activités militantes.

Malgré tout, la Puchu voulut donner un baiser d'adieu. María Regla se déroba et d'une poussée, elle incrusta le visage de la vieille dans le sable brodé de coquillages minuscules. Cuca, inondée de larmes, embrassa ses amies. Elle les accompagna jusqu'à ce que l'eau lui arrive au cou. Même après que le radeau eut disparu dans l'obscurité, Cuca disait toujours adieu, à moitié immergée dans la mer. A quelques mètres de là, María Regla, rageuse, enterrait sa figure dans le sable.

La Mechu, la Puchu et le Minet Fou ramèrent comme des dingues. Finalement, presque calcinés, ils furent sauvés par un navire américain qui les déposa à la base navale de Guantánamo. Sous les tentes de la base, ils patientèrent longtemps. Au bout de quatre mois, désespérées, mortes d'envie de revoir Cuquita et Reglita, et à nouveau sous le charme du Minet Fou, frustré de n'avoir pu mener à bien ses projets et qui, en outre, se languissait de sa petite fiancée, ils décidèrent de rebrousser chemin, mais à travers le champ de mines qui sépare le territoire cubain du territoire américain, jusqu'à présent ; on verra au siècle prochain. Par miracle, les femmes le franchirent sans encombre mais le Minet Fou perdit une jambe, qui vola en éclats. Elles revinrent sur leurs pas pour l'aider à sauver la partie restante. On les fêta comme des héros. A nouveau rendus à la vie normale, ou paranormale, le Minet Fou, avec une jambe en moins, trouva refuge dans les bras de sa fiancée de vingt ans, et les femmes prirent le jeune homme en charge, non plus comme des amantes mais comme des tantes. Actuellement, ils souffrent tous les trois en silence du traumatisme terrifiant de la mutilation. Mais le plus affecté est sans doute le garçon. Avec moins d'espoir encore de recommencer.

Elle n'aurait pas voulu se rappeler ces péripéties. Ni Reglita ni Cuca ne savaient si elles devaient se réjouir du retour de leurs amies ou le déplorer. Après tout, elles les croyaient déjà en liberté. Cuca ferma les yeux, pencha sa tête par la fenêtre de la voiture, l'air salin lui emmêla les cheveux, désordonna ses cils et ordonna ses idées. Mon Dieu, dire qu'elle aurait pu perdre pour toujours ses meilleures amies ! Comment leur a-t-elle permis de partir, de risquer leur vie ?

Après leur dernière promenade sur l'avenue du Front de mer, couvert d'embruns, de brise et de songe, le couple revient enfin vers l'immeuble de Cuca Martínez. A la porte, elle l'invite à monter. Il sourit, et c'est la dernière image de son sourire qu'elle gardera de lui. La nuit présageait que pour eux, tout serait catalogué *dernier* à partir de ce moment.

Sur le trottoir, le Ouane est soudain abordé par deux *camarades*, visiblement commotionnés par ce qu'ils définissent comme un petit point d'incompréhension de sa part. Mais comment n'avait-il pas compris qu'il ne pouvait pas s'adresser au pauvre Vieux en ces termes irrespectueux ? Il a eu un arrêt cardiaque, il est au plus mal. Tout s'est produit quelques minutes après sa conversation avec le Ouane, il est devenu vert-jaune et il a vomi un liquide noir. Dans l'ambulance, il râlait, pouvant à peine respirer, la poitrine bloquée. Ce n'est pas possible de sa part, une telle fadaise – on n'a pas dit fraise. L'indélicatesse a des limites. Résumons :

— Vous êtes arrêté – ça fait toujours plus doux que détenu ou prisonnier. Nous vous convions à un interrogatoire à Villamarista. Demain, vous quitterez le pays, étant considéré *persona non grata.*

Cuca Martínez porte la main à la bouche en étouffant un cri. Elle ne s'évanouit pas, respire à fond et dépose Valentina et Mickey Parfait sur le seuil. Ils commencent l'excavation d'un tunnel. Je ne sais pas pourquoi les tunnels sont des symboles de refuge. Alors qu'il est si facile d'en boucher l'entrée et d'asphyxier ceux qui s'y abritent. Fermement, elle saisit la main de son homme. Si on l'emmène, lui, il faudra l'emmener, elle, c'est ce qu'elle laisse deviner. Merceditas Benz est maintenant envahie par un type du camp adverse et, comme dans les dessins animés de Walt Disney, le pare-chocs de la voiture fait une grimace de mécontentement, de dégoût. Ah, la vieille veut venir aussi ? Rien de plus simple. Et on les embarque tous les deux. Le voyage est long, dense, lugubre, comme doit l'être tout voyage vers la nullité, vers Cayo Cruz, le cimetière des ordures. Il n'a pas peur. Elle non plus. Car ils sont assis sur le siège arrière, côte à côte, main dans la main. Menottes aux poignets. Enchaînés, enfin enchaînés. Non par un mariage légal, mais par les chaînes et les menottes en fer. Mais c'est toujours quelque chose.

(Quoi, ils n'ont pas la frousse ? Ma petite, ils en chient dans leur froc, seulement voilà, ils savent très bien le dissimuler. Ce n'est un secret pour personne, ces crapules, il faut surtout pas leur montrer qu'on se dégonfle. Du cran, tenez bon, mes chers macho et femelle, allez roulez ! Le problème, c'est quand ils arrivent à destination, une négation de leur destin, et qu'on les sépare. Là du coup, on leur fout les boules, c'est la terreur panique. Elle, on l'enferme dans la chambre froide, lui dans la chambre chaude. Elle va bientôt se muer en glaçon, lui en soupe à l'oignon, dans la plus sombre des obscurités. Sauf que parfois on allume le projecteur à deux millimètres de leurs pupilles, des heures d'affilée. Ensuite, la noirceur revient, c'est alors qu'entrent les bestioles. Pour faire joujou, leur conseille-t-on avec plein de sollicitude. Une caïmane pour lui, un caïman pour elle, deux symboles de la patrie. Ils passent ainsi une nuit ou une semaine, c'est impossible à déterminer. Après ce temps, ou plutôt ce contretemps, ils sont libérés. Mais pas comme ça tout bonnement, non, penses-tu. Lui on l'emmène direct à l'avion, éjecté dans l'espace sidéral en tant que *persona non grata*. Elle, on la relâche dans un petit village, qu'elle reconnaît immédiatement. Son village natal, Santa Clara, dans l'ex-province de Las Villas. Reconnaissante, elle adresse une douce pensée d'adieu à ses amies la Mechu et la Puchu. Bye-bye, au revoir, chères tantes toquées. Ciao, Valentina Ousquonsenva et Parfait Mickey Pérez. Bye-bye, Fax, Photocopieuse, Hernia, Yocandra. Se livrant corps et âme à son rêve, elle baise le front de sa fille, de son bébé nouveau-né. María Regla, ne tue pas ta maman. Votre Cuca Martínez, qui vous aime. La radio d'une chaumière voisine diffuse un enregistrement ancien, la voix de la mulâtresse qui se mourut d'amour, la Moraima Secada ·

Car j'ai oublié toutes
les choses qui dans le monde
rendent brève la félicité
et longue l'agonie.

Les lèvres de Cuca Martínez doublent amèrement, mais sans ressentiment, la suite du boléro :

Pardonne-moi, ma conscience,
je sais que tu avais raison,
mais à ce moment-là
tout était sentiment,
la raison ne jouait pas.

La raison ne jouait pas. La raison ne jouait pas. La raison ne jouait pas. La raison ne jouait pas. La raison ne jouait pas. La raison ne jouait pas. La raison ne jouait pas. La raison ne jouait pas. La raison ne jouait pas. La raison ne jouait pas. La raison… Crac !

Piiiiiiiiiiiiiiiiiiiiiiiiiiiiiiiiiiiiiiiiiiiiiiiiiiiiiiiiiiiiiii. Apoplexie. Artériosclérose. Mort cérébrale. Un légume. Un bon recours pour le salut.)

11 et dernier

Nostalgie havanaise

J'éprouve la nostalgie de revenir à toi,
mais le destin commande et c'est impossible,
ma Havane, ma patrie bien-aimée,
quand te reverrai-je ?

Chanson de B. COLLAZO,
interprétée par CELIA CRUZ.

Il est très tôt le matin. Notre *aurore sous les tropiques** est rougeoyante, tiède merveilleusement parfumée, criarde. Sur la passerelle de l'avion, le Ouane observe le paysage de Rancho Boyeros, drôle de nom, un ranch de boys qui folâtrent dans les bois ? Qui sait ! Il aspire profondément sa dernière bouffée havanaise. Ni les palmiers, ni la végétation rebelle, ni la foule qui se penche à dégringoler à la terrasse de l'aéroport où chacun est mort d'angoisse à attendre un parent ou à lui dire adieu, ni les exécutants pathétiques de ce pouvoir minime que confèrent les talkies-walkies, ni les barbelés là-bas au loin, ni la tristesse de cet aéroport si laid, gris comme une boîte à œufs, ni le ciel bleu, ni le soleil immense, ni les nuages ressemblant à des barbes à papa, rien de tout cela, rien ne lui

* D'après un recueil de nouvelles de Guillermo Cabrera Infante, *Vue de l'aurore sous les tropiques* (1974). *(N.d.T.)*

donnera plus de nostalgie que cette odeur de La Havane, indescriptible, affreusement impérissable. Cet arôme si changeant, si fascinant en même temps, avec lequel il pourrait décrire la fragrance du corps de Cuca Martínez, les senteurs des joues de sa fille María Regla. Il tourne le dos, disparaît par la portière de l'avion, décomposé, comme si c'était la première fois.

María Regla dégringole l'escalier humide du taudis où elle habite au 305 de la rue Empedrado, entre les rues Villegas et Aguacate. Elle est euphorique, la rencontre avec son père a redonné un sens à sa vie, lui a fait comprendre que nous ne pouvons pas être aussi rigides, aussi politiquement corrects. En outre, Programmateur Licencié lui a enfin commandé un reportage. Certes, elle devra le payer de sa chair fraîche. Elle se sent si heureuse qu'elle ne perçoit pas le bâtiment où elle habite comme un vulgaire taudis. Elle l'admire comme un palais. Ce qu'il fut sans doute. Dans le patio central, il y a une fontaine du siècle dernier, c'est un vieux Triton sans eau, brinquebalant sous les averses et l'ignorance. María Regla est seule à savoir que ce vieillard en marbre effrité est un dieu de la mythologie grecque, les voisins le confondent avec saint Lazare et jadis, tous les 17 décembre, ils allumaient des bougies en son honneur. Maintenant il n'y a plus de bougies, même pour les coupures de courant ; mon vieux Babalú Ayé, accorde-leur ton pardon, si de plus en plus de dévots t'invoquent sans bougies. María Regla se réjouit d'habiter presque à la lisière du Centre Havane et non dans le cœur dégoûtant de La Vieille Havane, oh certes elle serait ravie d'avoir un studio au Vedado, ou à Miramar ou pour être franc, à Miami, oh là là, merde, silence, ma pensée ! Mais elle est fière d'avoir pu s'acheter une chambre pour vingt mille pesos cubains, à l'époque où cela représentait encore une somme respectable, quand les gens vendaient des logements pour quelques sous, et en monnaie nationale. Elle l'avait acquis à la sueur de son front, grâce aux économies réalisées sur son salaire depuis qu'elle est journaliste (elle gagne une misère). Et aussi, pourquoi se voiler la face ? grâce à d'autres économies, clandestines, obtenues par la vente de toutes sortes de babioles au marché noir, comme des boîtes de déodorant en pâte, en passant par de pâles photocopies de livres d'Allan Kardec, objets très convoités qui font partie du matériel de recherche des prêtresses de la *santería* les plus progressistes. María Regla continue de dévaler les interminables escaliers en colimaçon, les marches en vieux bois pourri craquent, parfois même elle doit sauter, car il manque plusieurs marches et quand elle atterrit, la spirale entière retentit. Toute la bâtisse tremblote sur ses bases, une fine poussière tombe du plafond et lui blanchit les cils, les cheveux et les épaules. María Regla court vers son futur reportage. Elle palpite d'une joie folle car au bout de mille ans, on l'a enfin chargée d'un reportage formidable pour le dernier journal parlé qui survit à la télévision. Programmateur Licencié a décidé de lui donner cet espace, confiant dans ses capacités intellectuelles, et puis il faut dire qu'elle est l'une des rares journalistes rescapées, en effet, maintenant, plus personne ne revient des voyages à l'étranger. On lui a commandé le sujet du moment : le marché libre paysan. Elle ne laissera pas échapper l'occasion, à aucun prix, personne ne lui volera sa chance ! C'est la troisième fois qu'elle peut faire ses preuves de journaliste. Douze ans après l'obtention de son diplôme, elle n'a exercé qu'à trois reprises. María Regla marche d'un pas assuré, plein de frémissements, de chansons et d'espérances. Juste en arrivant dans sa rue, elle découvre que cinq autres marches se sont effondrées aujourd'hui. Elle devra faire un grand saut, un énorme saut périlleux. María Regla prend son élan, serre sous son bras la vieille serviette d'avocat qu'elle a héritée du grand-père d'une amie. Soudain, elle reste cinq secondes en l'air en *stop motion*, comme dans les films de kung-fu, elle pense qu'il pourrait être dangereux de tomber, de remettre pied à terre, mais elle n'a pas d'alternative. Comment en aurait-elle, du moment qu'elle n'est qu'une professionnelle inexperte nantie d'un titre et d'un diplôme – qu'elle doit à Taille Extra, à la révo et à tout ce que nous connaissons par cœur – qui a dû faire le choix entre s'appuyer la série de couillonnades à laquelle sa vie a été condamnée, ou rester tranquillement dans sa chambre ? María Regla retombe, légère, avec son poids plume de quarante-cinq kilos, et ses deux pieds se posent sur le seuil de l'immeuble. Mais ce bond est la goutte d'eau qui fait déborder le vase, le dernier bout de mèche de la dynamite, la grenade dégoupillée au hasard. Derrière elle, en moins de temps qu'il n'en faut pour le dire, cent cinquante ans de pierre, de ciment, de bois et de sable s'écroulent. Cent cinquante ans d'histoire. Cent cinquante ans de vie. La baraque s'effondre et ils dorment tous. Ils meurent absolument tous. La baraque est réduite en poussière. Pas un aïe, seulement un vacarme comme un coup de massue, ensuite un silence éthéré, sublime. Mystérieusement, surgie des décombres, une radiocassette s'allume toute seule, et la voix interdite se mêle au nuage de poussière :

Havane, je ne sais si ce temps reviendra,
Havane, quand je cherchais ta lune sur le front de mer.
Havane, comme je désire revenir pour voir tes plages,
Havane, et revoir le sourire de tes rues,
Havane, malgré la distance je ne t'oublie pas,
Havane, pour toi j'éprouve la nostalgie du retour.

Le cameraman attend en fumant une cigarette Popular, appuyé à la bouteroue, il a tout juste le temps de se précipiter vers l'autre trottoir, là il parvient à distinguer la main de la jeune fille émergeant des décombres. Il s'élance, appelle au secours, les pompiers arrivent, les ambulances. Le premier cadavre qu'ils arrivent à extraire, c'est celui de la journaliste. Celui qui était le plus en surface.

(Cela s'est passé ainsi. Tu ne sais pas combien tu m'as fait pleurer avec cette histoire. Mon Dieu, Yemayá adorée, tu n'as pas pu faire quelque chose pour elle, pourquoi ? Sa pauvre mère, elle va mourir d'un infarctus du myocarde. Souffrir ou périr, l'âme nationale. Que de misères ! Il est vrai qu'elle a déconnecté de la réalité. Enfin, elle aurait souhaité que les choses se déroulent autrement. Mais si c'est impossible, eh bien tant pis, c'est impossible. Personne ne doit peser sur les destinées. Lumière et progrès. Moi, à vrai dire, j'aurais préféré pour elle ce qu'il y a de mieux.)

La morte aussi. Comme tout le monde, elle ne voulait pas mourir, surtout pas maintenant, alors que tant d'occasions s'offraient à elle. Avec son père, elle débutait tout juste. Mais ainsi va la vie, un vrai feuilleton, du genre *Le Roman de l'air*, un téléfilm vénézuélien. A propos de téléfilm vénézuélien, pourquoi ne la faisons-nous pas revivre ? Dans les téléfilms vénézuéliens, vouloir c'est pouvoir. Pourquoi ne pas la remettre en marche ? D'autant qu'elle en meurt d'envie.

(Oh oui, va, ressuscite-la, songe qu'elle ne mérite pas une telle mort, dans l'effondrement d'un taudis, ça n'a rien de poétique, beurk, comme c'est ordinaire ! Allez, sur la vie de ta maman chérie, fais-lui du bouche-à-bouche, ma petite, ne sois pas méchante. Fais-lui la respiration artificielle.)

Je voudrais bien, moi, mais rappelle-toi que je dois lui demander la permission. N'oublie pas que c'est elle qui me dicte ce livre. Mais si, tu n'étais pas au courant ? C'est précisément le cadavre de María Regla Pérez Martínez qui me dicte à partir du chapitre I, virgule après virgule, point après point.

(Pas possible, ma petite, à plus forte raison, alors ! Ne sois pas ingrate. Alors, celle qui a travaillé comme une malade c'est elle, pas toi. Eh bien, allez, demande-lui la permission ! Elle te la donnera sûrement ! Elle a une envie folle de revivre !)

OK, je lui demanderai la permission. Mais il faut mettre les choses au point : nous avons toutes les deux sué sang et eau à égalité.

La permission, père, la permission, mère, la permission echu Alagbana, la permission maison echu akuokoyeri, la permission encoignure 3, et à l'arbre ficus, salut marraine du second siège, salut à celle que garde Orula, salut à ma tête, salut à tous les orishas, aux vieillards, salut. Salut tête privilégiée, orisha profondeurs de l'océan, roi son fils, sur le chemin qu'il soit en alerte, le cerf est à Obbatalá, messages Obbatalá avec le droit.

Fais-nous le *reviou* de la séquence. Prise deux. Extérieur. Jour. Scène sans la mort de María Regla. On tourne ! Je veux dire, on écrit ! Le cameraman attend en fumant une Popular appuyé contre la bouteroue, il a juste le temps de recevoir dans ses bras la masse qui tombe, par hasard, sur lui. Le corps disloqué de la jeune fille. Il la porte dans ses bras et se précipite vers la Lada qui les attend. Une fois qu'ils sont casés tous les trois, le chauffeur démarre, épouvanté, sans savoir à coup sûr s'il a été témoin d'un effondrement ou d'un incendie. Les tourbillons de poussière sont tels que la foule des curieux disparaît dans un nuage de fumée grise puant les eaux d'égout, qui s'élève vers le ciel boueux et profané. La sirène des pompiers et les avertisseurs des voitures de police mettent la ville entière en émoi. Quand María Regla reprend conscience, la voiture roule déjà rue Línea, dans le Vedado. Très bientôt ils seront à Miramar, ensuite, des lotissements, des petits villages… Jusqu'à leur arrivée au lieu choisi pour interviewer les paysans.

— Vierge de Regla bénie, qu'est-ce qui s'est passé, putain, moi tout ce que j'ai fait, c'est sauter ! Je savais que ça allait arriver, j'ai eu un pressentiment, j'ai deviné dans l'air qu'il se passerait quelque chose de grave ! Moi on me dit toujours les choses à l'oreille avant qu'elles ne se produisent ! Bonne mère, ils ont tous péri, les enfants aussi, Angelito, Patricita, Rebequita, Elenita, Carlitos, aïe, aïe, aïe ! On fait quoi, putain, on va où maintenant ?

Etonné, le chauffeur l'observe dans le rétroviseur, le cameraman, assis à sa droite, se tourne vers elle, non moins stupéfait. Ils sont incapables d'émettre un son, le désarroi leur a dévoré la voix. Elle comprend tout de suite. Elle cesse de pleurer. Elle lisse ses cheveux poisseux de sueur et de poussière. Sa main est sur son crâne, cachée dans ses cheveux et son coude repose sur le bord du déflecteur. María Regla réalise qu'elle a tout perdu. La seule chose qui lui reste, c'est son reportage. Elle le fera. Après, on avisera.

La fraîcheur maritime et l'angoisse l'enveloppent d'une somnolence vaporeuse. Elle ressent des picotements aux pupilles, aux gencives, au cerveau. Pourtant elle ne désire pas fermer les paupières, elle s'oblige à contempler le paysage : les avenues, les visages. On voit des rues dégoûtantes, des arbres abattus, les chiens galeux se frottent contre les bordures des trottoirs pour apaiser la rage de la démangeaison, les corps des chats récemment décapités palpitent encore dans des flaques de sang ou se balancent, suspendus aux cordes à linge. Les enfants passent loqueteux, déchaussés, faméliques, les plus petits vont tout nus. Les femmes marmonnent, acrimonieuses et infectées. Les jeunes filles agonisent aux portes des boulangeries. Les hommes s'adonnent à un nouveau ballet pour s'entre-tuer, les femmes sont sur le point de le faire, ce qui les retient c'est le péché d'avoir enfanté. Un bûcher de vieillards brûle à chaque coin de rue. Il n'y a ni maisons, ni argent, ni électricité, ni eau. Il y a des impôts.

Ces gens-là, on les appelle des *indigents* et ils sont majoritaires.

Leur voyage se poursuit, on voit apparaître des maisons toujours plus différentes, protégées par des grillages, ce sont des boutiques en dollars, neuves, rutilantes, fraîchement peintes, aux rideaux en plastique, aux vitres fumées pour que personne ne puisse voir à l'intérieur, avec leurs enseignes au néon : *Rapides, Cupets*, essence et nourriture en devises. Ceux qui sortent de ces endroits, on ne les a jamais vus entrer, ils sont si distincts des autres ! Ils trimballent des sacs en plastique remplis de viande rouge, de canettes de Coca, ils portent des jeans et des tee-shirts imprimés de palmiers de Floride, des tennis à pois, oh, la couleur de leurs joues tire sur le rose, et ils ont beau se comporter en *vermines contre-révo*, ils attendent encore quelque chose du régime, ce sont des hypocrites, qui haïssent profondément la carte de rationnement, autrefois c'étaient les gens sûrs de la Sûreté – ils font largement exception, eux aussi, tout comme ceux qui toute leur vie ont touché des prébendes, ou les chanceux que leur famille des USA n'a pas oubliés, les putes et les tapineurs veinards, les trafiquants de cigares et de rhum, les dealers de marijuana et de cocaïne, les touristes de tous les pays, unissez-vous, etc. Ceux qui sortent de ces établissements de plus en plus nombreux, on les nomme des *diplo-gens*.

Derrière des rideaux crasseux, dans des quartiers surveillés, enfermés dans leur terreur, se rongeant les ongles, prisonniers dans leur désordre, hurlant dans la cuvette des toilettes, s'exprimant par gestes, raccrochant le téléphone, battus et couverts de bleus, mettant leur espoir dans les démarches des journalistes étrangers et dans l'au-delà, les *dissidents*, minoritaires, survivent.

Paranoïaques déprimés dans le fond, mais euphoriques et vifs en surface, avec une confiance inébranlable en eux-mêmes, vaniteux, orgueilleux de leurs idées soi-disant inédites depuis que le monde est monde, ayant de fortes probabilités de s'enrichir, robustes, sains, invincibles, indestructibles, ils constituent les bastions de la médiocrité par leur attitude exemplaire, spectaculaire, prétentieuse et bien sûr, corrompue, pardon, incorruptible ; irremplaçables, puissants, immortels, fils de putes... ce sont les *dirigeants*. Je crois que je les ai décrits super bien. María Regla les classe comme elle sait qu'ils se situent dans la nouvelle échelle sociale : les dirigeants, les diplo-gens, les dissidents, les indigents... Merde, quelle mémoire déficiente que la mienne, comment oublier les *survivants* ! Lisez au passage les artistes, les écrivains, les philosophes... quand ils ne dérapent pas, car parmi ces derniers, certains passent dans l'un des camps précédents.

Telle est la ville à laquelle María Regla se heurte. Avenues désertes, de temps à autre une diplo-voiture renverse un diplo-chien. Une diplo-bicyclette cogne un diplo-poteau. Sans crier gare, une diplo-Lada à plaque blanche de diplo-ministre stationne dans le diplo-garage d'un diplo-restaurant. Une diplo-pute se pavane, son diplo-ventre plein de diplo-porc et de diplo-haricots. Une étudiante tout juste diplômée se demande avec envie si elle ne devrait pas plutôt se lancer dans une diplo-carrière sur le front de mer. Elle se remémore aussitôt le diplo-discours du diplo-Taille-Super-Extra, qu'elle a touché avec sa carte de rationnement, et elle ressent une fervente vocation religieuse : *Nos putes sont les plus instruites, les plus saines du monde entier**.

María Regla entend à la radio de la voiture la chanson de Pablito Milanés :

La vie ne vaut rien,
si je dois remettre à plus tard
chaque minute de mon existence,
et finir mes jours dans un lit...

On dit que c'est inspiré par un passage de la lettre des époux Rosenberg à leurs enfants, avant de mourir. María Regla ne peut se retenir de pleurer à chaudes larmes, sans auto-explications. Mais elle ne peut pas non plus s'empêcher de sourire en entendant la version burlesque et boiteuse que le chauffeur entonne, inconscient de son angoisse, au-delà du bien et du mal :

La vie ne vaut pas une Lada,
si ce n'est pour mériter,
une Nissan à vendre,
comme si de rien n'était...

A un feu rouge, il en profite pour draguer une bonne femme, type jument américaine, qui passe en se tortillant, boudinée dans un Levi's.

— Dis donc, toi, t'es une capitaliste ? Comme la femme le regarde de travers, il se répond à lui-même : Oh, pour rien, je te dis ça parce que tes masses sont opprimées.

Le paysage rural gagne du terrain. C'est aussi verdoyant que dans les films d'autrefois, avec des palmiers comme des fiancées qui attendent** et toute cette niaiserie de l'âme cubaine,

* La citation est authentique. *(N.d.A.)*
** Citation de José Martí. *(N.d.T.)*

si importante et si redondante : le ciel bleu, la pestilence de goudron et d'herbe pourrie, les nuages comme du talc saupoudré, la transparence de la couleur... C'est le même qu'autrefois, sur chaque parcelle, à chaque kilomètre, peint dans le regard de la jeune fille. Mais les panneaux combatifs et agitateurs genre *Le socialisme ou la mort Commandant en chef, ordonnez, Ici personne ne se rend, Nous sommes cent pour cent cubains, Messieurs les impérialistes, vous ne nous effrayez pas du tout*... et les autres, se transforment peu à peu en étranges messages : Des enfants potelés et souriants, peints sur des affiches années cinquante, déclarent que *Avec Nestlé on grandit mieux*. Manolo Ortega, le vieux speaker des discours officiels, apparaît sur un autre panneau, jeune, mince et désamidonné, c'est-à-dire pas du tout cérémonieux, avouant à bouche que veux-tu que la bière Hatuey, il n'y en a pas deux pareilles. Un tendron de cinéaste annonce la Pepsi, une actrice les parfums Guerlain. *Nous voulons le Pain et les Américains*, au lieu de *Nous voulons les Panaméricains*, à propos des jeux sportifs, et ainsi de suite, tout le long de la route. Pas une âme, pas un paysan. Seulement des paysages et des panneaux publicitaires de plus en plus années cinquante. La jeune fille ne comprend pas comment c'est arrivé. Peut-être comme dans un rêve programmé par d'autres. Sans transition cohérente. Le chauffeur sifflote la mélodie *Only you* des Platters, il est en costume-cravate, de même que le cameraman. Elle a les cheveux courts et permanentés, elle porte une robe jaune qui lui dénude les épaules, moulante jusqu'à la taille, après la jupe s'évase, des ballerines confortables comme pour danser le rock-and-roll. Exténuée, néanmoins stupéfaite, elle caresse le vinyle des sièges profonds et accueillants de la Chevrolet de cinquante-huit. Ils sont arrivés dans ce petit village champêtre, le cameraman ouvre la portière et lui tend la main pour l'aider à descendre.

La fille saute de la voiture. Le village est en fête. La télévision filme en direct. María Regla, inquiète, se fâche, on lui a fait encore un coup bas avec ce reportage, quelqu'un a pris les devants. Mais elle s'aperçoit aussitôt que les caméras sont de jolis appareils, que les cameramen sont élégants. Elle devine qu'elle n'est pas dans son époque. Au lieu du marché libre paysan, ce programme est un concours, une loterie où les couples gagnent des trousseaux de mariage, des maisons, des mixers, des réfrigérateurs General Electric (il ne doit plus y avoir de voyages à Miami, ou peut-être que si, mais la tombola a dû changer de nom et de lieu)...

Le public est endimanché, les gens rient, curieux, et applaudissent en espérant que l'un d'eux sera le gagnant... Maintenant, c'est le tour de quelques jeunes paysannes enceintes. On va tirer au sort la layette du bébé. Parmi les participantes, María Regla remarque une jeune femme qui lui ressemble beaucoup, elle a le type chinois, un nez de mulâtresse, une bouche pulpeuse, un menton charnu. C'est son double, mais en plus mate. La jeune femme est enceinte de huit mois environ, elle tire un bout de papier dans le sac que lui tend le jeune Germán Pinelli, n'était-il pas mort à l'âge de cent ans ? Elle a gagné ! Elle a gagné la layette, la dernière marque nord-américaine de moustiquaire qui reste dans la maison Pestana avant sa nationalisation ! Le speaker mentionne l'année glorieuse : 1959, sur un ton de propagande burlesque, ensuite il demande à la future mère de quelle couleur elle choisira la moustiquaire pour son bébé. Elle répond en tremblant comme une feuille, blanche avec des petits rubans roses. Pinelli demande encore, avec une insistance idiote, pourquoi cette couleur ?

— Parce que les enfants doivent être habillés en blanc, fait-elle pour toute réponse.

— Mais vous habitez à La Havane, que faites-vous ici à Santa Clara ?

— J'ai voulu revenir dans le village où je suis née, avant d'accoucher.

On lui fait alors une longue ovation. Le maigre Germán Pinelli décide de passer à un second concours de détergents et, très hypocritement, il élimine la jeune paysanne du champ, par un discret coup de coude. María Regla décide d'aller vers elle avant de la perdre de vue, et elle la prend doucement par le bras. La femme est si épuisée qu'elle se laisse faire mais ne quitte pas des yeux le billet prouvant qu'elle a gagné une layette.

— Excuse-moi, j'aimerais t'interviewer... María Regla devine un mystère. Quel âge as-tu ?

Elle esquive la réponse, elle est sur le point de trébucher et de tomber en avant. María Regla la soutient, essuie du bord de sa jupe la sueur sur le front de la femme enceinte :

— Comment t'appelles-tu, dans quel quartier de La Havane est-ce que tu habites ?

La femme a une nausée, elle vomit.

— Excusez-moi, je me sens si mal, pourriez-vous venir demain ? Je me sens si mal... Je m'appelle Caridad, et je travaille à la Cafétéria Nationale, à La Havane... Mais en ce moment je suis de passage ici... Comme c'est curieux, vous me ressemblez !... J'habite dans la petite maison bleue, là...

— Je viendrai. Ta vie m'intéresse, faire quelque chose avec toi pour la télévision.

María Regla rougit, honteuse de ses propres paroles. Elle se sent mal à l'aise devant cette femme enceinte désemparée. Elle promet de venir le surlendemain. C'est un long voyage, et elle doit rentrer... Où ? Elle est perdue, elle ne sait plus si elle doit retourner dans une maison inexistante, ou dans une ère inexistante... L'idée qu'il s'agit des deux à la fois la terrifie. En tout cas, elle promet de revenir dans deux jours. Troublée, elle baise le front de Caridad et monte dans la Chevrolet. La voiture démarre. De nouveau des paysages, des panneaux publicitaires. Des panneaux et de beaux jeunes gens des deux sexes, ciel radieux, palmiers suggestifs et altiers, verte végétation sauvage, nuages malicieux, odeur de brûlé de la noix de coco râpée, mais aussi odeur fétide de miasmes, plein de miasmes... La ville resurgit avec ses contradictions. Avec ses collines et avec ses failles. La ville est comme un fromage rance. Blessée à l'intérieur par les tunnels de la déraison. La Havane comme ma mère, jeune encore, mon unique univers encore, mon avenir encore. Havane-moi, toi, ma ville prison. Havane-moi, toi, ma liberté, avec tes vertus et tes vices : décolorée et triste, mais jouisseuse, tonitruante, mortifiante.

María Regla observe ses mains poussiéreuses, la toile râpée de son jean, les trous des poignées arrachées sur les portières de la Lada. Les sièges lacérés, décousus. Le cameraman dort, le chauffeur fredonne une chanson des Van Van :

— *Le boucher est un champion, le boucher est un crack.*

Elle secoue le cameraman :

— Que s'est-il passé ? Où sommes-nous allés ?

— Faire le reportage. Ça n'a pas marché. Comment ça se fait que tu ne t'en souviennes pas ? Personne n'a voulu parler devant la caméra... Les gens sont chiés, ils causent beaucoup entre eux, mais dès qu'ils voient une caméra, ils se débinent... Allez, viens dormir chez moi cette nuit...

Elle revient à cette réalité, si prosaïque, elle n'a ni maison, ni époque. Sa famille a dû entendre la nouvelle à la radio, ou bien elle l'a lue dans la presse. Le cameraman lui suggère de ne pas se faire trop d'illusions, ces nouvelles, on ne les diffuse même plus, les écroulements sont si courants, si quotidiens. Sa mère doit sûrement la croire morte, enterrée sous les décombres. Et son père, oh mon Dieu ! Elle se remet à pleurer, elle se lamente, elle a peur. Elle accepte d'aller avec le cameraman, elle ose à peine faire un pas tant elle est fatiguée, meurtrie.

Le cameraman vit dans un petit appartement du Vedado avec, comme de juste, sa mère, son père, deux tantes et plusieurs frères et cousins. Sa femme habite chez ses parents à elle. C'est pourquoi ils n'ont pas eu d'enfants. Il déplie un lit de camp sur le balcon, le seul espace libre, et s'y allonge. Dans le salon, María Regla tombe d'épuisement sur le canapé-lit où son ami dort d'habitude. Les yeux rivés sur les ombres chinoises du plafond, elle ne cesse de penser à la jeune femme de l'année cinquante-neuf.

Quand elle raconte ces événements étranges au cameraman, celui-ci admet que son histoire ou son cauchemar peuvent être véridiques, mais qu'en tout état de cause il n'en a pas été témoin. Il se tourne de l'autre côté et commence à émettre des ronflements sonores. Le lendemain de bonne heure, María Regla reprend la même rengaine, au point d'en oublier qu'elle a perdu sa maison et ses biens personnels ; quand le cameraman le lui rappelle, elle souligne que cela n'a pas la moindre importance. A son avis, il faudra trouver une voiture pour retourner dans ce village. Tant va la cruche à l'eau qu'à la fin elle se casse... ou se répare. Le cameraman, par compassion, et parce que c'est un brave type comme on n'en fait plus, obtient de son frère aîné qu'il lui prête sa Lada. Ils repartent aussitôt vers la campagne cubaine.

Le même paysage naturel, mais cette fois les panneaux ne changent pas. Le message est le même. Ou quasiment. Bientôt apparaissent en caractères modernes, au fluo ou au néon : *Venez vivre une tentation.* Au premier plan, un cul de Négresse avec une tanga genre fil dentaire. *Fumez des cigarettes Hollywood, go to Hollywood. Voyagez avec Cubana.* Et ainsi de suite... jusqu'à leur arrivée à Santa Clara, dans l'ancienne province de Las Villas.

Tout est en ruine, pas seulement branlant mais déserté, à part des adolescentes aux pieds nus qui sautent à la corde avec une simple longe à chevaux. María Regla s'en approche. Nerveuse, sans comprendre le spectacle transgressé par les caprices de l'époque. Les fillettes, farouches au début, interrompent leurs jeux et attendent sa question :

— Connaissez-vous une femme enceinte qui s'appelle Caridad ? Elle était ici hier, elle m'a dit qu'elle habitait dans la maisonnette bleue en bois...

— Caridad, Caridad ? La fillette ébouriffée, hâlée par le soleil, s'efforce de trouver une piste.

— Ecoutez, la seule maisonnette bleue déteinte, c'est celle-là... et elle désigne un toit dissimulé derrière des buissons. Celle qui habite là, d'après moi, c'est une vieille à moitié folle qui vient d'emménager et qui s'appelle... Elle s'appelle Cuca.

— Ma grand-mère m'a raconté... intervient une autre adolescente, qu'elle a vécu ici toute petite, Cuca, et qu'elle est revenue pour oublier les malheurs de sa vie... Elle est complètement allumée. Elle passe toute la sainte journée à raconter qu'il y a des années, elle avait eu rendez-vous avec une journaliste qu'elle était venue attendre, parce qu'on allait raconter sa vie à la télévision, dans un téléfilm... !

— En quelle année sommes-nous ? questionne la journaliste.

— Oh ben toi alors, en quelle année veux-tu, en 1995 !

María Regla, son sang ne fait qu'un tour. Elle avance vers les buissons. Les adolescentes se remettent à sauter à la corde. Le cameraman ronfle dans la voiture. Cette fois-ci, leurs vêtements n'ont pas subi de transformation, l'auto non plus. Serait-elle vraie, cette histoire de transition d'une époque à une autre ? Pourquoi donc prendre le passé pour modèle ? Pourquoi ne pas penser à l'avenir ? Pourquoi ne pas rêver, imaginer l'avenir ?

(Minute, jusqu'ici tu m'as fait pleurer, tu remarqueras que je ne t'ai pas interrompue une seule fois. Mais tout ce discours de philosophie ringarde, ça ne te va pas, enfin quoi, ce n'est pas ton genre. C'est simple comme bonjour, mon trésor, reviens ici pour pénétrer la réalité. Tu n'es pas María Regla, tu es sa subordonnée. Est-ce qu'elle t'a demandé de la ressusciter ? Ce n'est pas vrai ? Réponds-moi, oui, non ? Non, car si c'est vrai, alors je me tais. Mais que je sache, c'est moi qui t'ai suggéré la brillante idée de la faire revivre un moment, tu lui en as demandé la permission, et elle te l'a donnée de bon cœur. Mais de là à lui faire débiter des conneries..., ça ne te donne pas le droit de la tourner en ridicule, tout de même. Cette histoire sempiternelle d'avenir, d'avenir et d'avenir, à quoi ça rime ? Tu ne vois pas qu'on est dans le pétrin, ici, que c'est la cata ? Comment oses-tu exiger de gens qui souffrent tellement de penser à l'avenir ? Ici c'est le présent qu'il s'agit de résoudre ! Quant à cet avenir qui t'inquiète tant, il faut le laisser tomber, mon amie ! Ce petit discours, je le connais par cœur, on va pas ressasser la même rengaine, ma biche. Je ne me lasse pas de te le répéter, mais dis donc, t'es plutôt dure de la feuille, toi : vis ta vie, ma jolie ! Ce n'est pas toi qui vas résoudre les problèmes. C'est foutu, ici, sans solution, la maladie est chronique, la mort est imminente, du jour au lendemain, mais personne n'a la tête à ça, ni veillée funèbre, ni enterrement. Quand je pense que tu te ronges les sangs au sujet de la ville, de la campagne, des immeubles qui tombent comme des mouches, du paysage qui pourrit ! Tu t'attendais à quoi ? Qu'on allait bâtir Tôkyô dans les Caraïbes ? Non, c'est moi qui vous le dis, les pois cassés ont liquidé l'intelligence de ce pays. Voici pourquoi le seul produit qu'ils vendent avec la carte de rationnement, c'est des pois cassés. Le poison national. La potion magique d'Astérix : nous rendre robustes sans nourriture. Nous n'avons plus un seul globule rouge, mais nous ne faisons qu'une bouchée de l'empire le plus puissant du monde. Autrement dit, tout était vachement bien jusqu'à ta tirade sur l'avenir. Cette tirade-là, l'avenir, tu me la supprimes vite fait. Vite fait, je te dis. OK ? Correct ? Vas-y, tu peux continuer.)

Mais a-t-on jamais vu un culot pareil ? Dis donc, Géminette Criquette, tu te sens plus. Si jamais tu m'interromps encore sans arguments solides, je vais te flanquer une gifle. Fiche-moi la paix avec ma litanie philosophique, je sais ce que je fais. Tu sais bien d'ailleurs que c'est ma faiblesse, mon caprice. Philosopher à partir d'une recette de pois cassés. Pois cassés à l'anglaise : tu fais tremper tes pois cassés quelque temps, on fait revenir au beurre des tranches de jambon et de l'oignon haché, on ajoute les pois cassés, on remue le tout un bon moment à grand feu, on recouvre d'un bon bouillon et on fait cuire jusqu'à ce qu'ils ramollissent, on assaisonne avec du sel, du poivre et de la noix muscade râpée, on leur donne de la couleur avec du curcuma ou du safran, et on fait épaissir la sauce avec du jaune d'œuf dur écrasé. Les servir avec des saucisses par-dessus.

(Tu veux me dire à moi, où c'est que je vais dénicher les autres ingrédients, à part les pois cassés ? Tiens, tu ferais mieux de te consacrer à écrire des lettres, ou des poésies banales, va. Cette génération, elle ne s'en tirera pas non plus. Quand j'y pense, je vois qu'on marche de plus en plus à reculons. Continue, continue sur ta lancée.)

Sur la véranda, assise dans un rocking-chair en piteux état, grinçant faute de graisse, une vieille dame se balance. Elle lève les yeux de ses rosiers quand elle pressent María Regla. Les soupçons de celle-ci sont confirmés. Le mystère est élucidé : elle a devant elle Cuca Martínez, sa propre mère en chair et en os. Son sourire est identique à celui d'autrefois, timide, las.

— J'ai attendu si longtemps pour tout te raconter ! Maintenant je crois que j'y arriverai…

Mais Cuca Martínez s'adresse à la journaliste de l'année mille neuf cent cinquante-neuf. Coupée de la réalité, souffrant d'artériosclérose, elle ne reconnaît pas María Regla. Elle fait même remarquer que la jeune fille a un certain air qui lui semble familier. Bien que, se lamente-t-elle, sa pauvre fille soit restée enterrée sous les décombres d'un taudis havanais. Mais elle ne peut pas y croire. Curieusement, son cœur lui souffle que son bébé, sa toute petite, est vivante et qu'elle l'attend quelque part. Elle supplie la journaliste d'écrire sa vie pour un téléfilm, mais elle doit la réussir aussi bien que les Brésiliens, qui sont les champions dans ce domaine, les fortiches, les *number ouane*. Soudain, une larme coule sur son visage. Après un silence provocant, elle revient à la charge, ça doit être la meilleure émission de l'été, avec pas mal d'intrigues, du suspense, une histoire très longue, à trois cents épisodes et plus, un tabac !

María Regla ne veut pas admettre qu'elle est un esprit. Pourtant les esprits racontent les histoires bien mieux que les vivants, car ils le font avec nostalgie, avec douleur, en luttant contre leur impuissance. María Regla essaie d'expliquer à sa mère qu'elle est bien sa fille ; c'est vrai, elle a raison, elle est vivante. Très vivante dans son cœur. Cuca Martínez entreprend le récit débridé depuis sa naissance, en remontant aux années trente. María Regla l'écoute et pense que la seule chose qui lui reste à faire c'est cela : enregistrer. Plus tard, elle se chargera de trouver une personne vraiment vivante capable de transcrire pour elle. Sûr qu'elle le fera. Ensuite on avisera. Entre les palmiers et le feuillage s'infiltrent les voix attendries de Clara et de Mario, qui authentifient la fin :

Si à la fin je devais écrire
l'histoire de ma vie,
si à la fin je devais exprimer
les heures les plus intenses,
ce serait sur toi, par la loi de la raison,
que j'écrirais le plus,
ce serait sur toi parce que dans mon cœur
tu es la première.

(Tu as conclu de manière digne et convenable. C'est une belle fin, impressionnante. Très réussie. Je te félicite. Rien de transcendant, mais ce n'est pas mal. Crois-tu que ça lui plaira, à Cuca Martínez, quand elle le lira ? Et María Regla, que pense-t-elle, que dit-elle ? Raconte ! Est-ce que ça lui a plu ?)

Elle ne peut pas lire, et personne ne pourra le lui lire. Elle est morte. L'as-tu oublié ? Et les morts ne sentent pas, ne souffrent pas. Maintenant je suis à sec, vidée, seule malgré… De nouveau, je revois les photos, attentivement. L'album de photos : mon lien avec la réalité. Ma fille joue avec son père dans un parc madrilène. Assise sur un banc, je les regarde. Je donnerais tout et davantage pour que ma mère soit là, ici. Je pense que nous avons fait au moins quelque chose de bien : cette petite fille joyeuse, vêtue de sa robe rouge à pois blancs, qui s'amuse à la balançoire. En cubain elle nous offre un conte innocent de monstres.

*Elle nous raconte une naïve histoire de monstres en français**. Ses monstres n'ont rien à voir avec les miens, ni avec ceux de Cuca Martínez, ni avec ceux de María Regla. Mais ce sont ses monstres à elle. C'est pour les affronter aux miens et pouvoir la protéger contre les siens que j'ai recours à mon arme unique. J'ouvre un livre d'histoire de Cuba, de Manuel Moreno Fraginals, et je lis des vers de Beatriz de Jústiz y Zayas, marquise de Jústiz de Santa Ana, écrits en 1762 :

Toi Havane capitulée ?
Toi en larmes ? Toi en extermination ?
Toi désormais sous domination étrangère ?
Quelle douleur ! Oh mon pays bien-aimé !

* En français dans le texte. *(N.d.T.)*

TABLE

Prière pour purifier la tête........................ 11

PREMIÈRE PARTIE 13

1. *Be Careful, it's My Heart*................. 15
2. Ma serveuse adorée 31
3. Une rose de France......................... 55
4. Finie la rigolade.............................. 93
5. Un Cubain à New York................... 136
6. Lamento cubain.............................. 156

SECONDE PARTIE.. 183

7. Un rendez-vous d'amour 185
8. Mens-moi 226
9. Avec mille désillusions................... 259
10. Pardonne-moi, ma conscience 293
11 et dernier. Nostalgie havanaise.......... 320

BABEL

Extrait du catalogue

317. HUBERT NYSSEN
La Femme du botaniste

318. JEAN-FRANÇOIS VILAR
Bastille tango

319. SÉBASTIEN LAPAQUE
Les Barricades mystérieuses

320. ALAIN GHEERBRANT
La Transversale

321. THIERRY JONQUET
Du passé faisons table rase

322. CLAUDE PUJADE-RENAUD
La Nuit la neige

323. *
Mai 68 à l'usage des moins de vingt ans

324. FITZ-JAMES O'BRIEN
Qu'était-ce ?

325. ÉLISÉE RECLUS
Histoire d'une montagne

326. *
Dame Merveille et autres contes d'Egypte

327. ROMAN DE BAÏBARS / 1
Les Enfances de Baïbars

328. ROMAN DE BAÏBARS / 2
Fleur des Truands

329. ROMAN DE BAÏBARS / 3
Les Bas-Fonds du Caire

330. ROMAN DE BAÏBARS / 4
La Chevauchée des fils d'Ismaïl

331. JACQUES POULIN
Volkswagen Blues

332. MIRABEAU
Lettres écrites du donjon de Vincennes

333. CHEVALIER DE BOUFFLERS
Lettres d'Afrique à Mme de Sabran

334. FRANÇOISE MORVAN
Vie et mœurs des lutins bretons

335. FRÉDÉRIC VITOUX
Il me semble désormais que Roger est en Italie

336. JEAN-PIERRE NAUGRETTE
Le Crime étrange de Mr Hyde

337. NADAR
Quand j'étais photographe

338. NANCY HUSTON
Histoire d'Omaya

339. GÉRARD DE CORTANZE
Giuliana

340. GÉRARD GUÉGAN
Technicolor

341. CHARLES BERTIN
La Petite Dame en son jardin de Bruges

342. INTERNATIONALE DE L'IMAGINAIRE N° 9
Deux millénaires et après

343. NINA BERBEROVA
Le Livre du bonheur

344. PÄLDÈN GYATSO
Le Feu sous la neige

345. FÉDOR DOSTOÏEVSKI
Le Double

346. FRÉDÉRIC H. FAJARDIE
Querelleur

347. ANNE SECRET
La Mort à Lubeck

348. RUSSELL BANKS
Trailerpark

349. ZOÉ VALDÉS
La Sous-développée

350. TORGNY LINDGREN
La Lumière

351. YÔKO OGAWA
La Piscine / Les Abeilles / La Grossesse

352. FRANZ KAFKA
A la colonie disciplinaire

353. YING CHEN
Les Lettres chinoises

354. ÉLISE TURCOTTE
Le Bruit des choses vivantes

355. ALBERTO MANGUEL
Dernières nouvelles d'une terre abandonnée

356. MIKA ETCHEBÉHÈRE
Ma guerre d'Espagne à moi

357. *
Les Cyniques grecs : Lettres de Diogène et Cratès

358. Bernard MANDEVILLE
Recherche sur la nature de la société

359. RENCONTRES D'AVERROÈS
La Méditerranée, entre la raison et la foi

360. Michel VINAVER
King suivi de Les Huissiers

COÉDITION ACTES SUD – LEMÉAC

Ouvrage réalisé
par les Ateliers graphiques Actes Sud.
Achevé d'imprimer
en septembre 1999
par Bussière Camedan Imprimeries
à Saint-Amand-Montrond (Cher)
sur papier des
Papeteries de La Gorge de Domène
pour le compte
d'ACTES SUD
Le Méjan
Place Nina-Berberova
13200 Arles.

N° d'éditeur : 3207
Dépôt légal
1re édition : janvier 1999
N° impr. : 993658/1